Remo H. Largo, Monika Czernin
Glückliche Scheidungskinder

D0291546

Zu diesem Buch

Werden unsere Kinder unter unserer Trennung leiden? Diese Frage stellen alle Eltern, die sich scheiden lassen wollen. Remo H. Largo und Monika Czernin geben eine Antwort, die in dieser schwierigen Situation Mut macht: Die Kinder müssen nicht zwangsläufig belastet aufwachsen, auch aus Scheidungskindern können glückliche Kinder werden. Anhand von konkreten Beispielen gehen die Autoren auf die wichtigsten Fragen ein: Wie sagen wir es unseren Kindern? Was ändert sich für Kinder und Eltern nach der Trennung? Getrennt leben – gemeinsam erziehen, geht das? Wie verhalten sich Kinder zu neuen Lebenspartnern? Die Autoren konzentrieren sich auf die tatsächlichen Bedürfnisse von Kindern und zeigen, wie man sie erfüllt, egal, in welchem Familienmodell. Ob Eltern und Kinder glücklich sind, bestimmen nicht Trennung und Scheidung, sondern Beziehungen und Lebensumstände.

Remo H. Largo, geboren 1943, ist Professor für Kinderheilkunde in Zürich, Autor zahlreicher wissenschaftlicher Arbeiten und Vater dreier Töchter. Nach seinem Bestseller »Babyjahre« veröffentlichte er die erfolgreiche Fortsetzung »Kinderjahre«.
Monika Czernin, geboren 1965, ist freie Journalistin, erfolgreiche Buchautorin und lebt mit ihrer Tochter in München. Von ihr erschien unter anderem »Jeder Augenblick ein Staunen. Vom Abenteuer, mit einem Kind zu wachsen«.

Remo H. Largo, Monika Czernin
Glückliche Scheidungskinder

Trennungen und wie Kinder damit fertig werden

Piper München Zürich

Von Remo H. Largo liegen bei Piper im Taschenbuch vor:
Babyjahre
Kinderjahre
Glückliche Scheidungskinder

Für Eva, Helena, Johanna und Kathrin

Dieses Taschenbuch wurde auf FSC-zertifiziertem Papier gedruckt.
FSC (Forest Stewardship Council) ist eine nichtstaatliche, gemeinnützige
Organisation, die sich für eine ökologische und sozialverantwortliche
Nutzung der Wälder unserer Erde einsetzt (vgl. Logo auf der Umschlag-
rückseite).

Ungekürzte Taschenbuchausgabe
1. Auflage Juni 2004
5. Auflage Februar 2008
© 2003 Piper Verlag GmbH, München
Umschlag / Bildredaktion: Büro Hamburg
Isabel Bünermann, Friederike Franz,
Charlotte Wippermann, Katharina Oesten
Foto Umschlagvorderseite: Carmen Baumgart, Rosenheim
Fotos Umschlagrückseite: Christian Scholz, Achim Bunz
Satz: Dr. Ulrich Mihr GmbH, Tübingen
Papier: Munken Print von Arctic Paper Munkedals AB, Schweden
Druck und Bindung: Clausen & Bosse, Leck
Printed in Germany   ISBN 978-3-492-24158-8

www.piper.de

Inhalt

Die Vielfalt der Familienformen

Anhang

Einleitung

Es war an einem verregneten Sonntag in Zürich. Remo Largo und ich wollten unsere erste gemeinsame Lesung über die Entwicklung vom Säugling zum Kleinkind vorbereiten, Dias und Videosequenzen über wackelige Krabbelversuche, den Triumph der ersten Schritte und die ungebremste Forscherlust der Zweijährigen aus Remos reichem Bilderfundus hervorkramen und seine Erläuterungen über die Besonderheiten der kindlichen Entwicklung meinen mütterlichen Reflexionen gegenüberstellen. Dann, noch bevor wir uns mit den Einzelheiten des Programms auseinander setzen konnten, platzte es in einer Mischung aus gut getarnter Verzweiflung und feldwebelhafter Bestimmtheit aus mir heraus.

»Wir haben uns getrennt!«

Ich hatte mir schon vorgenommen, das Gespräch auf meine persönliche Situation zu lenken – allerdings erst nach getaner Arbeit und zu angemessener Zeit. Remo Largo, Entwicklungsspezialist und feinfühliger Kenner der Kinderseele, würde er mir vielleicht sagen können, was nun aus meiner dreijährigen Tochter werden wird? Diese Frage lastete schwer auf meinen Schultern.

»Wenn ihr als Eltern die Bedürfnisse eurer Tochter weiterhin ausreichend abdeckt und es euch selbst nach der Trennung gut geht, wird nichts passieren«, sagte er.

Meine Tochter war mit nach Zürich gereist. Sie war früh aufgestanden, blieb die ganze Autofahrt über hellwach und war erst kurz vor Zürich eingeschlafen. Wenn sie allerdings einmal schlief, war sie kaum zu wecken, und so hielt ich mein schlummerndes Mädchen im Arm, während ich redete.

»Du meinst, sie würde keinen Schaden nehmen, wenn wir uns

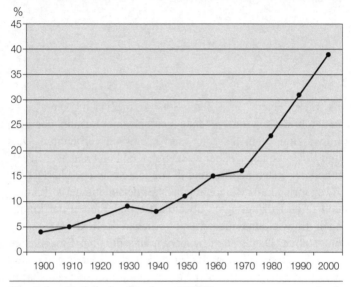

(Deutsches Statistisches Bundesamt 1999)

trennten und schließlich auch scheiden lassen würden?« Ich war einigermaßen erstaunt. *»Wahrscheinlich meinst du, der Schaden ließe sich begrenzen, könnte – gemessen an dem Schaden, den unglückliche, sich ewig streitende Eheleute anrichten können – vielleicht sogar das kleinere Übel sein? Aber kein Schaden?«*

»Trennung und Scheidung sind für die Eltern sehr schmerzhafte Erfahrungen. Aber für das Kind muss eine Trennung keine unvermeidliche Katastrophe sein. Im besten Fall wird das Kind in seinem Wohlbefinden überhaupt nicht beeinträchtigt. Es erlebt die Trennung nur dann als negativ, wenn es nicht mehr ausreichend betreut wird, seine Grundbedürfnisse nicht mehr wie bisher befriedigt werden, oder das Kind unter den negativen Gefühlen zwischen den Eltern leidet. Streit und Aggression zwischen den Eltern erlebt das Kind als Ablehnung und Verunsicherung.«

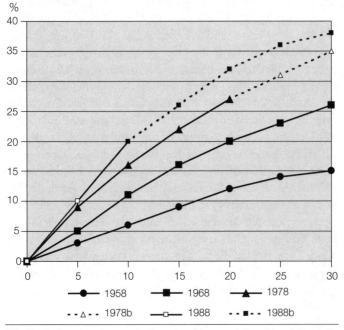

Die Statistik zeigt, dass zwischen den 50er- und den 80er-Jahren die Scheidungshäufigkeit mit der Ehedauer ständig zugenommen hat. So beträgt die Scheidungshäufigkeit nach 10 Ehejahren bei Paaren, die 1958 heirateten, 6% und bei Paaren, die 1988 heirateten, 21%. Ausgezogen: erhobene Werte; gestrichelt: prognostizierte Werte (Schweizer Bundesamt für Statistik 1998)

Achtzig Prozent der jungen Menschen geben in Umfragen an, dass sie eine traditionelle Familie gründen, heiraten und Kinder kriegen wollen (Fthenakis et al. 2002). Denken sie daran, dass über ein Drittel, beinahe jede zweite Ehe, wieder auseinander geht? Woher nehmen sie die Hoffnung, dass es bei ihnen anders sein wird, dass ausgerechnet sie die glückliche Ausnahme im Beziehungschaos bleiben werden? Oder gehen sie von vornherein in ihrer Lebensplanung von ein bis zwei

Scheidungen aus? Rechnen sie damit, ihre Kinder als allein erziehende Eltern oder in Patchworkfamilien aufzuziehen?

Immer dringlicher stellt sich die Frage nach dem Schicksal der Kinder (Walper und Schwarz 2002). 150000 Kinder erleben in Deutschland jedes Jahr, dass die Eltern auseinander gehen. Wenn der Scheidungstrend anhält oder sich auf seinem derzeit hohen Niveau einpendelt, wird ein Drittel aller Kinder im Laufe ihrer Kindheit eine Scheidung erleben. So vordergründig gesellschaftlich akzeptiert Trennung und Scheidung mittlerweile auch sind, so verzweifelt tappen viele geschiedene Eltern im Dunkeln, wenn sie über die Folgen ihres Handelns für die Kinder nachdenken oder Rat suchen. Was bekommen sie von Fachleuten und Wissenschaftlern zu hören? Auch das Leben in einer intakten »Problemfamilie« sei der seelischen Entwicklung der Kinder abträglich, doch das Trauma aller Traumata bliebe nun einmal die Scheidung. Wem das Wohl seiner Kinder am Herzen liege, der könne, so der weit verbreitete Tenor, bloß Schadensbegrenzung betreiben. Negative Auswirkungen auf die Kinder durch die Scheidung seien fast nicht zu vermeiden.

Scheidungen und Scheidungskinder

- 30 bis 40% der Ehen werden geschieden; Tendenz steigend.
- 150000 Kinder sind pro Jahr in Deutschland von der Scheidung ihrer Eltern betroffen (A und CH: 10000 bis 12000 Kinder pro Jahr).
- Derzeit jedes sechste Kind, im kommenden Jahrzehnt jedes dritte Kind, erlebt im Verlauf seiner Kindheit, dass sich seine Eltern scheiden lassen.
- Etwa 10% der Eltern sind allein erziehend.
- Etwa 15% der Kinder leben in Zweitfamilien.

(A: Österreich; CH: Schweiz). Wenn keine Angaben gemacht werden, gelten die Zahlen annähernd für alle drei Länder.

Das Thema Scheidung und Scheidungskinder ließ uns in den folgenden zwei Jahren nicht mehr los. In zahlreichen Gesprächen haben wir uns ausführlich mit den Auswirkungen von Trennung und Scheidung auf die Kinder und der Chance, sie dennoch als »glückliche Scheidungskinder« aufwachsen zu lassen, beschäftigt. Im Verlauf der Gespräche klangen immer zuversichtlichere Töne an. Aspekte kamen zur Sprache, die wir bisher bei diesem Thema nur selten oder nie gelesen und gehört hatten. Es ging immer weniger um das ewige Schüren von Schuldgefühlen, die Suche nach Scheidungssymptomen, das Sich-Herumplagen mit der langen Liste unumstößlicher Vorurteile: »Scheidungskinder machen in der Schule Schwierigkeiten.« »Sie verlieren einen Elternteil und dann auch noch den anderen, wenn er sich wieder verliebt.« »Sie wollen um jeden Preis, dass ihre Eltern wieder zusammenfinden.« »Als Erwachsene sind sie weniger bindungsfähig.« Begriffe wie Trennungstrauma, Zerstörung der Mutter-Vater-Kind-Triade oder das Auseinanderfallen der Familie traten immer mehr in den Hintergrund und machten Platz für weniger emotional belastete und pragmatischere Themenbereiche wie die Qualität der Betreuung, die psychischen und körperlichen Bedürfnisse des Kindes, seine Wahrnehmung der Welt, Kriterien für das Wohlbefinden von Kindern und Eltern. Mehr und mehr tat sich vor uns ein neuer Weg für die Bewältigung von Trennung und Scheidung, vielleicht auch für Krisen anderer Art im Leben zwischen Kindern und Erwachsenen auf.

In diesem Buch wollen wir einen befreienden, gleichzeitig aber verantwortungsbewussten Weg beschreiben, wie mit den Auswirkungen von Trennung und Scheidung besser umgegangen werden kann. Zentraler Angelpunkt unserer Überlegungen ist die Lebenswelt der Kinder, ihre Bedürfnisse und ihre Art, die Welt wahrzunehmen. Welche Grundbedürfnisse haben Kleinkinder, Schulkinder und Jugendliche, und was passiert, wenn diese Bedürfnisse nicht mehr ausreichend befriedigt werden? Wie denken und fühlen sie? Weshalb verhalten sich Kinder in bestimmten Situationen so, wie sie es tun, und wie vermeiden wir falsche Sichtweisen, die nicht kindgerechtes Handeln zur Folge haben? Durch ein solches Hinterfragen entsteht – so hoffen wir – ein korrigiertes Bild der »Scheidungskinderwirklichkeit«, ein besseres Verständnis der Kinder und ihres Verhaltens, und neue Handlungsmöglichkeiten für Eltern, Großeltern, Kindergärtner und Lehrer, Fachleute und Anwälte. Kinder glücklich aufwachsen zu lassen ist aufgrund unserer Erfahrungen und Recherchen weit weniger eine Frage des Familienmodells als vielmehr der Art und Weise, wie mit ihnen umgegangen wird. Es geht darum, ihre Bedürfnisse wahrzunehmen und zu erfüllen, egal, innerhalb welchen Familienmodells, welcher Form des Zusammenlebens oder welcher Lebensart. Die Gretchenfrage ist also nicht, »Scheidung Ja oder Nein?«, sondern, »Wie können wir als verheiratete oder geschiedene Eltern das Verhalten unserer Kinder richtig lesen und ihre Bedürfnisse angemessen befriedigen?«

In unseren Gesprächen kamen auch unsere eigenen Erfahrungen ausführlich zur Sprache. Die Scheidung von Remo Largo lag schon viele Jahre zurück.

»Es war alles andere als einfach«, erzählte er. »Meine Zeit als allein stehender Vater hat meine Ansichten über Scheidungskinder genauso geprägt wie die beruflichen Erfahrungen.«

Zuerst kam die Trennung von seiner Frau, dann die Wochenenden alleine mit drei Kindern und schließlich der Entschluss der Kinder, zu ihm und seiner zweiten Ehefrau zu übersiedeln. Heute sind die drei Töchter erwachsen, und Remo Largo ist stolzer Großvater von zwei Enkelkindern, einem fünfjährigen Mädchen und einem dreijährigen Jungen.

Meine Trennungs- und Scheidungsgeschichte hatte eher einen *Work-in-progress*-Charakter. Oft war Remo Largo gerade zur richtigen Zeit zur Stelle, und immer ging es darum, »das Problem Trennung« in seine Einzelbestandteile zu zerlegen, falsche Befürchtungen zu zerstreuen und den Blick für die wirkliche Verantwortung meinem Kind gegenüber zu stärken.

Einmal, als ich beruflich verreisen wollte, obwohl meine

Tochter gerade mehr als alles andere meine Präsenz gebraucht hätte, redete Remo Largo mir derart ins Gewissen, dass ich auf der Stelle einen Bandscheibenvorfall bekam und zu Hause blieb.

»Kann es sein, dass du zu wenig Zeit für deine Tochter hast und sie dich deshalb nicht loslassen will? Ich denke nicht, dass die Scheidung daran schuld ist!«

Natürlich hatte ich nach der Trennung oft Schuldgefühle, wartete, dass sich bei meiner Tochter Trennungssymptome einstellen würden, anstatt auf ihre ganz normalen Bedürfnisse zu achten. War sie aggressiver als sonst? Zeigte sie Anzeichen von Hyperaktivität oder wirkte sie irgendwie depressiv? Ging sie deshalb so ungern in den Kindergarten, weil sie, durch die Trennung verunsichert, soziale Integrationsprobleme hatte? War da nicht ein tragischer Zug in ihr sonst so strahlendes Gesicht geraten? Wo war ihr positives Was-kostet-die-Welt-Auftreten geblieben? Dann wieder ließ ich mir nichts anmerken, vor allem vor all jenen Leuten nicht, die meinten, uns bedauern zu müssen.

Remo Largo und ich hatten Glück im Unglück. Wenig materielle Sorgen, Einigkeit in der Erziehung und eine ausreichende familiäre Unterstützung halfen uns, unserem wichtigsten Ziel treu zu bleiben, nämlich die Kinder aus unseren Paarkonflikten herauszuhalten. Schließlich waren nicht sie an unseren Problemen schuld, vielmehr fanden sie sich plötzlich in Lebensumständen wieder, die sie sich wahrscheinlich nicht ausgesucht hätten. Das Wohl der Kinder in den Mittelpunkt der »nachehelichen« Beziehung und aller Entscheidungen zu stellen, war unser – theoretisch einfacher, praktisch nicht immer so leichter – Vorsatz. Aufgrund unserer Lebensumstände gelang es uns einigermaßen, ihn einzuhalten.

In den nachfolgenden Kapiteln wollen wir zeigen, dass es glückliche Scheidungskinder gibt. Anna zum Beispiel. Die Geschichte von ihr, ihrer Mutter Valerie und ihrem Vater bildet den roten Faden des Buches. Valerie ist bestimmt keine perfekte Mutter. Ihre Lebensumstände sind glücklich und ihre Beziehung zu Anna innig. Ihre größte Stärke ist, dass sie Anna gut »lesen« kann. Die beiden schaffen es immer wieder, die Herausforderungen des Lebens zu meistern. Mit Anna und ihren Eltern wollen wir einen positiven Verlauf von Trennung und Scheidung nachvollziehbar machen. Dazwischen gibt es viele andere Lebensgeschichten von Kindern und den dazugehörigen Erwachsenen. Manche dramatisch, andere haben wir wegen ihrer aufschlussreichen Details ausgewählt. Wir haben versucht, einen Querschnitt durch die Lebenswirklichkeit von Scheidungskindern zu ziehen und den dramatischen Fällen, etwa Kindern, die unter dem Rosenkrieg, dem lang andauernden zermürbenden Ehezwist der Eltern, leiden, nicht über Gebühr Platz einzuräumen. Wegen ihres Sensationsgehalts werden sie ohnehin schon mehr als genug von den Medien ins grelle Licht der gesellschaftlichen Aufmerksamkeit gerückt. Unsere Geschichten basieren auf Interviews, den Ergebnissen diverser empirischer Studien, Forschungsarbeiten und unseren eigenen Erfahrungen. All jenen, die uns Einblick in ihr Leben gewährt haben, danken wir an dieser Stelle.

In der Überzeugung, dass jedes Kind einmalig und jede Lebenssituation nur aus sich heraus beurteilt werden kann, versuchen wir, verallgemeinernde Ratschläge möglichst zu vermeiden. Stattdessen haben wir uns einer dialogischen Wahrheitssuche verschrieben. Auf diese Weise haben wir, Remo Largo als Anwalt der Kinder und ich als Pädagogin stellvertretend für die Eltern, nach und nach unser eigenes Modell für »glückliche Scheidungskinder« erarbeitet.

Während wir uns immer wieder aufs Neue fragten, was Kinder wirklich brauchen und worunter sie leiden, stellte sich heraus, dass viele der angesprochenen Probleme nicht spezifische Scheidungsprobleme sind, sondern in ähnlicher Weise auch die so genannten »Normalfamilien« belasten oder zu den »großen« Problemen und Ungereimtheiten unserer Zeit gehören, allen voran die Tatsache, dass wir immer weniger Zeit füreinander haben. So gesehen kann die Scheidung als Kristallisationspunkt für allgemeine Fragen der Erziehung und Entwicklung von Kindern angesehen werden. Um das, worauf es bei »glücklichen Scheidungskindern« ankommt, wirklich hervorzuheben, haben wir die wichtigsten Fakten und Empfehlungen in Tabellen und Graphiken und die »Botschaft« jedes Kapitels am Schluss nochmals in einer Übersicht zusammengefasst.

Wir haben uns von folgendem pädagogischen Grundsatz, dem Fit-Konzept, leiten lassen: Ein Kind entwickelt sich dann am besten, sein Wohlbefinden und Selbstwertgefühl sind dann konstant gut, wenn seine psychischen und körperlichen Bedürfnisse ausreichend befriedigt werden (Largo 1999). Wie das Wohlbefinden des Kindes trotz Trennung und Scheidung aufrechterhalten werden kann, ist das *eine* Hauptthema, die komplexe Problematik, das Zusammenwirken von elterlichen Erziehungsvorstellungen, familiären Lebensbedingungen und gesellschaftlichen Voraussetzungen ist das *andere* Hauptthema dieses Buches.

Wir gehen davon aus, dass die große Mehrheit der Eltern sehr bemüht ist, ihren Kindern gute Eltern zu sein. Wenn dies Eltern nur teilweise gelingt, kann es an ihren Erziehungsvorstellungen und ihrem Umgang mit dem Kind liegen. Manche getrennt lebende Eltern können sich aber auch deshalb nicht besser um ihre Kinder kümmern, weil es ihnen selbst schlecht geht, weil sie partnerschaftliche, berufliche oder finanzielle Sorgen haben. Und oft sind es auch die gesellschaftlichen Rahmenbedingungen, die es geschiedenen Eltern schwer machen, für ihre Kinder ausreichend zu sorgen.

Leserinnen und Leser, die versuchen, mit den Augen der Kinder auf die verrückte Welt der Erwachsenen, auf ihr »ganz normales Chaos der Liebe« zu blicken, werden neue Einsichten gewinnen und so manche herkömmliche, nicht kindgerechte Vorstellung und unnötige Schuldgefühle abstreifen können. Im Gegenzug erhoffen wir uns, dass durch ein besseres Verständnis des Kindes und seiner Bedürfnisse sich jeder Einzelne, die Eltern, aber auch die Gesellschaft, zu einer bewussteren Verantwortung dem Kind gegenüber verpflichten.

1. Zum Zeitpunkt der Trennung
   - Wie sagen wir unserem Kind, dass wir uns trennen werden? Was versteht das Kleinkind, das Schulkind und der Jugendliche unter Trennung und Scheidung?
   - Wie erleben die Kinder und die Eltern die Trennung?
   - Wie und warum vermisst das Kind den abwesenden Elternteil? Mit welchen möglichen Auswirkungen?

2. Der Alltag nach der Trennung
   - Wie wissen die Eltern, ob es ihrem Kind gut geht?
   - Was ändert sich in der Kind-Eltern-Beziehung?
   - Wie viele verschiedene Zuhause verträgt das Kind?
   - Wie viel Betreuung, familiär und familienergänzend, braucht das Kind?
   - Wie viel Unterstützung brauchen die Eltern bei der Betreuung ihrer Kinder?
   - Wie soll das gehen: getrennt leben, aber gemeinsam erziehen?

3. Die Ebene der Gefühle
   - Kann es dem Kind gut gehen, wenn es den Eltern schlecht geht?
   - Weshalb ist Streit zwischen den Eltern so negativ für die Kinder?
   - Welche Bedeutung haben überlieferte Familienmuster, sittliche Werte, Gesellschafts- und Kirchenmoral?

4. Vielfalt der Familienformen
   - Wie ist es für das Kind, wenn die Eltern sich neu verlieben?
   - Was empfindet das Kind, wenn seine Eltern eine neue Familie gründen?
   - Was bedeuten Stief- und Halbgeschwister für ein Kind?
   - Wie wichtig sind soziale Netze, familiär und gesellschaftlich?

5. Scheidungskinder als Erwachsene

- Was wird aus den Scheidungskindern?
- Haben sie mehr Probleme als Kinder aus Zweielternfamilien?
- Worauf kommt es an, damit es ihnen gut geht?

Zum Zeitpunkt
der Trennung

Wie sagen wir es unseren Kindern?

»Weißt du«, versuchte Verena Alexandra beim Frühstück in ein Gespräch zu verwickeln. Sie dehnte die Worte, wusste nicht recht, wie sie ihrer vierjährigen Tochter erklären sollte, dass sie und Tilmann am Vortag bei Gericht gewesen waren, um die Scheidung einzureichen. Sie meinte, ihrer Tochter diese folgenschwere Entscheidung irgendwie mitteilen zu müssen. Möglichst schonend versteht sich, aber offen und ehrlich. Deshalb wählte sie die Worte behutsam und kontrollierte den Tonfall ihrer Stimme. »Dein Vater und ich waren verheiratet. Dann haben wir uns aber nicht mehr so gut verstanden, und deshalb haben der Papa und ich uns jetzt scheiden lassen.« Prüfend blickte sie in Alexandras Gesicht. War sie schockiert? Sie versuchte Alexandras blaue Augen zu ergründen. Sie hatten einen warmen Glanz. Ihr Mädchen wirkte weder irritiert noch traurig. Dennoch fügte Verena schnell noch einen Satz aus dem Scheidungsratgeber hinzu, den sie gerade gelesen hatte. »Aber weißt du, Papa und Mama haben dich immer lieb und werden auch weiterhin für dich da sein.« Geschafft, dachte Verena. Damit hätten wir die Dinge erst einmal geklärt. Ganz ruhig, zuversichtlich und mit einer positiven Botschaft am Ende. Doch Alexandra schien mit ihren Gedanken ganz woanders zu sein. »Warum kleben die so zusammen?«, wollte sie von ihrer Mutter wissen und zeigte auf die Cornflakes-Schachtel. Dann verstreute sie den halben Packungsinhalt, weil sie auf der Suche nach den Pokemon-Stickers war. Alexandras Verhalten machte Verena ratlos. Sollte sie ihr alles noch einmal erklären oder die Vierjährige nun in den Kindergarten bringen? Sie entschied sich für Letzteres und packte Alexandras Rucksack. Brotzeit. Einen Regenschutz. Es sah ganz nach Regen aus, dachte Verena, während Alexandra ihr wie jeden Morgen alle möglichen Geschichten aus dem Kindergarten erzählte. Wer mit wem und warum der Leo gestern schon wieder so gemein war und so weiter.

MC *»Warum interessiert sich die vierjährige Alexandra nicht für die Scheidung ihrer Eltern? Hat sie den ihr zugefügten Schmerz einfach unterdrückt? In der psychologischen und psychiatrischen Literatur wird häufig von Verdrängung gesprochen. Der Trennungsschmerz sei zu groß, als dass ein kleines Kind sich damit konfrontieren könne. Deshalb komme es zur Verdrängung, und das sei selbstverständlich alles andere als gut.«*
RL *»Es ist sicher richtig, dass bereits Kinder – Erwachsene übrigens auch – schmerzhafte Ereignisse unterdrücken können. Doch in diesem Fall erkläre ich mir Alexandras Verhalten anders. Die Mutter hätte genauso gut erzählen können, dass der Bäcker in ihrer Straße in ein anderes Geschäftslokal gezogen ist. Das hätte die kleine Alexandra womöglich mehr irritiert, weil ihr die Brötchen dort so gut schmecken.«*
MC *»Ihr Interesse für die Pokemon-Stickers diente also nicht dazu, von einem ihr unangenehmen Thema abzulenken?«*
RL *»Ich denke nicht.* Trennung und Scheidung sind kein unangenehmes, sondern überhaupt kein Thema für ein Kind in diesem Alter. *Diese Begriffe sind für Erwachsene von schicksalsschwerer Bedeutung, aber die vierjährige Alexandra kann sich nichts darunter vorstellen. Deshalb hat sie auch nichts zu verdrängen und reagiert auch nicht auf die Erklärungen ihrer Mutter.«*
MC *»Willst du damit sagen, dass Alexandra keinen Trennungsschmerz zu verkraften hatte?«*

Alexandra und ihre Mama lebten nun schon seit zwei Jahren allein. Durch die Trennung waren sie in eine »schöne neue Wohnung mit kleinem Garten« umgezogen. So hatte Verena Alexandra den Sachverhalt der Trennung damals erklärt. Alexandras Papa, viel beschäftigter Arzt am städtischen Krankenhaus, kam und ging. So war es früher und so blieb es auch jetzt. An den kleinen Unterschied, dass er früher im großen kuschelig weichen Mamabett aufwachte, konnte sich Alexandra nicht erinnern. Außerdem fand sie es gut, wie es war. Sie durfte nämlich in der Früh oder bei Albträumen auch mitten in der Nacht unter die Decke von Mama schlüpfen. Verena und Tilmann hatten keinerlei Dramen veranstaltet, als es zur Trennung kam. Im Grunde hatten sie es schon vorher gewusst, vor der Geburt von Alexandra und vor ihrer Hochzeit, dass ihre zehnjährige Beziehung nicht ausreichend stabil für eine Ehe sein würde. Also zog Verena, ohne allzu sehr enttäuscht zu sein, nach zwei gemeinsam verbrachten Ehejahren bei Tilmann mit Alexandra wieder aus.

Klar kannte Alexandra Papas Wohnung. »Schwindstraße Nummer acht«. Das wusste sie sogar auswendig. Die war auch schön. Aber die Wohnung von Mama und Alexandra war schöner. Da war eine Schaukel im Garten und ein Sandkasten und der Baum mit dem Vogelnest von den Amseln. Einmal erzählte der Papa, dass die Mama und sie früher auch in der Schwindstraße gewohnt hätten. Alexandra war ganz erstaunt. »Stimmt das, Mama, was der Papa erzählt hat?« »Ja, Liebes, das ist richtig«, sagte Verena ohne Kummer in der Stimme, aber auch voller Bereitschaft, ihr von damals zu erzählen. »Ja, das stimmt. Früher haben wir alle dort zusammengelebt, aber jetzt nicht mehr. Jetzt haben wir unsere eigene Wohnung.« So war das also. Mehr wollte Alexandra nicht wissen. Sie war soeben vom Kindergarten zurückgekehrt und wollte schnell noch ein Bild malen, bevor ihre Freundin Alberta kommen würde. Mit Alberta konnte man nicht malen, die wollte immer nur mit Puppen spielen.

MC *»Alexandra war damals noch viel zu klein, um aus dem Umzug mit ihrer Mutter etwas über den Zustand der Ehe der Eltern ableiten zu können. Außerdem scheint die Mutter damals in der Lage gewesen zu sein, Alexandra die nötige emotionale Sicherheit und Geborgenheit zu geben.«*

RL »Ich stimme dir zu. Emotionale Sicherheit ist für die Zwei-
jährige das Wichtigste auf der Welt. Es gab keinen Einbruch in
der Betreuung. Alexandra hat somit keinen Verlust erlitten.«
MC »Und was ist mit dem Vater?«
RL »Den Vater hat Alexandra nicht vermisst. Der Umzug hat
ihre Beziehung kaum verändert. Vor der Trennung hatte sie ihn
schon selten gesehen und danach nicht weniger häufig. Hätte
er vor der Trennung an den Wochenenden jeweils einige Stunden mit ihr gespielt und wäre danach nur noch sporadisch vorbeigekommen, hätte ihn seine Tochter sicherlich vermisst. Alexandra geht es gut, ihr fehlt nichts. Mit vier ist das Leben für sie
in Ordnung – so wie es ist.«

Peters Eltern wollten sich trennen, als der Junge vier Jahre alt
war. Obwohl Peters Mutter und sein Vater nun schon seit zehn
Jahren zusammenlebten, hatten die Streitereien seit der Geburt
ihres Sohnes stetig zugenommen. Schließlich entschloss sich
Thomas, aus der gemeinsamen Wohnung auszuziehen. Er hatte
die ständigen Nörgeleien einfach satt. Barbara war verzweifelt.
Immer wieder ließ sie ihren Aggressionen auf Thomas freien
Lauf. Sie wurde laut. Einmal schleuderte sie ihm sogar seine
»heiligen Bücher« hinterher, als er wieder mit seinem kleinen
Köfferchen für die nächsten Tage die Wohnung verließ. Ganz
offensichtlich war er auf dem Weg zu einer anderen Frau,
stellte Barbara missmutig fest. Dann, nach ein paar angespann-
ten Wochen, hatte Thomas eine Wohnung gefunden. Barbaras
Wut hatte ein wenig nachgelassen und der pragmatische Teil
ihrer Persönlichkeit wieder die Oberhand gewonnen. Es galt
nun, die Scherben zusammenzukehren und größeren Schaden
von Peter abzuwenden. Also erkundigte sie sich gemeinsam
mit Thomas bei einer Scheidungsberatungsstelle nach einer
möglichst schonenden Art, Peter die Trennung der Eltern näher
zu bringen. Dann nahte der Tag X. Barbara hatte das Kinder-
buch »Papa wohnt jetzt in der Heinrichstraße« gekauft und
ihrem Sohn am Abend daraus vorgelesen. Bei der kritischen
Stelle, an welcher der Papa aus- und umzieht, stoppte der Vier-

jährige seine Mutter und forderte sie auf, die Stelle zu wiederholen. Dann sagte er: »Das will ich aber nicht. Aber Mama lies weiter.« Am darauf folgenden Abend, nachdem beide, Barbara und Thomas, mit Peter gesprochen und ihm zu erklären versucht hatten, warum sie einander nicht mehr liebten und dass es deswegen besser wäre, wenn sie nicht mehr zusammenwohnen würden, weswegen der Papa jetzt eine eigene Wohnung genommen hätte, sagte der Junge bloß verständnislos und heulend zu seinem Papa: »Ich will aber nicht, dass du woanders wohnst.«

In den kommenden Wochen und Monaten war Peter ungewöhnlich still. Sehr verunsichert wirkte der sonst so selbstsichere Junge. Er tappte durch den Tag scheu wie ein Reh. Seine Mutter registrierte seine Irritation mit großer Feinfühligkeit. Peter schlief nachts nicht mehr durch. Oft plagten ihn Albträume, und er schlüpfte mitten in der Nacht zu seiner Mutter unter die Decke. Die Mutter ließ ihn gewähren und war mehr für ihn da als sonst. Auch der Vater versuchte, seinem Sohn zu zeigen, dass er nicht aus dessen Leben verschwinden werde. Einmal erklärte er ihm, dass Peter auch bei Papa in der neuen Wohnung ein eigenes Bett bekommen werde. Auch gäbe es eine Schachtel mit Spielsachen dort. Das beruhigte Peter ein wenig.

MC »Was ist hier schief gelaufen? Die Eltern von Peter hatten es doch wirklich gut gemeint?«
RL »Bestimmt. Dennoch haben sie mit ihrer gut gemeinten Aufklärung bei Peter offenbar Ängste und Verunsicherung ausgelöst. So wie Worte Sicherheit vermitteln, können sie auch verunsichern. Peter hörte aus Mutters Worten heraus, dass der Vater weggeht und ihn verlässt. Dies ist das Schlimmste, was einem Kind passieren kann. Verlassen zu werden, und das von einem der beiden für ihn wichtigsten Menschen. Dass der Vater weggeht, emotional aber doch irgendwie für ihn dableibt, ihn immer noch genauso gern hat, kann Peter nicht verstehen. Liebe bedeutet für ein Kind: Die Person, die mich liebt, ist für

mich da. Erst die Erfahrung wird Peter beruhigen, dass sich sein Vater genauso wie bisher um ihn kümmert, auch wenn er nicht mehr bei ihm und seiner Mutter wohnt.«

MC *»Ist Peters Reaktion unvermeidlich, oder hätten die Eltern seine Ängste verhindern können?«*

RL *»Sicher hat Peter auch die Art verunsichert, wie die Eltern miteinander in der Trennungsphase umgegangen sind. Die Mutter war ja völlig aufgelöst, und die Familie hat einige angespannte Wochen durchlebt. Das spürt ein Kind. Die Erklärungen können die schlechten Gefühle nicht wegmachen. Meistens gehen sie auch an der Lebenswelt der Kinder und an dem, was sie verstehen können, vorbei. Was immer wieder übersehen wird: Es ist weniger der Inhalt der Worte als die Emotionen, die die Worte begleiten, welche auf das Kind einwirken.«*

Eines Morgens fragte Peter seine Mutter: »Mama, hast du mich noch lieb?« Barbara war bestürzt. »Natürlich, Peter, hab ich dich noch lieb. Du bist mir das Liebste auf der ganzen Welt. Das weißt du doch, oder?« Wie liebebedürftig Kinder doch sind, dachte Barbara und erinnerte sich an das Hasen-Kinderbuch, in dem Mutter- und Babyhase einander mit Liebesbeweisen zu übertrumpfen versuchen. Barbara nahm Peter in den Arm, liebkoste ihn und versprach ihm, am Abend eine ganz besonders lange Geschichte vorzulesen. Anschließend würde sie an seinem Bett wachen, bis er eingeschlafen war. »Ausnahmsweise, Peter. Okay?« Sie reagierte instinktiv fürsorglich auf die Probleme ihres Kindes. Auch ihr tat schließlich das Zusammenrücken nach dem ganzen Schock der vergangenen Monate gut. Sie und Peter waren eine Einheit. Das spürte sie, und das sollte auch so bleiben.

Jedes Kind geht davon aus, dass seine Eltern immer bei ihm sein werden. Von sich aus käme es ihm nie in den Sinn, die Beziehung zu Vater und Mutter in Frage zu stellen. Die Beständigkeit dieser Beziehungen ist für das Kind genauso selbstverständlich wie die Sonne, die am Morgen auf- und am Abend untergeht. Wenn ein Kind nun die Erfahrung macht, dass sein

Vater es »verlässt«, hat es Angst, dass auch die Mutter weggeht. Diese tiefe Verunsicherung drückt Peter in seiner Frage aus. Viele Eltern reagieren instinktiv richtig, wenn sie spüren, dass ihr Kind verunsichert und ängstlich ist. Sie versuchen, es zu beschützen, auch wenn sie die Hintergründe für die Verunsicherung nicht so genau kennen.

Zwischen Eltern gibt es, wenn sie sich trennen, oft auch eine Menge Wut, Enttäuschung und Hass. Das spüren die Kinder. Spannungen, die Trauer in den Worten der Eltern, ihre Verzweiflung und die seelische Not bleiben ihnen nicht verborgen. Sie stellen eine große Belastung für die Kinder dar, denn insbesondere wenn sie noch klein sind, können sie sich von den negativen Gefühlen ihrer Eltern nicht abgrenzen. Ein Vierjähriger kann sich nicht innerlich von den Eltern distanzieren und sich sagen: »Ich weiß, ihr habt Probleme miteinander. Mich gehen eure Streitereien ja nichts an. Ich weiß ohnedies, dass ihr mich liebt.« Selbst Erwachsenen fällt es schwer, so zu denken und sich emotional abzugrenzen. Wenn sie erleben, wie zwei geliebte Menschen miteinander streiten, fühlen sie sich betroffen, selbst wenn sie mit dem Streit gar nichts zu tun haben. Ein Kind empfindet es sogar als Ablehnung seiner eigenen Person, wenn es den Eltern nicht gut geht, sie verzweifelt sind oder sich gar streiten. Es versteht immer nur, »Sie lieben mich nicht mehr«, »Sie lehnen mich ab«. Wie soll jemand wie Peter den beschwichtigenden Worten von Vater und Mutter Glauben schenken, wenn sie ihm mit ihren Gefühlen etwas ganz anderes mitteilen? (siehe Seite 34, 201, 224)

MC »*Viele Ratgeber empfehlen, den Kindern die Trennung oder Scheidung ›zu erklären‹. Sie gehen davon aus, dass eine offene und aufrichtige Aussprache – natürlich emotional möglichst kontrolliert – der Schlüssel zu einer ›sanften Trennung‹ sei. Ich habe das Gefühl, es wäre oft besser, wenn man mit Erklärungen sparsamer umgehen würde. Hätten die Eltern von Peter zum Beispiel mit ihren Erklärungen nicht warten können, bis sie wieder emotional im Gleichgewicht sind?*«

RL »In einem solchen Augenblick ist es schwierig, nicht zu viel zu sagen. Am besten wäre es wohl, auf das Kind einzugehen, ihm das Gefühl zu geben, dass man es gern hat, und zu versuchen, seine Fragen möglichst verständlich zu beantworten. Oft gibt sich dann das Kind mit Antworten zufrieden, die weniger weit gehen, als die Erklärung, die sich die Eltern zurechtgelegt haben.«

MC »Das klingt jetzt aber etwas nach Notlüge.«

RL »Was nützt eine falsch verstandene Aufrichtigkeit, die das Kind nur verwirrt und verängstigt? Die Eltern sollten Worte wählen, die das Kind auch verstehen kann. Kein einfaches Unterfangen, wie wir noch erfahren werden. Im Zweifelsfall sollten die Eltern lieber zu wenig sagen. Oft ist es am besten, wenn die Eltern warten, bis das Kind mit eigenen Fragen zu ihnen kommt. Dann hat es sich selbst schon seine Gedanken gemacht und wird Fragen stellen, die seinem Denken entsprechen und seine Sorgen ausdrücken. Wenn die Eltern darauf möglichst kindgerecht und ehrlich antworten, ist dem Kind mehr geholfen als mit Erklärungen, die sich die Eltern zurechtgelegt haben. Die Eltern können dem Kind auch Fragen stellen wie zum Beispiel ›Was, glaubst du, wird der Papa in seiner neuen Wohnung für dich alles haben?‹.«

MC »Eltern sollen Sachverhalte also nicht vorwegnehmen. Stattdessen sollen sie genau hinhören und geduldig warten, bis das Kind mit seinen Fragen kommt. Und dann sollen sie ihm kindgerechte Antworten geben.«

Für ein Kleinkind ist es nicht von Bedeutung, dass die Ehe der Eltern gescheitert ist. Es kann sich unter Ehe und Scheidung nichts vorstellen. Bedeutungsvoll für sein Wohlbefinden ist, was sich in seinem Leben verändern wird. Bis jetzt war das Leben für das Kind *so.* Wie nur wird es in der Zukunft sein? Die Eltern sollten ihr Kind auf diese Veränderungen vorbereiten und sich dabei so ausdrücken, dass das Kind sie auch verstehen kann. Ein Vierjähriger kann nicht begreifen, was es bedeutet, wenn der Vater jedes zweite Wochenende auf Besuch kommt. Sein Zeitverständnis reicht dafür noch nicht aus. Bestenfalls versteht er, wie lange er von heute auf morgen oder übermorgen warten muss. Und selbst ältere Kinder haben mit vielen Aspekten des Weltbildes der Erwachsenen Verständnisschwierigkeiten (siehe Seite 34).

Wichtiger als alle Erklärungen sind die Gefühle, welche die Worte der Eltern begleiten. Die Erwachsenen sollten deshalb in einer möglichst guten emotionalen Verfassung sein, wenn sie mit dem Kind über die Trennung reden. Sie sollten vermeiden, ihre negativen Gefühle für den Partner in dieses Gespräch einfließen zu lassen. Hass und Wut der Eltern aufeinander bezieht das kleine Kind, wie wir schon gehört haben, auf sich selbst. Es kann nicht verstehen, dass diese Gefühle nichts mit ihm zu tun haben. Eltern werden oft auch deshalb emotional, weil sie dem Kind zu verstehen geben wollen, dass eine Trennung nun einmal unvermeidlich ist. Begründungen wie »wir haben uns nicht mehr lieb« und »wir streiten uns den ganzen Tag« leuchten dem Kind aber ganz einfach nicht ein.

MC »Für viele Eltern ist es sehr schwierig, gezielt und dosiert mit den eigenen Gefühlen umzugehen – auch gegenüber Kindern. Sie bemühen sich, ihre Kinder nicht spüren zu lassen, dass sie Hass und Wut dem Partner gegenüber empfinden. Sie versuchen, möglichst ruhig und sachlich über die familiäre Situation zu reden. Nicht wenige gehen in Kommunikationsseminare oder haben in Scheidungsratgebern nachgelesen, wie man mit den Kindern sprechen soll.«

RL »Das ist wirklich nicht einfach. Oft kommen bei den Kindern auch Doppelbotschaften an. Im Gespräch bemühen sich beide Eltern, ihre Emotionen zu kontrollieren. Spätestens aber im Alltag werden in der Art und Weise, wie die Eltern miteinander umgehen, die negativen Gefühle für die Kinder spürbar. Wem sollen sie nun glauben, den Worten oder dem Verhalten? Die Körpersprache ist für die Kinder viel mächtiger als die gesprochene Sprache.«

MC »Wie also sollen Eltern, die sich trennen, mit ihren Gefüh-

len umgehen? Für die Eltern besteht ein Erklärungsbedarf, sie müssen mit den Kindern reden.«

RL *»Sie können sich nur bemühen, die Kinder ihre gegenseitige Abneigung und Frustration möglichst wenig spüren zu lassen. Weit entscheidender für die Kinder aber ist, wie die Eltern gefühlsmäßig zu ihnen stehen. Die negativen Gefühle dem Partner gegenüber sollten Mutter und Vater nie daran hindern, den Kindern ihre volle Zuwendung zu geben. Dazu gehört auch die Achtung, die jeder Partner der Beziehung des anderen zu den Kindern entgegenbringt. Die Kinder sollten möglichst nicht das Gefühl bekommen, dass die Eltern die Beziehung des anderen zu den Kindern anzweifeln und schlecht machen. Sie haben hier eine Verantwortung, an der die Scheidung nichts ändert. Beide Eltern haben sich für gemeinsame Kinder entschieden und sind für deren Wohl auch in der Zukunft verantwortlich.«*

MC *»Ich habe den Eindruck, dass die sogenannten negativen Gefühle sehr unterschiedlich wirken. Wenn die Eltern traurig und verzweifelt sind, versuchen viele Kinder, ihre Eltern zu trösten. Kinder und Eltern kommen sich nahe. Hass und Wut hingegen haben eine ganz andere Wirkung auf die Kinder. Sie fühlen sich bedroht, ausgerechnet von den Menschen, die sie lieben und bei denen sie normalerweise Zuflucht suchen, wenn sie bedroht werden.«*

RL *»Den Schock der Trennung können die meisten Eltern ihren Kindern nicht ersparen. Die Auflösung der Ehe muss die Familie aber nicht zwangsläufig spalten. Die Trauer kann Eltern und Kinder einander näher bringen. Ganz entscheidend wird aber sein, ob in den kommenden Monaten und Jahren die emotionale Bindung zwischen der Mutter und den Kindern sowie zwischen dem Vater und den Kindern erhalten bleibt. Davon wird es abhängen, ob sich die Kinder geborgen und geliebt fühlen.«*

Noch heute huscht ein leichter Schauder über das Gesicht von Susanne, wenn sie sich erinnert, wie sie und Heiner es damals den Kindern gesagt hatten. Es war so furchtbar. Sie redeten gemeinsam mit ihnen. Der dreijährige Jakob verstand nicht, was nun schon wieder los war, aber seine beiden großen Geschwister begannen bitterlich zu weinen. Das war das Schlimmste. Alle weinten, auch die Eltern. Susanne und Heiner waren ebenso verzweifelt wie ihre Kinder. Sie liebten die drei mehr als alles andere auf der Welt. Was waren sie doch nur für Himmelsgeschenke. Jedes Einzelne von ihnen. Auch der kleine Jakob, der sich völlig ungeplant und unerwartet als Nachzügler eingestellt und dann allen so viel Freude gebracht hatte. Was war die Einsicht, dass die Beziehung der Eltern nicht mehr klappte, dass die beiden einander nur noch auf die Nerven gingen, gegen die Tatsache, dass sie gemeinsam drei Kinder in die Welt gesetzt und bisher auch verantwortlich großgezogen hatten. Natürlich hatten die Kinder immer wieder einmal den Streit der Eltern mitbekommen, hin und wieder auch zu schlichten versucht, dann sich wieder über die Augenblicke des Glücks und der Versöhnung gefreut. Sie waren eine ganz normale Familie mit vielen Hochs und Tiefs. Das alles konnte und durfte nicht mit einem Schlag zunichte gemacht werden. Und doch mussten die Erwachsenen für sich eine Lösung finden. Sie mussten der destruktiven Spirale entgehen, in die ihre Beziehung geraten war, und dafür erschien ihnen nur noch eine Trennung und Scheidung möglich. Dem ersten Schock folgten in den Monaten danach viele zärtliche Gespräche, jeder der beiden Eltern sprach mit den Kindern, oft und oft. Wenn Susanne heute aus der Distanz einiger Jahre auf die vielleicht schwierigste Zeit ihres Lebens zurückblickt, ist sie stolz, dass es ihr und Heiner gelungen war, trotz aller Probleme, die sie als Paar miteinander hatten, und unter Aufbietung aller verfügbaren Kräfte, friedlich auseinander zu gehen und dabei die Bedürfnisse der Kinder zu berücksichtigen. Es war anfänglich ein großer Schock für die Kinder, aber Susanne und Heiner waren glücklicherweise während der Scheidung und danach immer für sie da.

MC »Es sind die ›zärtlichen Gespräche‹, die mir bei dieser Geschichte nahe gehen. Mir scheint, als hätten Mutter und Vater während der Trennung ihren Kindern trotzdem viel Sicherheit und Geborgenheit vermittelt, als hätten sie das Kunststück fertig gebracht, ihre Trennung als ein Erdbeben von außen zu betrachten, das die gesamte Familie erschüttern, aber nicht zerstören wird, wenn alle zusammenhalten.«

RL »Ja, so hört es sich an. Bei aller Verzweiflung, welche die Eltern und Kinder durchgemacht haben, war es eine positive Erfahrung. Obwohl die Eltern ihre Trauer und Einsamkeit weder weiterhin verstecken konnten noch wollten, ist es beiden gelungen, im größten Leid mit den Kindern solidarisch zu bleiben und ihnen die Gewissheit zu geben: Wir verlassen euch nicht.«

MC »Ich glaube, für die Kinder ist es ganz wichtig, dass diese Gewissheit von Mutter und Vater kommt. Die Eltern haben unüberbrückbare Differenzen miteinander, aber in Bezug auf die Kinder sind sie sich einig. Diese Einigkeit sollten die Kinder spüren!«

1. Die Eltern sollten sich über folgende Aspekte klar werden, wenn sie mit dem Kind über die Trennung sprechen:
   - Was wird sich in der Betreuung für das Kind verändern?
   - Wie wird die Beziehung zwischen dem Kind und dem Elternteil, der weggeht, werden? Wo und wann werden sie sich treffen? Was wird daran anders sein als vor der Trennung?
   - Wie wird sich die außerfamiliäre Umgebung für das Kind verändern (zum Beispiel Schulwechsel, Verlust der Freunde etc.)?

2. Die Eltern sollten die Themen vorbesprechen und abmachen, über was sie nicht sprechen wollen. Nicht das Trennende, sondern das Verbindende sollten sie betonen. Es kommt weniger darauf an, was sie dem Kind sagen, als vielmehr darauf, wie sie es sagen.

3. Die Eltern sollten in einer möglichst guten emotionalen Verfassung sein, wenn sie mit den Kindern reden. Sie sollten niemals aus Verärgerung und Frustration heraus ein Gespräch über Trennung oder Scheidung mit ihnen führen.

4. Die Eltern sollten sich immer wieder bewusst machen, dass sich das Kind gegen negative Gefühle wie Wut, Hass oder Frustrationen nicht abgrenzen kann, auch wenn sie nicht gegen das Kind selbst gerichtet sind. Das Kind erlebt negative Gefühle, die zwischen den Eltern geäußert werden, selbst als Verunsicherung oder gar Ablehnung.

5. Langfristig sind es nicht die Worte, sondern die konkreten Erfahrungen, die bestimmen, ob sich das Kind geborgen und angenommen fühlen wird.

Was verstehen Kinder unter Liebe, Ehe und Trennung?

Die Gelegenheit konnte nicht günstiger sein. Claudia war mit ihrer Mutter eine Woche zum Skifahren in die Schweizer Alpen gefahren. Endlich Ferien. Ferien von der Arbeit, der täglichen Routine, dem Stress mit Claudias Schule, vor allem aber vom monatelangen Ehedrama, das Edith gerade durchlitten hatte. Endlich würde sie genug Zeit und Ruhe finden, ihrer siebenjährigen Tochter alles zu erklären. Sie war besorgt. Die heftigen Auseinandersetzungen zwischen ihr und ihrem Mann, dann vor zwei Monaten ihr Entschluss, Claudias Vater zu verlassen und zu den Eltern nach Winterthur zu übersiedeln, all das war für Claudia schwer zu verkraften. Die Kleine war in letzter Zeit ungewöhnlich still, zog sich oft zurück, doch Fragen stellte sie keine. Nichts. »Was ging bloß im Kopf ihres Mädchens vor?«, fragte sich die Mutter und ergriff deshalb im Skiurlaub die Initiative. Sie erklärte Claudia, dass der Papa und sie sich nicht mehr liebten, dass es nicht mehr so sei wie früher, als sie alle noch schöne Reisen unternahmen. Die Mutter wollte, dass Claudia begreift, was ihre Eltern auseinander gebracht hatte.

MC »*Als Mutter verstehe ich Edith gut. Ich hatte damals auch den Wunsch, unserer Tochter zu erklären, was mit ihren Eltern geschehen ist. Man hat das Bedürfnis, sich zu rechtfertigen, vor allem wenn die Kinder nicht mehr so klein sind. Außerdem heißt es doch, man solle den Kindern die Wahrheit sagen, ihnen klar und deutlich erklären, warum Mama und Papa sich trennen.*«

RL »*Ich kenne aus meiner kinderärztlichen Praxis viele Eltern, die auf ähnliche Weise versucht haben, mit ihren Kindern über ihre Ehekonflikte zu sprechen. Das läuft etwa so ab: Die Eltern geben sich große Mühe, ihrem Kind zu erklären, wie sie*

sich verliebt haben, wie die Liebe gewachsen ist und sie so
glücklich miteinander waren, dass sie den Entschluss fassten,
zu heiraten und Kinder zu bekommen. Nun aber hätten sie sich
auseinander gelebt, würden einander nicht mehr verstehen und
oft streiten. Deshalb sei es besser, wenn sie sich trennen wür-
den. Sie, die Eltern, würden ihre Kinder aber auch in Zukunft
genauso lieb haben wie bisher. Das Problem dabei ist nur,
dass ein Kind bis ins frühe Schulalter solche Erklärungen ein-
fach nicht verstehen kann.«

Das Kind hat ein ganz anderes Weltbild als *seine* Erwachsenen.
Sein Verständnis von Geographie, Zeit und Liebe unterscheidet
sich von dem ihren wie Tag und Nacht. Es braucht etwa 15
Jahre, bis sich aus dem Denken der Kinder die Gedankenwelt
der Erwachsenen entwickelt hat. Wer einmal beginnt, die Welt
durch die Augen der Kinder zu sehen, realisiert plötzlich, wie
unmöglich das Unterfangen ist, den Kindern das Weltbild der
Erwachsenen überstülpen zu wollen. Wer denkt schon daran,
wenn er seinem Sohn erklärt, dass Mama und Papa sich einst
liebten, dann aber nicht mehr, dass ihr Kind eine Vorstellung
von der Liebe zwischen Erwachsenen und der Ehe haben müsste und dass es zudem noch eine entsprechende Zeitvorstellung
bräuchte, um die Worte der Eltern zu verstehen. Doch ein Wissen darüber, dass Menschen geboren werden, sich entwickeln,
erwachsen werden, heiraten und schließlich Kinder bekommen,
stellt sich erst im Laufe des Schulalters ein.

Außerdem ist die Liebe des Kindes eine ganz andere als die
der Erwachsenen. Ein Kind liebt seine Eltern aus einer inneren
Notwendigkeit heraus, weil es von ihnen psychisch und körperlich abhängig ist. Seine Liebe ist bedingungslos, das heißt, die
Qualität der elterlichen Betreuung spielt kaum eine Rolle.
Auch der größte Streit stellt die Eltern als wichtigste Personen
im Leben des Kindes nicht in Frage. Selbst Kinder, die von
ihren Eltern misshandelt werden, verlassen ihre Eltern nicht.
Dazu gibt es viele – traurige – Beispiele. Das Kind kann Liebe
nicht in Frage stellen. Und die Liebe, so, wie es sie empfindet,

ist zeitlich unbegrenzt. Wie soll es da verstehen, dass sich die Eltern einmal sehr geliebt haben, jetzt aber nicht mehr? Die Eltern sagen, sie liebten das Kind, wieso lieben sie dann einander nicht mehr?

MC *»Also kann man einem Kleinkind die Trennung seiner Eltern gar nicht erklären?«*

RL *»So ist es. Erst in der Adoleszenz wird ein echtes Verstehen möglich. In der Pubertät verändert sich die Beziehung zu den Eltern. Die bedingungslose Liebe des Kindes weicht einer beschränkten bis fehlenden emotionalen Abhängigkeit des Jugendlichen. Der Adoleszente erlebt in seinen ersten Bekanntschaften nun selbst die Fragilität partnerschaftlicher Beziehungen und kann daraus ein Verständnis für die ehelichen Schwierigkeiten seiner Eltern herleiten.«*

Entwicklung des Verständnisses für soziale Strukturen

0–3 Jahre	Körperempfindung von Nähe und Alleinsein sowie von Vertraut- und Unvertrautheit. Die Welt besteht aus vertrauten Personen, die Wohlbefinden und Zuwendung auslösen, und fremden Personen, die Abwendung hervorrufen. Selbstwahrnehmung mit 18 bis 24 Monaten: Das Kind nimmt sich erstmals bewusst als Person wahr und grenzt sich von anderen Personen ab. Sprachliche Verwendung der Ich- und Duform.
3–5 Jahre	Erste bewusste Vorstellungen: Die Welt besteht aus Erwachsenen und Kindern, die vertraut oder unvertraut sind. Rollenverständnis entwickelt sich im Spiel (zum Beispiel Nachahmen von Vater und Mutter). »Theory of Mind« mit 3,5 bis 4 Jahren: Die Fähigkeit, sich vorzustellen, dass andere Menschen ihr eigenes Denken und ihre eigenen Gefühle haben.

5 – 7 Jahre	Erste bewusste Vorstellungen der Dynamik eines Menschenlebens: Menschen werden geboren, wachsen, werden größer und sterben. Das Kind beginnt sich vorzustellen, was es einmal werden möchte.
7 – 10 Jahre	Verständnis für den Lebensbogen differenziert sich: Eltern haben Kinder, die entwickeln sich, werden erwachsen, verlieben sich, heiraten, haben eigene Kinder, werden alt und sterben schließlich.
10 – 16 Jahre	Abstraktes Denken: Vorstellungen über Partnerschaft, Familie und Erziehung. Eigenständiges Denken über gesellschaftliche Zusammenhänge.

Die Angaben beschreiben eine durchschnittliche Entwicklung. Das einzelne Kind kann sich erheblich rascher oder langsamer entwickeln.

Mit ihren sieben Jahren konnte Claudia die Erklärungen der Mutter nicht verstehen, obwohl sie schon damals ein geistig ziemlich frühreifes Mädchen mit einem gut entwickelten Sprachvermögen war. Ihre Mutter nannte ihr die unterschiedlichsten Gründe für das Erlöschen der Liebe zwischen den Eltern, aber keiner leuchtete Claudia ein. Also erwähnte sie als Ultima Ratio und mit schwerem Herzen schließlich Papas neue Freundin. Sie wollte ihre Tochter nicht mit Papas außerehelicher Affäre belasten, hatte gelesen, dass Kinder dann diesen Elternteil für das Auseinanderbrechen der Familie verantwortlich machen, doch was sollte sie tun, damit Claudia sie endlich verstand? »Dann nimm dir doch auch einen Freund«, meinte Claudia. Schließlich habe sie, Claudia, auch verschiedene Freunde. »Wir alle könnten dann zusammenziehen.« Das Einzige, was das kleine Mädchen sehr wohl verstand, war, dass sich »etwas Kaltes und Böses« zwischen die Eltern geschlichen hatte.

MC »*Mir scheint, für Claudia hat der Begriff Freund oder Freundin eine ganz andere Bedeutung als für ihre Mutter. Das spürt die Mutter auch und versucht gar nicht erst, das Missverständnis aufzuklären. Ich habe auch immer wieder erlebt, dass meine Tochter Wörtern eine ganz andere Bedeutung gibt als ich.*«

RL »*Was Claudia aber sehr wohl mitbekommen hat, ist das ›Kalte und Böse‹ das sich zwischen die Eltern geschlichen hat. Es besteht ein großer Unterschied zwischen dem rationalen Begreifen, das bei Kindern noch sehr begrenzt ist, und dem gefühlsmäßigen Erfassen einer Sache. Darin sind die Kinder absolute Spezialisten. Sie reagieren wie Seismographen auf Missstimmungen in der Familie.*«

MC »*Ja, sie spüren die geringste Ablehnung in der Körpersprache der Eltern. Solche Wahrnehmungen verunsichern sie weit mehr als alle Worte.*«

Valerie hatte ähnliche Schwierigkeiten wie Claudias Mutter. Schließlich hatte Anna auf die Trennung auch ganz anders reagiert, als sie es von ihrer dreijährigen Tochter erwartet hätte. Die Entscheidung der Eltern fiel zufällig mit einer beruflichen Veränderung ihres Mannes zusammen. Er zog von Hamburg nach Stuttgart. Die Eltern erklärten Anna nicht viel. Um ehrlich zu sein, sagte Valerie ihr bloß, dass der Papa anderswo arbeiten und deshalb oft nicht da sein werde. Da Annas Vater jedoch auch davor viel verreist war, änderte sich am alltäglichen Leben des Mädchens wenig. Was sie jedoch irritierte, war seltsam. »Warum hat Papa sein Auto nicht mehr?« »Weil er doch in Stuttgart arbeitet«, versuchte ihr die Mutter zu erklären. »Aber warum hat er dann kein Auto?« Valerie verstand nicht, warum Anna die Geschichte mit dem Auto nicht begriff.

RL »*Unter Stuttgart verstand Anna wahrscheinlich so viel wie Hamburg Altona, den Stadtteil, in dem eine Freundin von ihr wohnt. Ein dreijähriges Kind hat noch keine Vorstellung von Distanzen. Ob etwas weit weg oder nahe an zu Hause gelegen ist, kann Anna sich noch nicht vorstellen.*«

MC *»Aber wieso ist ihr das Auto ihres Vaters so wichtig?«*
RL *»Offenbar ist es ein Teil von ihm, etwas, das sie mit ihm verbindet.«*
MC *»Gut. Aber was bedeutet es?«*
RL *»Es steht für Annas Vater und ihre Beziehung zu ihm. Dass er aber kein Auto in Hamburg braucht, wo er doch in Stuttgart lebt, wird Valerie ihrer dreijährigen Tochter nicht begreifbar machen können.«*

Um besser zu verstehen, wo Anna in ihrer Entwicklung gerade stand, begann Valerie, ihr Fragen zu stellen. »Wo wohnt die Oma?« »Im Opa-Haus.« »Gut. Aber wo ist das?« »In Deutschland.« »Hmm, nein. Wir leben in Deutschland, deine Großeltern in der Schweiz. Deutschland und die Schweiz sind Länder, weißt du.« »Aha. Und ist Deutschland in Stuttgart?« »Nein, Stuttgart ist eine Stadt.« Valerie seufzte. Wie anders ihre Tochter doch die Welt verstand.

MC *»Ich hatte auch oft Mühe, mir vorzustellen, wie meine Tochter leben kann, ohne eine Idee davon zu haben, dass die Welt groß und voller Menschen ist. Dass es mehrere Kontinente und Länder und in diesen Ländern Städte und im Unterschied dazu Landstriche gibt und dass in einer dieser Städte eben wir leben.«*
RL *»In den ersten Lebensjahren besteht die Welt für das Kind nur aus seiner unmittelbaren Umgebung. Alles darüber hinaus kann es sich nicht vorstellen. Für ein Kind ist die räumliche Entfernung, die wir als Erwachsene mit berücksichtigen, wenn wir an Stuttgart denken, nicht existent. Für Anna ist Stuttgart genauso nah wie Hamburg Altona oder so fern wie für uns die Galaxien.«*

Ganz allmählich weitet sich der Horizont des Kindes in den ersten Lebensjahren aus. Es lernt seine Umgebung kennen, zuerst zu Fuß, dann mit dem Rad, schließlich werden ihm Landschaften vertraut, durch die es mit seinen Eltern im Auto regelmäßig fährt, der Bauernhof an der Ecke mit den Pferden auf der

Koppel, der Bäcker an der Straßenecke am Weg in den Kindergarten, der Kindergarten und die Bushaltestelle. Die Raumvorstellung des Kindes ist immer noch an seine konkreten Erfahrungen gebunden. Es weiß, dass nach einer bestimmten Kirche ein Gasthaus kommt. Abstrakte Begriffe wie Distanzen oder Flächen versteht das Kind erst im Schulalter.

Wie also soll ein Kindergartenkind, das gerade erst bis zehn zählen gelernt hat, sich vorstellen können, was ein Kilometer ist oder wie weit weg die Stadt ist, in der sein Vater nun wohnt? Wie und wie oft das Kind den Weg zu der Wohnung des Vaters erlebt – mit der Straßenbahn, dem Auto oder dem Zug –, bestimmt seine räumliche Vorstellung davon, wie weit weg der Vater wohnt.

Valerie hatte Anna eine Kinder-Weltkarte über das Bett gehängt und ihr gezeigt, wo sie schon einmal zusammen gewesen waren. Manchmal, Anna war mittlerweile viereinhalb, zeichnete Valerie für sie Länder und die dazugehörenden Hauptstädte auf ein Blatt Papier. »So klein sind die?«, meinte Anna erstaunt, ohne die Erklärung ihrer Mutter, es handle sich doch bloß um eine Abbildung im verkleinerten Maßstab, zur Kenntnis zu nehmen. Erst langsam begann das Kind zu begreifen. Stadt und Land. »Gibt es viele Länder?« Dann wurde der Satz »Wie lange muss man in das Land fliegen?« zur praktischen Distanzmessung, wobei Anna noch lange nicht klar war, dass je weiter ein Punkt auf der Landkarte von zu Hause entfernt ist, desto länger auch der Flug dorthin dauert. Eines Abends schaute die fünfjährige Anna mit ihrer Mutter die Abendnachrichten. Ein Bericht über eine Bundestagsdebatte flimmerte über den Bildschirm. »…und wir werden das Schiff Deutschland…«, deklamierte ein Abgeordneter. »He«, sagte Anna, »was redet der für einen Blödsinn. Deutschland ist doch kein Schiff, sondern ein Land.« Länder und Städte. Das hatte Anna mittlerweile im kleinen Finger. Aber Metaphern. Trotz ihrer sprachlichen Eloquenz würde sie zum abstrakten Verständnis, dass Begriffe auch im übertragenen Sinne benutzt werden können, noch Jahre brauchen.

0 – 3 Jahre	Raumvorstellungen, die sich im Spiel ausdrücken:
	• Inhalt/Behälter (Ein- und Ausräumen)
	• Vertikale (Turm bauen)
	• Horizontale (Zug bauen)
	Orientierung in der Wohnung
	Sprachliche Verwendung von räumlichen Präpositionen (in, auf, unter etc.)
3 – 5 Jahre	Konstruieren von komplexen Gebilden wie Haus oder Flugzeug
	Orientierung in der Nachbarschaft
5 – 7 Jahre	Puzzle
	Orientierung auf dem Weg in den Kindergarten und zur Schule
7 – 10 Jahre	Bewusster Umgang mit räumlichen Größen: Distanzen, Volumina etc.
	Dazu braucht es ein gut entwickeltes Zahlenverständnis (z. B. 1 Tonne = 10 Zentner = 1000 Kilogramm)
	Erstes geographisches Verständnis
10 – 16 Jahre	Abstraktes Denken: Lesen von Landkarten, Sternkarten
	Verständnis für Aussagen wie: Die Erde ist rund. Nicht die Sonne geht unter, sondern die Erde dreht sich von der Sonne weg.

Die Angaben beschreiben eine durchschnittliche Entwicklung. Das einzelne Kind kann sich erheblich rascher oder langsamer entwickeln.

RL »*Ähnlich wie mit der Geographie verhält es sich auch mit der Vorstellung von Zeit. Bestimmt hast du die Erfahrung gemacht, dass man kleinen Kindern die eigene Abwesenheit oder die Tage bis zu ihrem Geburtstag, dem Nikolaus oder das Warten bis zur Abreise ans Meer am besten mit den Worten ›noch viermal schlafen‹ erklären kann.*«

MC *»Ja, dazu fällt mir dann immer die Stimme meiner Tochter ein, wie sie ›dreimal werden wir noch wach, heißa, dann ist Weihnachtstag‹ singt.«*

Das Kind lebt bis ins Alter von etwa drei Jahren in einer statischen Welt, in der es keine Zeit gibt. Es kann deshalb auch kaum auf etwas warten. Es erlebt die Welt immer in der Gegenwart: Da sind seine Eltern, die Geschwister, die geliebte Familienkatze, der lustige Nachbar, sein riesiger Hund und so weiter. Die Welt, wie sie das Kind in dieser Entwicklungsperiode erlebt, war schon immer so und wird auch immer so sein. Ihm fehlt die bewusste Erinnerung und die Fähigkeit, Vorstellungen in die Zukunft zu projizieren. Damit gibt es für ein Kind in dem Alter weder Vergangenheit noch Zukunft, sondern nur das, was gerade geschieht. Da dem Kind die Zeitdimension fehlt, kann es sich auch keine Entwicklung und kein Älterwerden vorstellen, und deshalb nimmt es Kinder und Erwachsene auch als verschiedene Wesen wahr, etwa wie Hund und Pferd, und nicht wie Wesen der gleichen Art, aber unterschiedlichen Alters.

Gegen Ende des dritten Lebensjahres stellen sich erste Zeitvorstellungen ein. Vor und nach dem Mittagessen, vor und nach dem Schlafen, dann gestern, heute und morgen. In den folgenden Jahren dehnt das Kind seinen Zeithorizont aus. Im Kindergartenalter haben die meisten Kinder eine vage Vorstellung von der Zeiteinheit »Woche«. Sie kennen die Jahreszeiten, haben aber noch Mühe, sich deren Ablauf zu vergegenwärtigen. Eine zeitliche Vorstellung eines Menschenlebens als dynamischer Prozess gibt es in dem Alter noch nicht.

Als Anna drei Jahre alt war, kamen sie und Valerie überein, dass Anna einfach schon immer in ihrem Leben vorhanden war, denn immer wenn die Mutter ihr etwas aus ihrem Leben, von ihren Reisen nach Afrika und Asien erzählte, fragte die Kleine: »Und wo war ich?« »Noch nicht da«, antwortete Valerie wahrheitsgemäß und erntete heftigsten Widerspruch. Dann erklärte Anna: »Nein, Mama, da war ich eben noch in deinem Bauch.« »Gut«, befand die Mutter, weil ihr die Idee, dass ihr geliebtes

Kind als Möglichkeit immer schon in ihr angelegt war, ebenfalls gefiel. Es fühlte sich einfach »richtiger« an, konnte sie sich doch gar nicht mehr vorstellen, wie ein Leben ohne sie, ohne ihre Fragen und Theorien über das Leben und die Welt, ohne ihr Lachen und Strahlen aussehen sollte.

Entwicklung der Zeitvorstellung

0–3 Jahre	Unbewusstes Zeitgefühl bestimmt durch:
	• rhythmische Körperempfindungen (Hungergefühl, Schlaf etc.)
	• periodische Umweltereignisse (Tag/Nacht, der Vater geht morgens weg/der Vater kommt abends zurück)
	Kind lebt ganz in der Gegenwart
3–5 Jahre	Erstes Zeitbewusstsein:
	Vor und nach einem Ereignis (zum Beispiel vor und nach dem Essen/Schlafen)
	Gestern/heute/morgen
	Vorstellung über 2 bis 3 Tage
	Sprachliche Verwendung von Zeitformen der Tätigkeitswörter
5–7 Jahre	Wochentage
	Jahreszeiten
7–10 Jahre	Umgang mit zeitlichen Größen:
	Uhrzeit: Stunden, Minuten und Sekunden
	Jahr: zusammengesetzt aus Monaten, diese wiederum aus Wochen
	Der Umgang mit Zeitgrößen setzt ein Zahlenverständnis voraus (zum Beispiel 1 Tag = 24 Stunden; 1 Stunde = 60 Minuten; 1 Minute = 60 Sekunden).
10–16 Jahre	Abstraktes Denken, abgelöst von den eigenen Erfahrungen:
	Zeitepochen: Jahrhunderte, Jahrtausende
	Verständnis für Geschichte

Übersehen von großen Zeiträumen und komplexen Beziehungen in Kultur, Politik und Wirtschaft in verschiedenen Gesellschaften

---

Die Angaben beschreiben eine durchschnittliche Entwicklung. Das einzelne Kind kann sich erheblich rascher oder langsamer entwickeln.

Den Lebensbogen, dass also jeder Mensch geboren wird, aufwächst, sich über viele Jahre entwickelt, zur Schule geht, erwachsen wird, eine Familie gründet, Kinder hat und schließlich alt wird und stirbt, diesen Lebensbogen lernen Kinder erst langsam, im Laufe ihrer Schulzeit begreifen. Dennoch bekommt wohl jedes Kind Erklärungen wie die folgende zu hören: »Weißt du, auch die Großmutter war einmal ein Baby, ist in die Schule gegangen, hat dann den Großvater geheiratet, deine Mutter im Bauch getragen und zur Welt gebracht.« Sich das vorzustellen, ist selbst für einen erwachsenen Menschen nicht leicht.

RL *»Ebenso verhält es sich mit dem Tod. Dass ein Mensch nicht zurückkehrt, dass das Leben endlich ist, sind für Kinder lange Zeit unbegreifliche Vorstellungen. Endlichkeit und Unendlichkeit sind für sie unvorstellbar, und damit ist ›keine Rückkehr‹ auch undenkbar, selbst dann noch, wenn die Kinder beginnen, Fragen über den Tod zu stellen. In ihren Gedanken bleibt der Großvater lebendig und wird – irgendwann – wieder zurückkehren. Man erlebt das immer wieder bei Vorschulkindern, wenn ihre Großeltern sterben. Sie nehmen Abschied vom Verstorbenen, erleben, wie er still daliegt mit geschlossenen Augen, dass er nicht mehr spricht. Dennoch fragen sie ein paar Wochen später, wann der Großvater nun endlich zurückkommen werde. Sie vermissen die Gesellschaft des Großvaters. Nur langsam, durch die Erfahrung, dass er nicht zurückkommt, wächst ihre Vorstellung vom Mysterium des Todes.«*

MC *»Als mir das bewusst wurde, verstand ich auch besser, weshalb Kinder bei Trennung und Scheidung ein Weggehen von Vater oder Mutter nicht verstehen können. Es ist für sie* *schlicht unvorstellbar und kann deshalb auch große Ängste auslösen.«*

Anna war fünf, als ihre Urgroßmutter starb. Die 98-jährige wurde im offenen Sarg im Wohnzimmer ihres Hauses zwei Tage lang aufgebahrt. Anna legte ihr Rosenblätter in den Sarg und wunderte sich, dass ihre Hände sich so kalt anfühlten. Als Valerie ihr erklärte, dass Uromas Seele davongeflogen sei, wie ein Vogel, meinte sie, »aber Mama, ein Vogel kommt doch wieder, aber du hast gesagt, die Uroma kommt nicht mehr zurück in ihr Haus«. Mittlerweile nämlich war der Sarg in die Kirche gebracht worden. Beim Begräbnis kamen schwarz gekleidete Friedhofsdiener und hievten »die Kiste«, wie Anna sagte, an dicken Seilen in die Familiengruft hinunter. Bis hierher war das Geschehen für Anna einigermaßen einleuchtend. Ihre Uroma war müde, hatte in »der Kiste« ein angenehmes Bett gefunden, konnte den Duft der Rosenblätter … Aber was machten die Erwachsenen nun mit ihr? »Wieso kommt die Uroma jetzt auch noch in diese Falle? Was soll sie in dieser kleinen Falle machen?«, protestierte Anna lauthals und zauberte ein kleines Lächeln in so manches erwachsene Trauergesicht.

MC *»Wie die meisten Eltern hat auch Valerie versucht, ihrer Anna einen Sachverhalt zu erklären, den ein Kind in diesem Alter noch nicht verstehen kann. Welche Folgen haben solche Erklärungen? Schaden sie den Kindern?«*
RL *»Glücklicherweise weit weniger als man annehmen könnte. Kinder sind Weltmeister im ›Überhören‹ dessen, was sie nicht verstehen können. Bedenklicher hingegen ist, dass die Eltern fälschlicherweise annehmen, ihre Erklärungen würden das Kind beruhigen. Es gibt keine Erklärung, die dem Kind den Tod der Urgroßmutter oder – um zu unserem Thema zurückzukehren – das Auseinandergehen der Eltern verständlich machen kann.«*
MC *»Vielleicht sollte man auf Worte ganz verzichten, wenn man den Kindern das Ende der Ehe ihrer Eltern vermitteln*

will, und stattdessen lieber mit ihnen Memory spielen oder auf den Spielplatz gehen?«

RL »Sagen wir es so: Mit dem Kind zusammen zu sein beruhigt weit besser als alle Erklärungen. Worte werden dann wichtig, wenn das Kind Fragen stellt. Wenn das Kind den Vater nicht mehr jeden Abend sieht, weil er woanders wohnt, und es die Mutter oder den Vater danach fragt, müssen die Eltern darauf eine Antwort finden.«

MC *»Wie sollte die Antwort konkret aussehen?«*

RL *»Die Eltern müssen die konkreten Veränderungen, die sich im Leben des Kindes durch die Trennung ergeben, ansprechen und dafür bestmögliche Lösungen finden. So könnte sich die Mutter beispielsweise überlegen, wie sie den Vater, wenn er nun an einem anderen Ort wohnt, in seiner Beziehung zum Kind unterstützen kann. Solche praktische Überlegungen helfen die Beziehungen aufrechtzuerhalten. Auf Erklärungen über das Scheitern der Ehe sollten die Eltern, wie wir nun wissen, möglichst verzichten. Probleme, die nur sie selbst betreffen, sollten sie nicht erwähnen. Sie verwirren und belasten die Kinder bloß. Ein fünfjähriges Kind kann den Schmerz, der für die Eltern mit der Trennung verbunden ist, nicht nachvollziehen – selbst Angehörige und Freunde sind dazu oft nur bedingt in der Lage.«*

MC *»Immer wieder heißt es, man soll den Kindern den Streit der Eltern mit Streitereien aus ihrem Freundeskreis erklären.«*

RL *»Die Erklärung der Eltern, sie trennen sich, weil sie sich ständig streiten, ist für das Kind nicht stichhaltig. Streit erlebt das Kind mit seinen Geschwistern und seinen Freunden tagtäglich, und dennoch kann es sich nicht vorstellen, dass die plötzlich nicht mehr da sein werden.«*

MC *»Dann müsste aber der Umkehrschluss eigentlich richtig sein: Wenn dem Kind der Kontakt mit seinen Bezugspersonen erhalten bleibt, ist für das Kind alles in Ordnung.«*

RL *»In der Tat verhält es sich so, wenn sich am Betreuungssystem nichts verändert.* Wenn der nicht beim Kind lebende Elternteil weiterhin verfügbar und als wichtige Bezugsperson vorhanden ist, wird sich das Kind nicht verlassen vorkommen.

Dann verläuft die Trennung der Eltern für das Kind diesbezüglich ohne gravierende Folgen.«

MC »*Somit hängt alles am Wort ›verfügbar‹, an der Zeit und der inneren Bereitschaft, für das Kind da zu sein.*«

Es war an einem hektischen Montagmorgen. Wie so oft fuhren Valerie und Anna zu spät zum Kindergarten. Kaum saßen sie im Auto, fragte Anna, warum »der Papa nicht wieder bei uns wohnt«, schließlich gäbe es genug Betten und Platz in der Wohnung. Annas Vater war nach einem Jahr in Stuttgart wieder zurück nach Hamburg übersiedelt. »Das geht nicht«, begann Valerie und dachte daran, dass der Kindergarten in vier Minuten geschlossen Richtung Schwimmbad aufbrechen würde, gleichzeitig erinnerte sie sich daran, dass sie sich geschworen hatte, auf Annas Fragen keine ihrer schnellen, beruhigenden Antworten mehr zu geben, sondern die Gelegenheit zu nutzen, ihr so manches zu erklären, was bisher nicht ausgesprochen worden war. Sie fuhr also zum Schwimmbad. Dort würden sie eine halbe Stunde auf die anderen Kindergartenkinder warten müssen und reden können. Valerie versuchte Anna zu erklären, dass es Eltern gibt, die zusammenleben, und solche, die das nicht tun, dass sich *diese* Mamas und Papas aber ebenso gut um ihre Kinder kümmern. Dass sie, Anna, für ihre Mama und ihren Papa das Wichtigste auf der Welt sei. Doch die Eltern würden sich nicht gut genug verstehen, um zusammenleben zu können. »Ach Quatsch, das stimmt ja gar nicht. Ich werde den Papa überreden und dich auch«, sagte die bald Fünfjährige. »Ich verstehe, dass dich das böse macht, aber das wird dir nicht gelingen«, antwortete Valerie und ergänzte, dass Papas neue Freundin weit besser zu ihm passen würde. »Nein du, weil du hast auch kurze Haare und sie hat diese ekeligen langen Locken.« Wäre Valerie das Gespräch mit Anna nicht derart unter die Haut gegangen, hätte sie unwillkürlich laut lachen müssen. Wie oft hatte sie sich lange Haare gewünscht und wie oft ihren Mann eher an der Seite so einer Frau gesehen als an der ihren.

Das Gespräch ging noch eine Weile weiter, dann sagte Anna

plötzlich: »So, jetzt will ich nicht mehr darüber sprechen.«
Valerie zwang ihr noch ein »Ich-finde-es-gut,-wenn-du-mich-fragst« auf, und dann gingen die beiden ins Schwimmbadbistro, um Brausepulver zu kaufen. Anna schien irgendwie erleichtert zu sein. »Ist es nicht schön hier, so gemütlich, Mama«, sagte sie. Und: »Danke für das Brausepulver.« Und schon begann sie von den wöchentlichen Schwimmstunden zu erzählen, dass sie leider bei der »Seepferdchen«-Prüfung die leichteste Übung nicht geschafft habe, aber diese demnächst, wenn sie sich groß genug dafür halte, wiederholen werde. Dann kamen schon die anderen Kinder und die Kindergärtnerinnen, und Anna verschwand mit ihren Freunden in den Umkleidekabinen. Auch am Abend war sie zufrieden und am nächsten Morgen noch seliger. Manchmal gab es diese Morgen, an denen Anna einer Fee gleich in den Tag hüpfte, versonnen vor sich hin spielte, sich ohne Protest anzog und dann in ihr Leben hinausschwebte.

MC »*War vielleicht eine Last von der Kleinen abgefallen? Warum ihre Erwachsenen so sind, hat sie ja offensichtlich nicht begriffen, aber sie hat sich bei der Mutter aufgehoben und verstanden gefühlt.*«

RL »*Ganz genau. Die Mutter hat sich Zeit für Anna genommen, sie hat sich um sie bemüht und ihr damit gezeigt, wie lieb sie sie hat und wie wichtig sie ihr und ihrem Ex-Mann ist. Die kleine Anna fühlte sich angenommen. Wie viel sie dabei von Valeries Erklärung begriffen hat, ist nebensächlich. Wie soll ein Kind auch die ganze Beziehungsproblematik verstehen? Zwei Erwachsene, die Gefühle füreinander haben und dann nicht mehr, die zusammen wohnen und dann auseinander gehen… Kinder können lediglich nachvollziehen, dass es Eltern gibt, die zusammen wohnen, und solche, die das nicht tun. Entscheidend ist für Anna, ob der Vater nach der Trennung genauso für sie da sein wird wie vorher.*«

MC »*Bis wann denken und fühlen Kinder so?*«

RL »*Ich glaube sehr lange. Denken und fühlen nicht auch wir Erwachsenen gelegentlich noch so?*«

1. Kinder denken und fühlen je nach ihrem Entwicklungsstand sehr anders als Erwachsene.

2. Wenn die Eltern mit dem Kind reden, sollten sie den Entwicklungsstand des Kindes berücksichtigen und sich fragen:
   - Wie ist sein räumliches Vorstellungsvermögen?
   - Wie ist sein zeitliches Vorstellungsvermögen?
   - Was hat es für ein Verständnis vom Lebensbogen (Geburt, Kindheit, Erwachsensein, Alter und Tod)?
   - Wie weit ist sein sozio-emotionales Verständnis entwickelt? Was versteht es von Liebe, Partnerschaft, Ehe, Trennung und Scheidung?

3. Die Eltern sollten so mit dem Kind reden, dass ihre Worte dem Denk- und Gefühlsvermögen des Kindes entsprechen, das heißt, sie sollten sich an seinen Erfahrungen orientieren und eine erzählerische Form benutzen.

4. Rationale Erklärungen können das Kind auf die Dauer nicht beruhigen, sondern nur die Gefühle, welche die Eltern dem Kind entgegenbringen, und die positiven gemeinsamen Erfahrungen.

Wie sehr werden sich das Kind und der getrennt lebende Elternteil vermissen?

Die Situation war gänzlich verfahren. Es stimmte ja, dass Carlos sich mehr um die Zwillinge gekümmert hatte als sie. Er hatte die Kinder vom Kindergarten abgeholt, das Mittagessen gemacht und auf sie aufgepasst, bis die Mutter von der Arbeit nach Hause kam. Er war immer ein warmherziger Vater gewesen. Lange Zeit war Cornelia einfach stolz auf ihren Mann, der neben seinem Wirtschaftsstudium ihr, der Architektin, den Rücken freihielt. Gut, sie verdiente das Geld für die Familie, und er kam mit seinem Studium nicht voran, aber dennoch. Sie war mittlerweile ziemlich erfolgreich. Nach dem Studium hatte sie bei einem Berliner Stararchitekten gearbeitet, keine leichte Zeit, denn ihr Chef verstand es, nie auch nur einen Hauch von angenehmer Arbeitsatmosphäre aufkommen zu lassen. Seine Unternehmensphilosophie glich der eines Sklavenhalters. Nach kürzester Zeit und mit guten Kontakten in der Tasche machte sich Cornelia deshalb selbständig. Etwa zur gleichen Zeit verliebte sie sich in ihren späteren Mann und war froh, dass wenigstens einer von ihnen nicht Karriere machen wollte. Zumindest die ersten beiden Jahre war sie zufrieden. Dann kamen die Zwillinge, und die Mutter wurde immer abgespannter. Sie war chronisch übermüdet von der Arbeit und dem »Resthaushalt«, wie sie ihren Anteil, das Putzen und Bügeln, nannte. Vor allem aber litt sie darunter, dass sie nie genug Zeit für die Zwillinge hatte.

Als es schließlich zum Bruch kam, beanspruchte Carlos das alleinige Sorgerecht. Warum? Wieso sollten sie sich nicht gemeinsam um die Kinder kümmern? Sie hätte sie ihm gerne drei Tage in der Woche überlassen und sich die Wochenenden mit ihm geteilt. Realistischer wäre sogar gewesen, dass er die

Kinder unter der Woche betreuen und sie die Kinder am Wochenende zu sich nehmen würde. Sie musste schließlich arbeiten. Aber das alleinige Sorgerecht kam für sie nicht in Frage. Auch das Gericht sprach sich für eine gemeinsame Sorge aus. Mittlerweile ist das in Deutschland die gängige Praxis. Dann kam der Schock. Carlos zog aus der gemeinsamen Wohnung aus. Er werde, so sagte er, vorübergehend zu seinen Eltern ziehen. Bis er eine eigene Wohnung gefunden habe. Er würde sich melden und vorbeikommen, erklärte er etwas vage, um die Kinder zu sehen, sie abzuholen, mit ihnen zu spielen. Cornelia dachte sich nichts Schlimmes dabei. Natürlich würde er kommen, sehr bald schon. Etwas anderes konnte sie sich gar nicht vorstellen. Und dann würden sie sich überlegen, wie sie die Betreuung der Kinder organisieren könnten. Einstweilen hatte sie die Kinder an den Nachmittagen auf die Oma und Kindergartenfreunde aufgeteilt. Das war nicht ideal für die beiden Dreijährigen. Wenn sie sie am Abend abholte, merkte sie, wie wenig gut es ihnen tat, herumgereicht zu werden. Aber es ging eben nicht anders. Sie war verzweifelt. Carlos meldete sich nicht. Es verstrichen Wochen und Monate. Er war nicht aufzutreiben. Auch seine Eltern wussten nicht, wo er geblieben war. Die Kinder vermissten ihn schon bald sehr. Einmal, am Abend, steckte Pedro seine Matchbox-Autos in die Hosentasche, sagte knapp, »Ich Papa holen«, machte die Haustür auf und lief auf die Straße. Seine Zwillingsschwester Maria Pia rief verzweifelt immer wieder, »Mapi Papa lieb«, und starrte dabei Löcher in die Wand. Es war schrecklich. Was sollte Cornelia nur tun?

RL *»Ich finde diese Situation als Vater und Kinderarzt aus verschiedenen Gründen erschütternd. Der Vater hatte sich umfassend um Pedro und Maria Pia gekümmert. Deshalb haben die beiden einen großen Verlust erlitten, als er plötzlich verschwunden war. Gleichzeitig muss die Mutter in eine extreme Überforderungssituation geraten sein. Sie konnte nicht einfach hundertprozentig für den Vater einspringen. Schließlich frage ich mich, wie es dem Vater wohl ergangen ist.«*

MC »*Nach dem anfänglichen Schock fing sich die Mutter nur langsam wieder. Sie stellte ein zuverlässiges, Spanisch sprechendes Aupairmädchen für die Kinder ein und versuchte, selbst mehr für die beiden da zu sein. Ihre eigene Mutter wurde zum wahren Felsen in der Brandung. Ruhig, kompetent und voller Herzenswärme war sie zugegen, wo immer sie gebraucht wurde. Sie unterstützte ihre Tochter nicht nur durch ihre tätige Anwesenheit, sondern auch durch ihren Pragmatismus und ihre Zuversicht.*«

RL »*Dann, nehme ich an, wird es auch Pedro und Maria Pia langsam wieder besser gegangen sein. Mit ihrem Verhalten zeigen sie sehr deutlich, wie stark sie der Weggang des Vaters emotional verunsichert hat. Man sieht an den beiden Kindern, wie sehr das kindliche Wohlbefinden von Bezugspersonen abhängig ist. Kinder brauchen, um sich wohl zu fühlen, ständig eine vertraute Person, die ihnen Geborgenheit vermitteln und ausreichend Zuwendung geben kann.*«

Bindungsverhalten des Kindes

- Sich geborgen und angenommen zu fühlen, ist ein Grundbedürfnis der Kinder. Ein Mangel an Geborgenheit und Zuwendung beeinträchtigt ihr psychisches Wohlbefinden, ihr Gedeihen und ihre Entwicklung.
- Geborgenheit und Zuwendung können nur Erwachsene vermitteln, die dem Kind vertraut sind (so genannte Bezugspersonen).
- Kinder können nicht allein sein. Sie brauchen jederzeit den Zugang zu einer Bezugsperson.
- Das Kind kommt mit einer angeborenen Bereitschaft auf die Welt, sich bedingungslos an Personen zu binden, die ihm vertraut werden. *Eine kindliche Bindung kann nur durch konkrete Erfahrungen mit Erwachsenen entstehen.*
- Die Stärke der kindlichen Bindung hängt nicht von der Qualität der elterlichen Fürsorge und ihrem Beziehungsverhalten ab, sondern nur von der Zeit, die sie miteinander verbringen.

Die Art und Weise, wie die Eltern mit dem Kind umgehen, ist aber von größter Bedeutung für sein psychisches Wohlbefinden und sein Selbstwertgefühl.

- Das kindliche Bindungsverhalten besteht aus einem Anhänglichkeitsverhalten: Das Kind sucht Nähe, Schutz und Zuwendung bei vertrauten Personen. Trennungsangst und Fremdeln gegenüber unvertrauten Personen binden das Kind zusätzlich an die Bezugspersonen.
- Die biologische Bedeutung der Bindung ist, die Befriedigung der kindlichen Grundbedürfnisse sicherzustellen: die körperlichen Bedürfnisse (Ernährung, Pflege und Schutz) und psychischen Grundbedürfnisse (Nähe, Zuwendung, soziale Anerkennung und gemeinsame Erfahrungen).

Ein Kind leidet nicht zwangsläufig darunter, wenn es von einer Bezugsperson, zum Beispiel vom Vater, verlassen wird. Es leidet dann darunter, wenn die Bedürfnisse, die der Vater bisher befriedigt hat, durch andere Bezugspersonen nicht befriedigt werden können, und wenn es auf Erfahrungen verzichten muss, die es mit dem Vater machen konnte und die mit anderen Bezugspersonen nicht mehr möglich sind. Was für den Vater gilt, trifft auch auf die Mutter und jede andere Bezugsperson zu. Wenn jedoch andere Bezugspersonen den Verlust des Vaters oder selbst der Mutter ausreichend ausgleichen, kann es sogar sein, dass das Kind in seinem Wohlbefinden kaum beeinträchtigt wird.

MC *»Ich kenne eine junge Frau, deren Eltern bei einem Verkehrsunfall ums Leben kamen. Klara war damals 18 Monate alt, und so haben die Großeltern mütterlicherseits das Kind zu sich genommen und aufgezogen. Klara hatte eine glückliche und behütete Kindheit. Die Großeltern ließen die Enkelin im Glauben, sie seien ihre leiblichen Eltern. In der Schule realisierte Klara wohl, dass ihre ›Eltern‹ älter waren als die Eltern ihrer Freundinnen. Sie hinterfragte diesen Umstand aber nicht.*

*Probleme mit dem Familiengeheimnis gab es erst in der Puber-
tät.«*

RL   *»Es tönt etwas hart für Eltern, wenn man es so direkt sagt,
aber es ist wirklich so: Wenn die psychischen und körperlichen
Bedürfnisse des Kindes ausreichend befriedigt werden und es
die notwendige Zuwendung erhält, wird es selbst seine leiblichen Eltern nicht vermissen.«*

MC   *»Irgendwie habe ich Mühe mit dieser Aussage. Eine Mutter ist doch nicht einfach eine Bezugsperson wie jede andere.
Eine Mutter ist doch für ihr Kind etwas Besonderes, Einmali-
ges, Unersetzbares.«*

RL   *»Viele Mütter sind tatsächlich unersetzbar für ihre Kinder.
Sie waren es aber nicht von vornherein, sondern sind es geworden.* Sie sind einmalig für ihre Kinder, nicht weil sie sie geboren haben, sondern weil sie sie während der ersten Lebensjahre
umfassend betreut haben. *Keine andere Bezugsperson ist mit
dem Kind so vertraut wie die Mutter, an keine andere Bezugsperson ist es so stark gebunden wie an sie. Solche Mütter sind
unersetzlich. Wenn aber ein Vater, eine Großmutter oder eine
Adoptivmutter das Kind ebenso umfassend betreut, wird diese
Person genauso unersetzlich wie eine ›echte‹ Mutter. Sie alle
können zu Hauptbezugspersonen werden.«*

Eine Hauptbezugsperson befriedigt alle körperlichen und psychischen Grundbedürfnisse des kleinen Kindes. Sie füttert und
pflegt das Kind, ist in seiner Nähe, wenn es danach verlangt,
und gibt ihm die notwendige emotionale Zuwendung. Sie
zeichnet sich unter allen Bezugspersonen dadurch aus, dass
sie vom Kind bevorzugt aufgesucht wird, wenn es Hilfe, Trost
oder Schutz braucht.

Über die alltäglichen Erfahrungen wird das Kind mit dem
Erwachsenen vertraut und bindet sich an ihn. Gleichzeitig bindet sich der Erwachsene an das Kind. Die gegenseitige Bindung entsteht aus den konkreten Erfahrungen, die das Kind
und der Erwachsene gemeinsam machen. Das heißt, die Bindung hängt von der Zeit ab, die sie miteinander verbringen,

und der Art und Weise, wie der Erwachsene mit dem Kind umgeht. Damit wird auch klar, dass jede erwachsene Person für das Kind zu einer Hauptbezugsperson werden kann, sofern sie sich über eine längere Zeitperiode umfassend auf das Kind einlässt.

Was ist eine Bezugsperson?

- Eine Bezugsperson zeichnet sich dadurch aus, dass sich ein Kind in ihrer Gegenwart wohl und geborgen fühlt, interessiert und aktiv ist und bei ihr Nähe, Zuwendung und Schutz findet.
- Die leibliche Mutter wird für das Kind nicht durch Schwangerschaft und Geburt zu einer Bezugsperson. *Nicht die biologische Herkunft bindet, sondern die Vertrautheit, die durch Fürsorge, Nähe und Zuwendung entsteht.* Vertrautheit setzt gegenseitiges Kennenlernen sowie Kontinuität und Intensität der Beziehung voraus.
- Eine Bezugsperson
  - befriedigt die körperlichen Bedürfnisse des Kindes (körperliches Wohlbefinden),
  - gibt ihm Geborgenheit und Zuwendung (psychisches Wohlbefinden),
  - gestaltet seine Umgebung so, dass sich das Kind Fähigkeiten und Wissen aneignen kann (Entwicklung).
- Die Anzahl der Personen, an die sich ein Kind binden kann, ist aufgrund seines begrenzten Anpassungsvermögens beschränkt. Bereits ein Säugling vermag sich aber an mehrere Personen zu binden.
- Für ein Kind ist es vorteilhaft, wenn es von mehreren Bezugspersonen betreut wird. Es wird beziehungsfähiger, lernt von verschiedenen Vorbildern und hat mehr Erfahrungsmöglichkeiten.

RL »Carlos scheint eine Hauptbezugsperson für seine Kinder gewesen zu sein. Er hat die Grundbedürfnisse von Pedro und Maria Pia umfassend befriedigt. Er hat sie gefüttert, gewickelt, in den Schlaf gesungen und als Babys herumgetragen, wenn sie Bauchweh hatten. Er war die ganze Zeit bei ihnen und hat ihnen ein Gefühl von Geborgenheit gegeben. Er war da, wenn sie krank waren, um ihnen heißen Tee mit Honig zu machen.«

MC »Willst du damit sagen, dass die Bedeutung, die ein Vater zum Zeitpunkt der Trennung für die Kinder hat, davon abhängt, wie umfassend er ihre Grundbedürfnisse vor der Trennung befriedigt hat? Dies würde ja bedeuten, dass ein Vater, der sich um die Grundbedürfnisse seiner Kinder vor der Trennung nicht oder nur wenig gekümmert hat, von seinen Kindern hinterher auch kaum vermisst wird?«

RL »Ja, da ist viel Wahres daran, vor allem wenn es sich um kleine Kinder handelt. Aber so pauschal darf man es nicht sagen. Es gibt Väter, die sich kaum um die körperlichen Bedürfnisse der Kinder kümmern, aber dem Kind durch die gemeinsamen Erfahrungen gleichwohl viel bedeuten. Solche Väter spielen mit dem Kind, sie erzählen ihm Geschichten, gehen mit ihm spazieren, sind gute Gesprächspartner. Die gemeinsamen

Grundbedürfnisse des Kindes, die Eltern und andere Hauptbezugspersonen befriedigen, in Abhängigkeit vom Alter

Alter	Geburt	1	2	3	4	5	6	7	8	9	10	11	12	13	14

Körperliche Bedürfnisse
Ernährung, Körperpflege, Schutz

Psychische Bedürfnisse
Nähe zu Bezugspersonen
„Nicht allein sein"

Zuwendung, soziale Akzeptanz
Soziales Spiel, gemeinsame Erfahrungen, z. B. im Haushalt, Freizeit

Erfahrungen werden im Verlauf ihrer Entwicklung immer wichtiger. Nach der Trennung vermisst ein Kind all das, was es vom Vater zuvor bekommen hatte, und nun durch andere Bezugspersonen nicht ersetzt werden kann.«

MC *»Bei Maria Pia und Pedro war der springende Punkt also, dass die Mutter rasch ein neues Betreuungssystem für die Kinder aufbauen konnte. Dennoch brauchten sie, die Oma und das Aupairmädchen Wochen und Monate, um den Vater zu ersetzen. Es fällt mir als Mutter schwer zu verstehen, weshalb Carlos seine Kinder nicht mehr sehen wollte, obwohl er sich doch drei Jahre um sie gekümmert hatte und somit eine tiefe Beziehung zu ihnen eingegangen war. Nicht nur die Kinder binden sich an ihre Eltern, auch die Eltern binden sich schließlich an die Kinder.«*

RL *»Gewisse Väter verstehen sich immer noch als das Familienoberhaupt. Überspitzt gesagt fühlen sie sich als ›Besitzer‹ der Familie. Wird ihnen diese Position abgesprochen, sind sie sehr verletzt und wenden sich von den Kindern ab. Zusätzlich schmerzt die Männer, dass sie durch die Scheidung ihre Machtposition und das Entscheidungsrecht über die Familie teilweise, oft sogar weitgehend verlieren, dass sie aber trotzdem weiter für den Unterhalt aufkommen müssen.«*

Die leiblichen Eltern haben in Bezug auf ihre Bindungsbereitschaft gegenüber allen anderen Erwachsenen eine Sonderstellung: Ohne sie gäbe es das Kind nicht. Sie haben das Kind gezeugt, mit ihrer Elternschaft »Ja« zum Kind gesagt und sich emotional im Verlauf der Schwangerschaft auf das Kind eingestellt. Diese Sonderstellung trägt anfänglich zur elterlichen Bindung bei, ist aber längerfristig nicht entscheidend. In den Wochen und Monaten nach der Geburt wird die Stärke der elterlichen Bindung – wie beim Kind – durch die konkreten Erfahrungen bestimmt. *Je mehr sich die Eltern auf das Kind einlassen, desto mehr werden sie mit dem Kind vertraut und emotional an das Kind gebunden.* Wie schmerzhaft die Trennung für den Elternteil wird, der das Kind verlässt, hängt deshalb davon ab, wie stark er sich an das Kind gebunden hatte, also wie sehr er sich vor der Trennung emotional, aber auch zeitlich auf das Kind eingelassen hat.

Elterliches Bindungsverhalten

- In ihrer Bereitschaft, für ein Kind zu sorgen, nehmen die Eltern unter allen Bezugspersonen eine Sonderstellung ein: Sie haben dem Kind zum Leben verholfen und tragen für das Kind die Verantwortung.
- Die Bindung der Eltern an ihr Kind hat ihre Wurzeln in den eigenen Kindheitserfahrungen und in der Partnerschaft. Entscheidend wird sie aber geprägt durch die Fürsorge für das körperliche und psychische Wohlbefinden des Kindes, die Zuwendung, die sie von ihm erhalten, und die gemeinsamen Erfahrungen, die sie mit ihm machen.
- Das Kind wandelt sich ständig in seiner Entwicklung, und damit wandelt sich auch die Eltern-Kind-Beziehung. Eltern und Bezugspersonen müssen ihre Fürsorge und ihr Verhalten dem Kind laufend anpassen. Damit verändert sich auch ihre Bindung an das Kind. *Gemeinsame Erfahrungen binden die Eltern an das Kind; das Ausbleiben von Erfahrungen entfremdet Eltern und Kind.*
- Wie schmerzhaft die Trennung für den Elternteil wird, der weggeht, hängt davon ab, wie stark er sich an das Kind gebunden hat, das heißt wie sehr er sich vor der Trennung emotional und zeitlich auf das Kind eingelassen hat.

Martha war eine erfolgreiche Zürcher Geschäftsfrau. Kurz bevor sie schwanger wurde, hatte sie eine eigene Firma gegründet. Ihr Freund und Vater des kleinen Martin wollte schon von der Schwangerschaft nichts wissen, und nach zwei Besuchen, einem im Spital und einem einige Monate danach, riss der Kontakt völlig ab. Die Mutter hatte eine große Wohnung und konnte daher eine Kinderfrau in die Familie nehmen. Sie stellte eine italienische Lehrerin an. Sie akzeptierte, dass Giovanna von Anfang an den Großteil von Martins Bedürfnissen abdeckte und dadurch für ihren kleinen Jungen zur eigentlichen Mutter wurde. Dann heiratete sie. Sie musste nicht mehr so viel arbeiten und beschloss, endlich selbst für ihren Sohn zu sorgen. Praktischerweise wollte die Kinderfrau zur selben Zeit wieder nach Italien zurück, sodass man sich in beiderlei Einverständnis voneinander trennte. Doch die Mutter arbeitete weiterhin mehr als halbtags. Irgendwie müsste doch beides möglich sein, dachte sie. Martin, mittlerweile drei Jahre alt, litt sehr unter dem Verlust seiner geliebten Giovanna. Er wurde immer schweigsamer und wirkte verstört, in der Spielgruppe fiel er durch aggressives Verhalten auf. Die Mutter musste einsehen, dass sie nicht in der Lage war, ihrem Kind die Fürsorge und emotionale Sicherheit zu geben, die es zuvor von Giovanna erhalten hatte. Das schmerzte sie sehr. Sie wollte keine zweite Giovanna anstellen. So entschloss sie sich, selbst nun wirklich so weit als nötig für ihren Sohn da zu sein. Sie reduzierte ihre Arbeit auf ein kleines Teilzeitpensum. Später würde sie wieder mehr arbeiten können, dachte sie, aber jetzt galt es, für Martin da zu sein, seine Eigenheiten und Verhaltensweisen richtig zu lesen und seine Bedürfnisse umfassend zu befriedigen. Es dauerte fast zwei Jahre, bis es Martin wirklich wieder gut ging und auch die Mutter sich im Umgang mit dem Kind in jeder Hinsicht sicher fühlte.

Nicht nur geschiedene Eltern, sondern alle Eltern sind herausgefordert: Ein Kind kann nicht allein sein. Es braucht in den ersten Lebensjahren ständig eine Bezugsperson in seiner Nähe. Es ist wohl fähig, zu mehreren Bezugspersonen eine Bindung einzugehen. Aber es braucht eine oder zwei Hauptbezugspersonen, Personen, die mit ihm umfassend vertraut sind, und die Kontinuität in der Betreuung gewährleisten. *Diese Hauptbezugspersonen müssen nicht die leibliche Mutter oder der leibliche Vater sein, aber es muss diese Hauptbezugspersonen geben!* Auch im Fall von Trennung und Scheidung sind die Eltern nicht per se wichtig. Die Bedeutung, die Mutter und

Vater für das Kind haben, hängt davon ab, wie sie vor der Trennung seine Bedürfnisse befriedigt und ihm Erfahrungen ermöglicht haben und inwieweit sie dazu nach der Trennung auch noch in der Lage sind.

Das Wichtigste in Kürze!

1. Wenn das Kind nach der Trennung leidet, dann deshalb, weil seine Grundbedürfnisse nicht mehr so befriedigt werden und es weniger gemeinsame Erfahrungen machen kann als vor der Trennung.

2. Das Kind vermisst nicht eine Person per se, sondern vielmehr das, was die Person für das Kind an Zuwendung und Erfahrungen bedeutet hat.

3. Bei der Trennung geht es darum, sich als Eltern zu überlegen:
   - Welche Bezugspersonen befriedigen zukünftig die Bedürfnisse des Kindes?
   - Welche Erfahrungen kann das Kind nicht mehr machen, und wer kann ihm vergleichbare Erfahrungen ermöglichen?

4. Wie sehr dem Kind der Elternteil fehlen wird, der weggeht, hängt davon ab, ob und in welchem Ausmaß der Vater beziehungsweise die Mutter die Beziehung aufrechterhalten kann. Falls die Beziehung zum Kind eingeschränkt wird, kommt es darauf an, wie weit andere Bezugspersonen den Verlust ausgleichen können.

5. Wie sehr der Elternteil, der die Familie verlässt, das Kind vermissen wird, hängt von seiner Beziehung zum Kind und den gemeinsamen Erfahrungen vor und nach der Trennung ab.

Weshalb ist eine Scheidung für Jugendliche so belastend?

»Das Haus lasse ich euch nicht«, hörten die Kinder den Vater zur Mutter sagen. Seit zwei Stunden saßen die Eltern nun schon in der Küche, ab und zu, wenn ihre Stimmen lauter wurden, hörten Sabine und Joachim die Auseinandersetzungen bis in ihre Schlafzimmer hinauf. Das würde jetzt wieder die halbe Nacht so weitergehen, dachte die vierzehnjährige Sabine und holte sich bei ihrem sechzehnjährigen Bruder ein paar CDs. »Hast du das gehört?«, fragte sie ängstlich. »Ja, die streiten schon wieder. Mach dir nur ja nichts draus, die sind halt so«, versuchte Joachim Sabine zu beruhigen. »Ja, aber das mit dem Haus!« »Du glaubst doch selbst nicht, dass die sich wirklich scheiden lassen würden. Dazu sind sie doch viel zu feige.« Joachim spielte den coolen älteren Bruder. Er fand die Ehe seiner Eltern geradezu lächerlich schlecht. Wie sie sich seit Jahren zankten, vor allem um die Erziehung der Kinder. Zunehmend affig war das. Früher war er schluchzend in sein Zimmer gerannt. Daran konnte sich Sabine noch gut erinnern. Wieso spielte er jetzt den Unverletzbaren? Sie hingegen hatte für beide Eltern Verständnis und war deshalb jedes Mal von neuem betroffen. Sie wusste auch nicht, wie es mit ihren Eltern weitergehen sollte, hatte auch keine Lösung für das, was alle in der Familie wussten. Dass die beiden einander einfach nicht mehr ausstehen konnten. Anderentags, als Joachim und Sabine aus der Schule kamen, wurden sie von ihrer Mutter vor vollendete Tatsachen gestellt. Es sei nun endgültig so weit, sie würde sich von Vater trennen und ausziehen. Ihnen, den Kindern, würde sie es freistellen, bei wem sie nun wohnen wollten, allerdings wüssten sie ja selbst, wie wenig Zeit ihr Vater für sie aufbringen könnte, schließlich wäre da seine zeit- und kraftraubende Arbeit in der Firma.

Die Kinder entschieden sich, ohne zu zögern, für die Mutter und zogen mit ihr in eine Wohnung um die Ecke. Die Umgebung, die Freunde, die Schulwege änderten sich nicht. Sie sahen ihren Vater regelmäßig, und die Eltern kamen nun nach den jahrelangen Konflikten sichtlich besser miteinander aus. Trotzdem hatte die Mutter all die Jahre das Gefühl, dass »etwas kaputtgegangen« sei. Sie war überzeugt, dass ihre Kinder unter der Trennung »sehr gelitten« hatten, besonders Sabine, die völlig aus dem Gleichgewicht geriet. Jahrelang machte Sabine ihrer Mutter Vorwürfe. Wegen ihr hätten sie ihr Zuhause verloren, wegen ihr sei alles so schwierig geworden, und sie sei schuld daran, dass nun das Verhältnis zwischen ihr und Sabine so angespannt sei.

RL *»Je älter die Kinder werden, desto größer wird die Bedeutung, die das Umfeld für ihr Wohlbefinden hat. Die Nachbarschaft mit den Kameraden, die Schule, die Freizeitmöglichkeiten, aber auch die Wohnung und insbesondere ihr eigenes Zimmer. Ein Umzug kann auch für Kinder aus einer intakten Familie traumatisierend sein. Die vertraute Umgebung, die Plätze der Kindheit vermitteln Geborgenheit. Man hat nie mehr einen solch innigen Bezug zu seiner Umwelt wie in der Zeit des Heranwachsens. Bestimmt kannst du dich noch daran erinnern.«*
MC *»Oh ja. Ich liebte mein Zimmer, je größer ich wurde desto mehr. Ich hatte mir auf dem Dachboden einen alten Schreibtisch gesucht, einen besonders großen mit vielen Schubladen und geheimen Fächern. Dort konnte ich meine Briefe, Aufzeichnungen und Aquarellbilder vor den Augen meiner Geschwister verstecken. Im Nachtkästchen neben dem Bett hortete ich die allergeheimsten Dinge. Etwa den ersten Liebesbrief, ein paar getrocknete Blumen, Ketten und Ringe, einige Heiligenbildchen und aus Magazinen ausgeschnittene Fotos von Mick Jagger. Die durfte meine Mutter unter keinen Umständen finden. Ich träumte zwar ständig von der großen weiten Welt, davon, mein Zuhause zu verlassen und ganz woanders, am besten auf einer Robinsoninsel allein mit einem Pferd zu leben,*

doch ein tatsächlicher Umzug hätte mich womöglich unglück-
lich gemacht. Ich genoss die Orte meiner zu Ende gehenden
Kindheit, jeden Baum im Garten und Winkel im Haus. Ich zele-
brierte diese meine ganz eigene Welt und die Gedankenfrei-
räume, die ich mir geschaffen hatte. Joachim und Sabine ver-
banden mit ihrem Zuhause bestimmt ähnliche Gefühle von
Vertrautheit und Geborgenheit. Die lassen sich nur schwer in
einem anderen Kontext wiederfinden.«

RL *»Die Geschichte von Joachim und Sabine illustriert auch,*
wie schwierig es für Eltern sein kann, die Auswirkungen der
Trennung und die Umwälzungen, die in der Pubertät sowieso
stattfinden, auseinander zu halten. Auch für eine intakte Fami-
lie ist die Pubertät eine Zeit der allgemeinen Verunsicherung.
Eltern, die sich scheiden lassen, neigen dazu, die auftretenden
Schwierigkeiten vor allem der Trennung zuzuschreiben. In den
Zürcher Entwicklungsstudien hat sich die Pubertät als ein un-
günstiger Zeitpunkt für eine Trennung und Scheidung heraus-
gestellt. Die normale Ablösung des Jugendlichen von seinen
Eltern und das Abschiednehmen der Eltern von ihrem Kind fal-
len dann mit dem Scheitern der Beziehung der Eltern zusam-
men. Das sind sehr viele Erschütterungen auf einmal.«

Eine zentrale Rolle in der Adoleszenz spielt das Bindungsverhalten. In den ersten Lebensjahren bindet sich das Kind an
seine Hauptbezugspersonen, zumeist die Eltern, die sein Überleben, sein Wachstum und seine Entwicklung gewährleisten.
Diese emotionale Abhängigkeit macht das Kind für die Eltern
führbar. Das Kind gehorcht, weil es die Liebe der Eltern weder
aufs Spiel setzen will noch kann. Das Kind ist so stark an sie
gebunden, dass es Vater und Mutter nicht objektiv wahrnehmen
kann. Es idealisiert aus seiner Abhängigkeit heraus seine Eltern, was auch immer sie tun. Für das Kind sind sie der Maßstab
aller Dinge.

In der Pubertät wird die Kind-Eltern-Bindung von der Natur
so weit aufgehoben, dass der nun bald erwachsene Mensch
emotional weitgehend unabhängig wird, partnerschaftliche Be-

Entwicklung des Bindungsverhaltens im Verlauf der Kindheit

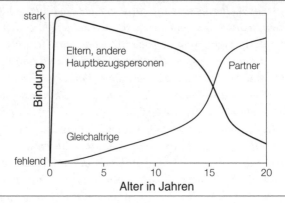

ziehungen eingehen und eine neue Familie gründen kann. Mit dieser emotionalen Unabhängigkeit entgleitet der Jugendliche weitgehend der elterlichen Kontrolle, er gehorcht nur noch bedingt. Die Auflösung der Bindung an die Eltern führt schließlich auch zu einer veränderten Sicht der Welt. Die Eltern verlieren für den Jugendlichen den Sonderstatus, den sie während seiner ganzen Kindheit innegehabt haben, und werden zu gewöhnlichen Menschen.

Die Eltern aus der Sicht der Jugendlichen

- Man kann die Eltern nicht mehr so lieben, wie man sie als Kind geliebt hat.
- Man will ihnen nicht mehr alles anvertrauen.
- Man sieht sie mit neuen Augen.
- Man kann sie nicht mehr idealisieren.
- Man verliert seine Illusionen: Eltern sind wie andere Menschen auch.
- Man braucht das Gespräch mit ihnen, aber nicht ihre Ratschläge.

(Zitate aus Dolto 1995)

RL »Als Vater habe ich diesen Vertrauensverlust als sehr schmerzvoll empfunden. Für meine Töchter war ich plötzlich nicht mehr die Nummer eins, zeitweise überhaupt keine Nummer mehr. Diese Rückstufung, die jede Mutter und jeder Vater in unterschiedlichem Ausmaß erlebt, stellt eine eigentliche Entmachtung der Eltern dar. Die Trennung der Eltern kann sich nun verschärfend auf diesen Prozess auswirken. Der Jugendliche setzt sich innerlich noch mehr von den Eltern ab. Trennung und Scheidung sollten aber nicht als die alleinige Ursache dafür angesehen werden, dass der Jugendliche nicht mehr so vertrauensvoll ist, wie er als Kind einmal war.«

MC »Gerade für eine Mutter muss es besonders schmerzvoll sein, wenn sie mit der Trennung nicht nur den Verlust ihres Ehepartners beklagen muss, sondern auch noch ihr Kind ›verliert‹. Ich finde es verständlich, dass manche Mütter als Reaktion darauf ihre Kinder festhalten und sie möglichst an sich zu binden versuchen. Doch in der Pubertät scheint das meistens zu noch mehr Distanz oder sogar offener Ablehnung zu führen.«

RL »In dieser Lebensphase machen nicht nur die Eltern, sondern auch die Jugendlichen schwierige Zeiten durch. Himmelhoch jauchzend und zu Tode betrübt: Es ist die Zeit, wo der Mensch die intensivsten Freuden erlebt, aber auch am meisten leidet. In keinem Lebensalter sind Versuche zur Selbsttötung und tatsächliche Suizide so häufig wie in der Adoleszenz. Das zeigt, wie verzweifelt die Jugendlichen oft sind (Largo 1999).«

Die Adoleszenz aus der Sicht der Jugendlichen

- Die Pubertät ist wie eine zweite Geburt.
- Nichts stimmt mehr, aber man weiß eigentlich nicht genau, warum und wieso.
- Nichts ist mehr wie früher, aber was sich verändert hat, lässt sich nicht erklären.
- Man fühlt sich wie auf einer abschüssigen Bahn, auf der einem die Kontrolle entgleitet.
- Immer wird man von Zweifeln und Unsicherheiten geplagt.

- Die inneren Schutzräume der Kindheit sind abhanden gekommen.

(Zitate aus Dolto 1995)

Joachim ging zwei Jahre nach der Trennung seiner Eltern zum Studium nach Wien. Sabine blieb bei der Mutter zurück. Sie war nun sechzehn, aber im Gegensatz zu ihrem Bruder meinte die Mutter, das Mädchen viel stärker behüten zu müssen. Sie war ja ihre Kleine, die unter der Trennung am meisten gelitten hatte, die ihr ständig Vorwürfe machte, sie zielsicher in Rage versetzen konnte. Sabine hatte sich offensichtlich in den Kopf gesetzt, alle Disziplinierungsversuche ihrer Mutter zu torpedieren. Wenn sie nicht ausgehen durfte, türmte sie durchs Dachfenster und über die Feuerleiter. Sie verkehrte in einschlägigen Kreisen, rauchte Haschisch, kurz, die Mutter nahm an, dass ihre Sorgen berechtigt seien. Dass sie mit ihrer Kontrollsucht alles nur schlimmer machte, dass sie selbst Probleme hatte, ihr Kind loszulassen, Sabine als junge Frau zu betrachten, sah sie nicht. Wie auch. Sie glaubte, die Trennung hätte ihre Tochter aus der Fassung gebracht, nicht die Pubertät. Deshalb schwankte sie zwischen Schuldgefühlen, die sie depressiv machten und autoritären Erziehungsmethoden, mit denen sie das verlorene Terrain zurückzuerobern versuchte, hin und her.

Schließlich brachte Sabine sie und den Vater dazu, sich in eine Familientherapie zu begeben. Das Ergebnis dieser Gespräche war, dass Sabine zu ihrem Vater zog. Nachdem sie ihr Abitur gemacht hatte, nahm sie sich eine eigene Wohnung und begann zu studieren. Heute ist das Verhältnis zwischen Sabine und ihrer Mutter wieder gut. Beide Geschwister meinen heute, dass die Eltern sich früher hätten scheiden lassen sollen.

MC *»Passieren ähnliche Dinge nicht auch in intakten Familien?«*
RL *»Die Ablösung von den Eltern kann Jugendliche auch ohne Scheidung der Eltern in Loyalitätskonflikte stürzen. Sie*

schlagen sich auf die Seite der Mutter oder des Vaters, um einige Zeit später die Seiten zu wechseln. Diese Loyalitätskonflikte können durch die Trennung verstärkt werden, insbesondere dann, wenn die Eltern sich streiten und sich gegenseitig bei den Kindern schlecht machen. Uneinigkeit zwischen den Eltern treibt die Jugendlichen auch aus der Familie, und sie suchen vermehrt bei ihren Kameradinnen und Kameraden emotionale Wärme und Zuwendung.«

Die Eltern verlieren mit der Auflösung der kindlichen Bindung nicht nur die Macht über die Kinder, sie allein können sie auch nicht mehr glücklich machen. Was das Kind in seiner Kindheit von den Eltern erhalten hat, sucht der Jugendliche nun bei den Gleichaltrigen. In der Pubertät werden die Gleichaltrigen anstelle der Eltern zum Bindungsobjekt. Freunde und Freundinnen sollen dem Jugendlichen nun die Geborgenheit und Zuwendung geben, die er früher von den Eltern erhalten hat. Damit wird der Jugendliche emotional von den Gleichaltrigen genauso abhängig wie zuvor von den Eltern.

Die Bedeutung der Gleichaltrigen

Jugendliche suchen bei Gleichaltrigen:
- den Doppelgänger, die verwandte Seele, ein Alter Ego
- ein Gefühl der Verschmelzung, so wie damals, als man klein war
- eine unzerstörbare Beziehung, Beständigkeit, Treue
- Solidarität, Großmütigkeit und Verschwiegenheit

Jugendliche wollen:
- gleich sein wie die Gleichaltrigen (Kleidung, Aussehen, Verhalten)
- von den Gleichaltrigen angenommen sein
- den anderen gefallen

Die Clique bedeutet:
- Zugehörigkeit (gleiche Erkennungszeichen, eigene verschlüsselte Sprache)

- Freundschaft
- Schutz

(Zitate aus Dolto 1995)

MC *»Ja, ich erinnere mich noch gut daran. Da wurde Nibelungentreue auf immer und ewig geschworen, Freundschaften waren so etwas wie Blutsverwandtschaften, man dachte dasselbe und tat nichts ohne den anderen. Verhielt sich eine Freundin nicht so, wie es der Freundschaftscodex vorschrieb, wurde sie aus dem Kreis der Erwählten, derjenigen, die sich ewige Treue geschworen hatten, ausgeschlossen. Auch die ersten Liebesbeziehungen waren so. Romantisch, voller Ideale und gingen sie in die Brüche, so wankte die ganze Welt. Doch dann konnte man all sein Glück und Leid in den Texten der Popsongs wiederfinden und in allen Höhen und Tiefen noch einmal durchleben.«*

RL *»Oder in Gedichten und Filmen. Der Heranwachsende stellt an Liebe, Treue und Moral höchste Ansprüche, die ihn selbst, seine Freundinnen und Freunde überfordern. In Beziehungen lassen sich diese Vorstellungen so nie umsetzen. Genauso anspruchsvoll und kompromisslos ist auch das Denken des Adoleszenten.«*

MC *»Meine Eltern hatten mit mir eine wirklich harte Zeit. Vor der Pubertät hatten sie das Gefühl, dass ich im Grunde ähnlich über die Welt denke wie sie, doch jetzt war ich geradezu versessen darauf, bei jedem Thema zu einem anderen Denkergebnis zu kommen. Nichts blieb verschont, alles musste neu durchdacht werden, nichts durfte einfach so übernommen werden. Revolutionäre wurden zu meinen Helden und politische, gesellschaftliche und künstlerische Umbrüche mein leidenschaftliches Interessensgebiet. Die erste avantgardistische Kunstausstellung war so etwas wie eine Initiation, mein Übertritt in die Gesellschaft derer, die neue Wege der Erkenntnis zu ihrem obersten Lebensprinzip erhoben hatten.«*

Das Denken des Jugendlichen löst sich von den elterlichen Gedankenwelten ab und wird selbständig. Der Jugendliche beginnt, eigene Vorstellungen über Umweltschutz, Armut und Ungerechtigkeit in dieser Welt zu entwickeln. Akzeptieren die Eltern seine sich gerade erst herausbildende, oft unausgegorene Meinung nicht, stellt der Jugendliche die Kommunikation ganz ein. Jugendliche sind oft absolut in ihren Ansichten. Das gehört zur Sturm- und Drangzeit. Sie tragen damit neue Ideen und einen neuen Schwung in die Gesellschaft.

Auch über ihre partnerschaftlichen Beziehungen entwickeln die Jugendlichen zuhauf idealistische Erwartungen. Wenn sich Mutter und Vater scheiden lassen, müssen sie feststellen, dass ihre Eltern genau in diesem Punkt »Versager« sind. Dass dies zu heftigen emotionalen Auseinandersetzungen zwischen Jung und Alt führen kann, erstaunt nicht. Söhne und Töchter stellen höchste Ansprüche an ihre eigene Beziehungsfähigkeit – wir werden es einmal besser machen als unsere Eltern –, während die Eltern von Versagens- und Schuldgefühlen geplagt werden.

Ein weiterer wichtiger Aspekt der Pubertätsentwicklung ist die Identitätsfindung. Der Jugendliche ist auf der Suche nach der eigenen Persönlichkeit. Er muss sich seiner Stärken bewusst werden, aber auch seine Schwächen akzeptieren. Dazu braucht er Vorbilder innerhalb und außerhalb der Familie. Die Frage »Wer bin ich?« führt zwangsläufig zur Frage nach der eigenen Herkunft, zur Frage, wer diese Eltern denn eigentlich sind, wie sie sind und warum sie so geworden sind. Kann sich der Jugendliche mit seiner Mutter und seinem Vater und der Art und Weise, wie sie ihr Leben führen, identifizieren? Wenn nicht, sucht er sich andere Vorbilder und andere Lebensentwürfe. Wie wichtig die eigene Herkunft bei der Identitätssuche ist, zeigt sich immer wieder bei Adoptivkindern. Auch wenn ihre Kindheit glücklich verlaufen ist und sie sich bei ihren Adoptiveltern gut aufgehoben fühlten, beginnen manche in der Adoleszenz nach ihren biologischen Eltern zu suchen. Genauso suchen Jugendliche nach ihrem Vater oder ihrer Mutter, wenn sie von ihnen verlassen worden sind.

Eric hatte seinen Vater so gut wie nie erlebt. Als er zwei Jahre alt war, hatten sich die Eltern scheiden lassen. Zwei Monate nach der Scheidung nahm die Großmutter Eric zum Einkaufen mit. Auf der Straße begegneten sie zufällig seinem Vater. Als er seinen Sohn hochhob, fremdelte Eric und schaute die Großmutter fragend an. Er schien keine Ahnung zu haben, wer dieser Mann war. Kurze Zeit später verließ der Vater Deutschland und kehrte nie mehr zurück. Eric wuchs bei seiner Mutter auf. Er hatte eine enge Beziehung zu seiner Mutter, die ihm ausreichend Sicherheit und Geborgenheit schenkte und seine Bedürfnisse gewissenhaft befriedigte. Die Mutter hatte nie den Eindruck, dass Eric seinen Vater vermisste. Es gab genügend Männer in der Verwandtschaft und Bekanntschaft, die ihm als männliche Vorbilder dienten. Er sprach nie von seinem Vater, fragte nie nach ihm, für ihn schien es diesen Mann nicht zu geben. Als Eric jedoch in die Pubertät kam, wurde der Vater zu einem wichtigen Thema. Nun löcherte er seine Mutter mit Fragen. »Wo lebt der Vater?« »Was tut er?« »Wie kann ich ihn finden?« Eric begann ihm Briefe zu schreiben und bekam wenig enthusiastische Antworten zurück. Er war sehr enttäuscht, als dem Vater der Briefwechsel zu mühsam wurde und er die Briefe von seiner Freundin beantworten ließ. Aber Eric ließ nicht locker. Als er 18 war, fuhr er nach Zürich, um seinen Vater kennen zu lernen. Sie trafen sich zum Abendessen. Das Gespräch war anregend. Sie entdeckten sogar verwandte Interessensbereiche. Dennoch blieb der Vater den ganzen Abend über distanziert. Er war nicht bereit, über seine Vaterrolle und sein jahrelanges Desinteresse an seinem Sohn zu sprechen. Wieder zu Hause, schrieb ihm Eric erneut Briefe, doch als diese nicht mehr beantwortet wurden, gab er schließlich auf.

RL *»Wie traurig. Das muss für Eric eine schlimme Erfahrung gewesen sein.«*
MC *»Ganz bestimmt. Aber immerhin hat Eric mit seinen Briefen und dem Besuch eine konkrete Erfahrung gemacht. Hinter-*

her wusste er, wer sein Vater war. Mit der Realität kann man immer besser umgehen als mit einer Fantasievorstellung. Die Realität kann man verarbeiten, die Fantasievorstellung hingegen lässt einen nie los. Eric konnte nun auch die Verbitterung seiner Mutter über ihren ehemaligen Partner besser verstehen, und er nahm sich vor, mit seiner zukünftigen Partnerin sorgfältiger umzugehen als sein Vater.«

RL *»Für die Identitätsfindung scheint es mir wichtig, dass Vater und Mutter in ihrem Verhalten glaubwürdig bleiben, dass sie authentische Persönlichkeiten sind. Dann nämlich kann der Jugendliche seine Eltern so, wie sie nun einmal sind, akzeptieren. Selbst wenn sie andere Vorstellungen vom Leben und andere Interessen haben und selbst wenn er sich gleichzeitig von ihnen innerlich distanziert. Die Eltern sollten sich nicht anbiedern, sich nicht mit Interessen und Vorstellungen vom Leben, die nicht die ihren sind, bei ihm einzuschmeicheln versuchen. Der Jugendliche durchschaut die Absicht und wird sich erst recht zurückziehen. Im Fall von Trennung und Scheidung bedeutet das, dass die Eltern zu ihrer Trennung, zu ihren Gefühlen und Überzeugungen stehen müssen. Das ist schwierig, weil sie womöglich gerade deswegen von den Jugendlichen abgelehnt werden. Wenn sie aber nicht dazu stehen, werden sie gleichwohl abgelehnt. Vielleicht erst Jahre später, aber dann umso heftiger, während die Eltern, die authentisch bleiben, gute Chancen haben, wieder akzeptiert zu werden.«*

MC *»Bedeutet all dies nicht, dass Eltern sich möglichst nicht scheiden lassen sollten, wenn ihre Kinder in der Pubertät sind?«*

RL *»Es scheint, als ob die Pubertät ein besonders ungünstiger Zeitpunkt für eine Trennung der Eltern ist. Jede andere Altersphase kann für das Kind aber genauso so belastend sein. In der Pubertät kommt es zweifelsohne zu den heftigsten Auseinandersetzungen. Ich habe den Eindruck, dass die Ablösung der Kinder für gewisse Eltern eine Art Signal ist, ihre seit Jahren krisenhafte Beziehung endlich aufzulösen. Wenn sie ihre Partnerschaft aufgeben, sollten sie aber nie vergessen, dass sie auch zukünftig ihre Aufgabe als Eltern zu erfüllen haben!«*

MC *»Wie sollte diese Elternrolle in der Pubertät konkret aussehen?«*

RL *»Die Jugendlichen werden immer selbständiger, aber sie
brauchen nach wie vor ihre Eltern als sicheren Hort. Das Fru-
strierende ist – und das müssen Eltern aushalten –, dass sie von
den Jugendlichen nichts hören und sehen, solange es ihnen gut
geht. Wenn die Jugendlichen aber nicht mehr weiter wissen,
suchen sie das Gespräch und die Hilfe der Eltern. Die Eltern
können sich dann leicht ausgenützt fühlen. Die Beziehung erscheint ihnen – begreiflicherweise – als eine Art Einbahn-
straße. Aber so verläuft nun einmal die Ablösung des Kindes.
Die Gefahr besteht, dass während und nach einer Scheidung
die Eltern so sehr mit sich selbst beschäftigt sind, dass sie ihre
wichtige Aufgabe als Eltern zu wenig wahrnehmen.«*

MC *»Ob die Eltern zusammenbleiben oder auseinander gehen,
ihre Aufgabe den Jugendlichen gegenüber bleibt also gleich:
Sie müssen die Türe für sie jederzeit offen halten. Und wenn
die Eltern geschieden sind, müssen sie, jeder für sich, ein sicherer Hort für ihre Kinder bleiben.«*

Die Eltern hatten sich immer weiter auseinander gelebt, ein
Prozess, der im Grunde genommen schon vor Jahren begonnen
hatte. Sie würden nicht einmal mehr sagen können, wann es
genau angefangen hat, wann das Interesse am anderen einzu-
schlafen begann. Irgendwann legten sich sogar die Streitereien,
wie ein Wind, dem die Kraft ausgegangen ist. Jeder verfolgte
zunehmend die eigenen Interessen, hatte einen eigenen Freundeskreis und achtete darauf, so wenig wie möglich an das Leben des Partners anzustoßen. Sie wussten schließlich, wie sinn-
los es war, dass es nur Aggressionen erzeugen und die immer
gleichen Unvereinbarkeiten an die Oberfläche bringen würde.
Doch die Kinder! Franziska und Oliver. Was würde aus ihnen
werden, wenn die Eltern auseinander gingen? Oft hatten Tina
und Theo sich diese Frage gestellt und waren dann wieder
zum Schluss gekommen – jeder für sich –, dass es besser
wäre, doch wieder einen Eherettungsversuch zu starten. Also

gab es wieder Hoffnung, dann wieder die Spirale der gegenseitigen Aversionen, und schließlich kamen sie wieder beim Waf-
fenstillstand an. Mittlerweile war Oliver vierzehn und Franziska dreizehn. Die beiden waren mitten in der Pubertät, als
sich ihr Vater verliebte. Vielleicht, so dachte er, gibt es doch
noch ein anderes Leben und doch eine Möglichkeit, diese Ehe
aufzulösen? Eines Nachts gestand er alles seiner Frau. Seine
Liebe zu einer anderen und sein Gefühl, dass ihre Ehe endgültig gescheitert sei. Natürlich war Tina bestürzt und schockiert.
Was würde aus ihr werden? Sie war Mitte 40, und obwohl auch
sie die Beziehung mit Theo schon lange nicht mehr befriedigend fand, hatte sie sich doch sehr an diesen Zustand gewöhnt.
All die Jahre waren er und die Familie ihr eine große Stütze
gewesen, und das, obwohl sie halbtags arbeiten ging. Tina tat
sich mit der Entscheidung ihres Mannes wirklich schwer.
Den Kindern entging nicht, was los war, schließlich lief ihre
Mutter nur noch heulend durch die Gegend, und ihr Vater machte
oft ratlose und verlegene Gesichter. Sie versuchten, die Mutter
zu trösten, und hatten anfänglich keine allzu gute Meinung
vom Vater. Mittlerweile war auch seine Liebesbeziehung kein
Geheimnis mehr. Theo blieb oft nächtelang weg. Wenn er
dann aber, vor allem am Wochenende, da war, nahm er sich
Zeit für die Kinder, Zeit für ihre Schulprobleme und auch ihre
Sorgen um die Familie. Dazwischen versuchte Tina wieder
Boden unter die Füße zu bekommen. Sie hatte sich vom ersten
Schock erholt und mit Theo viele Aussprachen gehabt. Theo
war betont liebevoll, betroffen und großzügig, was die zukünf-
tige Gestaltung des Lebens seiner Familie betraf. Und Tina war
letzten Endes zu stark und selbstkritisch, um die schnöde ver-
lassene Ehefrau zu spielen. Mutig und tapfer stellte sie sich
der neuen Situation. Als die Eltern schließlich beide zusammen
nach einigen Monaten mit den Kindern über die Trennung und
Scheidung sprachen, waren sie überrascht, wie einverstanden
Oliver und Franziska mit der Entscheidung ihrer Eltern waren.
Ja, sie freuten sich sogar, dass sie nunmehr einen Elternteil in
Hamburg und einen in Berlin haben würden. Sie waren sehr

hilfsbereit und liebenswürdig zu ihrer Mutter und versprachen, dass sie ihren Vater bald in Berlin besuchen würden. Im Grunde genommen konnte es Oliver gar nicht erwarten. Er war noch nie in Berlin gewesen, dabei sollte es so toll und aufregend dort sein. Vielleicht, so dachte er bei sich, könnte ich dann ja zum Studium nach Berlin gehen und bei Papa wohnen.

RL *»Bestimmt haben Oliver und Franziska schon lange gespürt, dass die Ehe ihrer Eltern nicht mehr gut war. Den Eltern ist es offenbar gelungen, so auseinander zu gehen, dass die Achtung vor dem anderen erhalten blieb. Vor allem schafften sie es, die Kinder nicht in ihren Beziehungskonflikt hineinzuziehen. Deshalb konnten die Kinder die Trennung akzeptieren, und sie gerieten nicht in einen Loyalitätskonflikt.«*

MC *»Also muss eine Trennung selbst in der Pubertät nicht zwangsläufig negativ enden.«*

RL *»Wenn die Eltern die Trennung in einer glaubwürdigen Weise bewältigen, kann sie für Jugendliche sogar zu einer positiven Erfahrung werden. Die Eltern haben ihnen vorgelebt, wie man eine sehr schwierige Lebenssituation meistern kann. Wieder einmal bestimmt nicht die Trennung an sich, sondern die Art und Weise, wie sie die Eltern bewerkstelligen, ob sie für ihre Kinder zu einem traumatisierenden Erlebnis oder aber zu einer ihre Beziehungsfähigkeit stärkenden Erfahrung wird. Anders gesagt: Nicht der Umstand, dass die Eltern ihre Ehe auflösen, ist das Wesentliche, sondern ob sie sich als Menschen gegenseitig achten und würdig miteinander umgehen.«*

1. Die Pubertät ist immer, auch in einer intakten Familie, eine schwierige Lebensphase für Kinder und Eltern. Trennung und Scheidung können die Problematik zusätzlich verschärfen.

2. Beziehungsschwierigkeiten mit dem Jugendlichen sollten nicht allein der Trennung zugeschrieben und der Ex-Partner dafür verantwortlich gemacht werden.

3. Die Eltern sollten den Jugendlichen, auch wenn sie auseinander gehen, bei seinen vier großen Entwicklungsaufgaben möglichst unterstützen:
   - bei der Auflösung der Bindung an die Eltern und Neuorientierung zu den Gleichaltrigen,
   - im Umgang mit dem erwachten eigenständigen Denken,
   - bei der Suche nach der eigenen Identität,
   - im Umgang mit der Sexualität.

4. Die Eltern sollten den Jugendlichen gehen lassen, nicht anketten, aber auch nicht wegschicken. Sie sollten ihm jederzeit die Türe offen halten, falls er ihre Hilfe und ihren Rat braucht.

5. Die Eltern sollten immer zu ihrer Meinung stehen und sie auch äußern, aber ohne zu erwarten, dass der Jugendliche ihre Meinung auch übernimmt und sein Verhalten nach ihnen ausrichtet.

6. Die Eltern sollten, um Loyalitätskonflikte zu vermeiden, die Kinder möglichst nicht in ihren Beziehungskonflikt hineinziehen.

Der Alltag nach
der Trennung

Wie wissen wir, ob es den Kindern gut geht?

Sophies Lieblingsspielzeug waren die Barbiepuppen. Schon als Dreijährige spielte sie mit diesen schlanken Model-Nachbildungen und versuchte zunehmend erfolgreich, ihnen modische Kleider anzuziehen. Sie liebte es, wenn ihr Vater mit ihr spielte. Er konnte das gut. Viel besser als die Mama. Und besser sogar als ihre Freundinnen. Er setzte sich zu ihr auf den Boden, kochte, wenn es nötig war, Nudeln und Salat und brachte die Barbies an einen schönen Strand, gleich neben Sophies Kinderbett. Er war es auch, der Bauchweh wegmassieren konnte und Gutenachtgeschichten erfand. Wenn der Vater da war, hatten die bösen Traumgeister keine Macht über Sophies Schlaf.

Doch als das Mädchen vier Jahre alt war, verließ Sophies Vater seine langjährige Lebensgefährtin. Heda verzieh Patrick diesen Schritt nie. Hasserfüllt griff sie zur einzigen Waffe, mit der sie ihn verletzen, ja auf lange Sicht unglücklich machen konnte, zum letzten Mittel ihrer Macht über ihn. Wo sie nur konnte, beschränkte und behinderte sie Patricks Kontakt zu seiner Tochter. Er durfte sie zweimal im Monat zwei Tage sehen, auf die Minute genau festgesetzte Stunden mit ihr verbringen. Wehe, er kam zu spät, wehe, er wollte sein Wochenende tauschen, wehe, er besuchte mit Sophie irgendwelche gemeinsame Freunde. Heda führte im Geiste Buch über jede Verfehlung, und das umso genauer, als sie ansonsten kein Wort mit Patrick wechselte.

Die Trennung fiel in die Zeit, als Sophie begann, Rollenspiele für ihre Barbiepuppen zu erfinden. Wiederum war es der Vater, der ganze Märchenzyklen mit ihr durchspielte, wenn sie ihn besuchen durfte. Er war noch aufmerksamer geworden. Feinfühlig spürte er ihrer Trauer über die Trennung nach und machte sich Vorwürfe. Als Sophie ihn eines Tages nur noch mit »mein Prinz« anredete, war er alarmiert. »Ich bin doch der Papa und nicht der Prinz.« »Nein, du bist mein Prinz«, gab sie ihm zu verstehen und weinte. Hätte ihr Vater nicht selbst so unter der Trennung von seiner Tochter gelitten, wäre er ihr womöglich gerne und ohne Einschränkungen in ihre Fantasiewelt gefolgt. Schließlich hatte er ihr früher doch immer zum Einschlafen selbst erfundene Geschichten über Zwerge, Hexen und mutige kleine Mädchen erzählt. Doch unter den gegebenen Umständen hielt er es für ratsam, einen Kinderpsychologen aufzusuchen. Dieser erklärte, dass Kinder im Alter von Sophie Dinge, über die sie nicht sprechen können, in Rollenspiele verpacken, um mit ihnen fertig zu werden. Dass seine Tochter ihn mit dem Prinzen aus den gemeinsamen Spielstunden identifiziere, deute darauf hin, dass sie vor der schmerzvollen Realität der Trennung ihrer Eltern in ihre Fantasiewelt flüchte und unter keinen Umständen daraus wieder vertrieben werden wolle. Ansonsten würde sie sich ihren Gefühlen stellen müssen.

RL *»Der Psychologe mag Recht haben. Vielleicht hat er die Situation aber auch überinterpretiert. Wenn ein Kind eine Verhaltensbesonderheit zeigt, sollte man sich immer auch fragen, ob diese Besonderheit nicht zur normalen Entwicklung und damit zum aktuellen Entwicklungsstand des Kindes gehört. Verhaltensbesonderheiten sollte man nicht zwangsläufig der Trennung zuschreiben.«*

MC *»Aber der kleinen Sophie scheint es wirklich nicht gut zu gehen.«*

RL *»Das stimmt. Dennoch ist ihre Idee mit dem Prinzen sehr charakteristisch für das so genannte magische Alter, eine ganz normale und wichtige Phase in der Entwicklung, die jedes Kind durchläuft. Meine Enkeltochter ist fünf Jahre alt. Wenn ich zu Besuch komme, nimmt sie mich sofort in Beschlag und will ›Löwenfamilie‹ mit mir spielen. Jeden Sonntag. Sie spielt das Löwenbaby, ihr dreijähriger Bruder hat den Löwenvater und*

ich habe die Löwenmutter zu spielen. Seit zwei Monaten geht
das schon so, in immer neuen Variationen.«

Die »magische Phase« beginnt frühestens mit zwei bis drei Jahren und kann bis ins Schulalter anhalten. Imaginäre Personen werden erfunden, Feen und Hexen beleben die Fantasie, Spielsachen führen ein geheimnisvolles Eigenleben, und die Kuscheltiere und Puppen können all das, was ihre Verwandten im Zoo und die Menschen zu Hause auch können. Meistens vermögen Kuscheltiere und Puppen noch viel, viel mehr. Sie können fliegen, sich verwandeln, wenn es sein muss, auch hexen und andere praktische Dinge verrichten, die dem Fortgang der Spielhandlung nützen.

Einmal kam eine Mutter mit ihrer Tochter, einem dreijährigen Mädchen namens Nikola, in das Zürcher Kinderspital, weil die Tochter seit einem halben Jahr eine imaginäre Freundin hatte und die Eltern sich deshalb Sorgen machten. Klara, so nannte Nikola ihren Schatten, musste in der Früh ebenfalls geweckt, an den Frühstückstisch gesetzt und überall hin mitgenommen werden. Nikola verlangte von der Familie, dass ihre imaginäre Freundin als vollwertiges Familienmitglied behandelt wurde. Die Eltern stellten sich nur widerwillig auf den unsichtbaren Mitbewohner ein. Sie fragten ihre Tochter nach Klaras Eigenheiten, Verhalten und Interessen und hofften auf ein baldiges Verschwinden des geheimnisvollen Mädchens. Manchmal war Klara auch abwesend, doch dann, so erklärte Nikola, war Klara schon auf den Spielplatz vorgegangen oder lag mit Bauchweh zu Bett.

RL *»Ich sah die Mutter mit Nikola in meiner Sprechstunde.*
Ich konnte sie beruhigen, weil nichts Besorgniserregendes bei
ihrer Tochter festzustellen war. Nikola war eben ein besonders
fantasiebegabtes Kind. Für mich war nur erstaunlich, wie früh
sie in die magische Phase gekommen war. Dann, nach etwa
sechs Monaten, verschwand Klara genauso unerklärlich, wie
sie zuvor im Leben der kleinen Nikola aufgetreten war.«

MC »*Ich möchte nochmals auf die vierjährige Sophie und ihren Prinzen zurückkommen. Bist du der Ansicht, dass sie keine Probleme mit der Trennung ihrer Eltern hat?*«

RL »*Sophie leidet unter der familiären Situation. Nur scheint mir ihr Bedürfnis, ihren Vater in der Rolle des Prinzen zu sehen, nicht zwangsläufig ein Symptom für ihren Trennungs- schmerz zu sein. Der Vater ist verunsichert und kann deshalb nicht so natürlich reagieren, wie er es vor der Trennung wohl getan hätte. Sophie lebt ein Stück weit in ihrer Fantasiewelt. Dass sie sich aber, wie der Kinderpsychologe sagt, dorthin geflüchtet habe, um ihrer traurigen Realität zu entkommen, halte ich nicht für eine zwingende Schlussfolgerung. Wir sollten uns davor hüten, normale Aspekte der kindlichen Entwicklung als krankhaft zu bezeichnen.*«

MC »*Sophies Vater sollte also als der perfekte Spielkamerad, der er nun einmal ist, in die Rolle des Prinzen schlüpfen und die Anleitungen seiner Tochter befolgen?*«

RL »*Auf alle Fälle. Indem der Vater seine Rolle mit liebevoller Aufmerksamkeit spielt, wird er direkter und präziser heraus- finden, ob und was seinem Kind wirklich fehlt, worunter Sophie leidet, als wenn er in ihrer Fantasiewelt wie im Kaffeesatz liest.*«

Im Alter zwischen drei und sechs Jahren sind die Kinder noch kaum fähig, ihre Gefühle in Worte zu fassen oder etwas über die für sie wichtigen Beziehungen zu sagen. Sie können ihre Gefühle im Spiel weit besser und viel differenzierter als in Worten ausdrücken. Beim Rollenspiel verhält es sich genauso wie beim Symbolspiel der kleineren Kinder. Manches zweijäh- rige Kind kann noch nicht sagen, dass man zum Essen einen Löffel benutzt. Aber es kann die Puppe mit dem Löffel füttern. Das heißt, es kann die Handlung adäquat nachspielen. Genauso kann ein älteres Kind Situationen und Verhalten, aber auch Gefühle wie Freude, Trauer, Wut oder Angst präzise nachah- men, ohne dass sie ihm dabei wirklich bewusst werden. Es dau- ert noch eine ganze Weile, bis das Kind auch die sprachlichen

Begriffe für seine Emotionen kennt und anwenden kann. In gewisser Weise trifft das selbst noch für Jugendliche und sogar Erwachsene zu. Nachspielen und dabei Nachempfinden ist oftmals viel genauer als die sprachliche Ausdrucksweise. Durch das Nachspielen werden Gefühle und Verhaltensweisen hervorgerufen, die mit bestimmten Erfahrungen und Situationen verbunden sind. Dieser Umstand wird seit langem in verschiedenen Therapieformen erfolgreich eingesetzt. Die Tatsache, dass Kinder ihre Gefühle in Rollenspielen auszudrücken vermögen, heißt aber noch nicht, dass sie sich in eine Traumwelt *flüchten*. Rollenspiele und imaginäre Spielkameraden gehören nun einmal zur normalen Entwicklung.

MC *»Wir sollten also normales Verhalten nicht überinterpretieren. Wie aber wissen wir, ob es unseren Kindern nach der Trennung gut geht oder nicht? Viele Eltern tappen gerade bei dieser Frage im Dunkeln.«*

RL *»Wenn ein Kind in seinem psychischen Wohlbefinden beeinträchtigt ist, kann es auf unterschiedliche Weise reagieren. Wie sich sein Unwohlsein äußert, hängt von seinem Alter ab. So werden kleine Kinder eher Schlafschwierigkeiten zeigen oder wieder ins Bett machen, während gewisse jugendliche Mädchen dazu neigen, mit Magersucht zu reagieren.«*

Je nach Alter zeigen die Kinder unterschiedliche Verhaltensauffälligkeiten

Alter (Jahre) 0 1 2 3 4 5 6 7 8 9 10 11 12 13 14 15

Schreien

Nächtliches Aufwachen

Einnässen

Hyperaktivität

Magersucht

(ausgewählte Beispiele; Largo 1993)

Neben dem Alter spielt die individuelle Disposition des Kindes eine wichtige Rolle. Sie sagt etwas darüber aus, in welchem Bereich das Kind besonders verletzbar und anfällig ist. So gibt es Kinder, denen schlagen Unstimmigkeiten vor allem aufs Gemüt, sie werden depressiv. Andere wiederum zeigen ein auffälliges Verhalten, sie werden aggressiv. Bei Kleinkindern kann sich die Entwicklung verzögern, größere Kinder fallen durch einen Leistungsabfall auf. Die Kinder zeigen schließlich auch so genannte psychosomatische Reaktionen. Sie machen beispielsweise wieder ins Bett oder leiden an Essstörungen.

Wie zeigen Kinder an, dass sie sich nicht wohl fühlen?

Emotionale Verunsicherung
Das Kind
- zeigt verstärktes Anhänglichkeitsverhalten, will nicht allein sein
- äußert vermehrt Trennungsängste
- kommt nachts ins Bett der Mutter/des Vaters
- sucht Geborgenheit und Zuwendung außerhalb der Familie

Verhaltensauffälligkeiten
Das Kind
- ist eifersüchtig auf Geschwister
- zeigt aggressives Verhalten
- ist motorisch unruhiger
- zieht sich zurück, sondert sich ab
- spielt sich auf, macht den Clown
- stiehlt Geld und »kauft« sich damit Kameraden

Entwicklungsverzögerung, Leistungsverminderung
Das Kind
- verzögert sich in seiner Entwicklung (z. B. sprachlich)
- ist unaufmerksam, kann sich weniger konzentrieren, ist vermehrt ablenkbar
- ist weniger motiviert (z. B. zum Spielen, Lesen)
- zeigt einen Leistungseinbruch in der Schule

Psychosomatische Störung

Das Kind

- hat vermehrt Kopf-, Bauchweh oder andere Schmerzen
- zeigt Schlafstörungen (verzögertes Einschlafen, nächtliches Aufwachen, gestörter Schlaf-Wach-Rhythmus)
- macht wieder ins Bett
- leidet unter Angstträumen
- ist häufig krank (verminderte Immunabwehr)

Verhaltensauffälligkeiten, die den Eltern nach der Scheidung bei ihrem Kind zu schaffen machen, stehen häufig mit Persönlichkeitsmerkmalen und Verhaltensweisen in Beziehung, die schon vor der Scheidung bestanden haben. Kinder, die bereits vor der Scheidung von den Eltern als schwierig bezeichnet wurden, reagieren auf den Stress während und nach der Scheidung verletzlicher. Diese Kinder sind weniger anpassungsfähig als Kinder, die vor der Scheidung als »unkompliziert« und ausgeglichen galten (Hetherington 1978, Rutter 1979). Solcher Kinder sollten sich die Eltern und andere Bezugspersonen vermehrt annehmen, damit sie die Scheidungsfolgen besser überstehen.

MC »*Offensichtlich können Kinder sehr unterschiedlich reagieren, wenn es ihnen nicht gut geht. Wie aber finden die Eltern nun heraus, woran es liegt?*«
RL »*Bei Trennung und Scheidung werden oft allzu rasche und einfache Zuschreibungen gemacht. Zeigt das Kind seelische oder psychosomatische Symptome, wird davon ausgegangen, dass Scheidung und Trennung daran schuld sind. Das verstellt den Blick. Wenn wir uns hingegen nach den Grundbedürfnissen des Kindes fragen, bekommen wir sinnvollere Antworten.*«

Die Grundbedürfnisse umfassen im Wesentlichen drei Bereiche: Geborgenheit, soziale Akzeptanz sowie Entwicklung und Leistungsfähigkeit. Je kleiner ein Kind ist, desto wichtiger ist der

Die drei Grundbedürfnisse des Kindes (Fit-Konzept, Largo 1999)

Bereich der Geborgenheit. Hier geht es um das Hauptbedürfnis des Kindes. Wird es ausreichend und verlässlich ernährt? Wer kümmert sich um sein körperliches Wohl? Fühlt es sich umfassend beschützt? Das wichtigste Bedürfnis des Kindes ist, sich nie verlassen zu fühlen. Eine Bezugsperson sollte daher immer verfügbar sein. Dies bedeutet nicht, dass das Kind ständig jemanden neben sich braucht. Es sollte aber jederzeit Zugang zu einer Bezugsperson haben, wenn ihm danach ist. Das kann beim Kleinkind die Mutter oder der Vater sein, die sich in der Wohnung aufhalten, und bei einem Schulkind eine Nachbarin oder der Lehrer. Dabei spielt die Qualität der Betreuung eine große Rolle. Die Bezugsperson sollte nicht nur physisch anwesend, sondern für das Kind auch ansprechbar sein. Sie sollte fähig sein, die Eigenheiten und Bedürfnisse des Kindes richtig zu lesen und die Bedürfnisse adäquat zu befriedigen.

Mangelnde emotionale Sicherheit kann sich in vielfältiger Weise auswirken. So kann ein Kind eine verstärkte Eifersucht auf ein jüngeres Geschwisterchen zeigen oder in der Schule eine vermehrte Anhänglichkeit dem Lehrer gegenüber an den Tag legen. Das Kind kann sich zu Hause besonders schwierig und nervend verhalten, um wenigstens so die negative Aufmerksamkeit der Eltern zu bekommen. Es kann aber auch psychosomatisch reagieren, Ess- oder Schlafstörungen entwickeln, über Bauchschmerzen oder Kopfweh klagen.

Kinder erleben jeden Tag Episoden, die sie emotional verunsichern, ohne dass sich daraus schwerwiegende Störungen ergeben. Für ihr Wohlbefinden entscheidend ist, ob sie sich mehrheitlich geborgen und aufgehoben fühlen. Erst wenn die Kinder über Wochen und Monate emotional verunsichert oder vernachlässigt werden, entstehen bleibende Störungen.

Kurt hatte sich als selbständiger PR-Berater zu Hause ein Büro eingerichtet. Lioba arbeitete halbtags als Krankenschwester in einer Klinik. Die Ehe der beiden hatte sich nach und nach zu einem wütenden Ehekrieg ausgewachsen; Kurt lehnte alles ab, was Lioba mit den beiden Kindern, dem fünfjährigen Sylvester und dem vierjährigen Benedikt, unternahm. Lioba und er stritten sich um jede Kleinigkeit, auch vor den Kindern. Als sich Lioba schließlich zur Trennung durchgerungen hatte und es den Kindern erklärte, waren sie schockiert. Benedikt begann zu stottern, und Sylvester wollte keine fremden Menschen und Kinder mehr kennen lernen. Benedikt kam überdies nachts wieder ins Bett seiner Mutter gekrochen, was er seit zwei Jahren nicht mehr getan hatte. Die Auffälligkeiten hielten über ein Jahr lang an. Benedikt wurde von der Mutter schließlich in eine Kinderpsychotherapie gebracht.

Auch als Kurt und Lioba sich trennten und zwei Wohnungen in unmittelbarer Nachbarschaft bezogen, hörten die Probleme der Kinder nicht auf. Benedikt und Sylvester pendelten zwischen beiden »Zuhause« hin und her, wohnten bei der Mutter, dann wieder beim Vater, je nachdem wo es gerade besser ging. Die beiden Buben fühlten sich wie »in den Wind gehängt«, so war es der Psychologin vorgekommen. Die Eltern waren so mit ihrer Karriere, ihrem neuen Leben und den alten Streitereien beschäftigt, dass ihnen gar nicht auffiel, wie allein gelassen Benedikt und Sylvester waren, wie blass und verunsichert sie in die Welt blickten. Und wenn ihnen der Zustand der Kinder doch auffiel, wie eben Benedikts Stottern, dann wussten sie, dass die Scheidung daran schuld war.

MC »Was glaubst du, hat Benedikt und Sylvester so verstört, dass Benedikt mit Stottern und Sylvester mit Beziehungsangst auf die Trennung ihrer Eltern reagierten?«

RL »Bestimmt haben diese Kinder unter dem Streit der Eltern (siehe Seite 201) gelitten. Der Hauptgrund aber war, dass die Eltern für ihre Kinder keine Zeit hatten und sie emotional vernachlässigten. Man kann vermuten, dass dieses emotionale Defizit bereits vor der Trennung bestanden hatte. In der neuen Familiensituation fühlten sich die Kinder noch weniger geborgen. Benedikt und Sylvester geht es nicht wegen der Trennung schlecht, sondern weil ihre Bedürfnisse nicht ausreichend befriedigt werden.«

MC »Lioba und Kurt sollen also die eigenen Interessen hintanstellen und sich mehr um die Kinder kümmern?«

RL »Das wäre eine Möglichkeit, um die Lebensbedingungen der beiden Kinder zu verbessern. Wenn die Eltern dazu nicht bereit sind, müssen sie sicherstellen, dass sich andere Bezugspersonen ausreichend um Benedikt und Sylvester kümmern. Eine Therapie kann mithelfen, eine Lösung zu finden. Was aber wirklich notwendig ist, ist eine Verbesserung der Betreuung.«

Eine kontinuierliche liebevolle Betreuung ist nicht nur in den ersten Lebensjahren wichtig. Auch das Schulkind und selbst der Jugendliche hat noch seine emotionalen Bedürfnisse.

Mit dem Älterwerden nimmt die Bedeutung der sozialen Akzeptanz für das Wohlbefinden des Kindes immer mehr zu. Die gleichaltrigen Freunde im Kindergarten, in der Schule und in der Nachbarschaft spielen dabei eine große Rolle. Das Kind erobert sich durch sein soziales Verhalten und das, was es kann, einen Platz in der Gesellschaft der Gleichaltrigen. Wer kann als Erster Rad fahren? Welches Mädchen malt die schönere Prinzessin? Von den anderen Kindern angenommen, wegen seiner Fähigkeiten und seines sozialen Wesens geschätzt zu werden, ist für jedes Kind spätestens ab dem Kindergartenalter ganz wichtig. Kinder, denen es schlecht geht, ziehen sich oft aus der Gruppe zurück oder werden aggressiv.

Der dritte Bereich betrifft die Entwicklung und mit dem Älterwerden immer mehr auch die Leistung des Kindes. Dabei geht es nicht um die soziale Wertschätzung, sondern um die eigene Befriedigung, die das Kind in jedem Alter erlebt, wenn es einen Entwicklungsschritt oder eine Leistung vollbracht hat. Ein 18 Monate altes Kind ist tief befriedigt und überaus stolz, wenn es ihm gelingt, mit dem Löffel zu essen. Genauso empfindet das Schulkind, wenn es die Leistung erbringen kann, die es von sich erwartet. Auch im Bereich der Leistung kann eine Verunsicherung zu unterschiedlichen Reaktionen führen. Manche Kinder möbeln ihr angeschlagenes Selbstwertgefühl mit guten schulischen Leistungen auf, bei anderen, wohl dem Großteil, führt die Verunsicherung dazu, dass sie leistungsmäßig abfallen. Es kann vorkommen, dass ein Kind auf Gymnasialniveau so versagt, dass es in die Real- oder Hauptschule übersiedeln muss. Und das, obwohl es durchaus die Fähigkeiten für eine höhere Schulbildung mitbringt.

Jeder der drei Lebensbereiche ist von Kind zu Kind unterschiedlich ausgeprägt. Es gibt richtige Mama-Kinder. Sie hängen noch beim Schuleintritt am Rockzipfel der Mutter. Andere Kinder gleiten schon mit drei Jahren ihrer Mutter immer wieder aus der Hand, weil sie bereits so unabhängig sind. Manche Kinder brauchen ausgedehnte Kontakte zu anderen Kindern, andere wiederum können gut allein sein. Sie ziehen ihre Befriedigung mehr aus ihren schulischen Leistungen, lesen gerne Bücher und können stundenlang selbst die Welt erforschen, ohne auf die Bestätigung durch ihre soziale Umwelt angewiesen zu sein.

Je nachdem, wie die drei Lebensbereiche bei einem Kind zusammengesetzt sind, führt eine emotionale Vernachlässigung zu unterschiedlichen Auffälligkeiten. Das eine Kind leidet vor allem im Bereich Geborgenheit, ein anderes erleidet einen Einbruch in der sozialen Kommunikation und ein drittes in seinen Leistungen. Die Vulnerabilität der Kinder gegenüber Stresssituationen, wie sie durch die Scheidung auftreten können, und ihre Bewältigungsstrategie sind daher unterschiedlich. Es gibt Scheidungskinder, die auch auf große Belastungen nicht oder nur wenig reagieren. Andere wählen sehr aktive Bewältigungsformen, werden aber nicht depressiv. Wieder andere ziehen sich zurück und zeigen psychosomatische Störungen. Gewisse Kinder und Jugendliche verweigern die Leistung in der Schule oder gleiten in ein negatives Problemlösungsverhalten wie Alkoholmissbrauch ab (Sandler et al. 1994, Kurdek et al. 1988, 1989).

Lilian war außer sich vor Schmerz. Der kleine Körper der Sechsjährigen wurde vom Weinen nur so geschüttelt. »Die lassen mich nicht mitspielen«, schluchzte sie. Nicht mitspielen? Die Kindergärtnerin verstand sie nur mühsam. Zuerst versuchte sie, Lilian zu beruhigen und dann mit ihr zu reden. Die Fünfjährige war ihr Sorgenkind. Sie war vor einem halben Jahr in diesen Kindergarten gekommen und hatte sich noch immer nicht in die kleine Gruppe der Gleichaltrigen integriert. Gewiss, die Eltern hatten sich scheiden lassen, und die Mutter hatte mit ihrer Tochter in eine andere Wohngegend übersiedeln müssen. Aber zu Hause sei Lilian immer ein aufgewecktes und fröhliches Kind gewesen. Auch zu ihrem Vater habe sie ein gutes Verhältnis. Das erzählte jedenfalls Lilians Mutter. Warum also hatte sie es dann so schwer? Sie fühlte sich schnell ausgeschlossen. Spielte ihre einzige Freundin mit anderen Kindern, sagte sie sofort, dass sie dann nicht mehr ihre Freundin sei und dass sie ihr keine Geschenke mehr mitbringen würde. War das andere Mädchen aber einmal stark und ließ sich nicht von Lilian unterdrücken, brach sie förmlich zusammen. Wie von der ganzen Welt verlassen, so fühlte sie sich dann. Saß in der Ecke auf der Matratze, schluchzte und sah wie ein ängstliches, zerrupftes Vögelchen aus.

MC *»Es wirkt so, als würde Lilian mehr als gewöhnlich unter den ganz normalen Spannungen im Kindergarten leiden. Ich kann mir schwerlich vorstellen, dass ihre Angst, ausgeschlossen zu werden, nur etwas mit dem Bedürfnis nach sozialer Akzeptanz zu tun hat.«*

RL *»Es kommt immer wieder vor, dass Kinder fehlende Geborgenheit zu Hause durch eine vermehrte Aufmerksamkeit bei der Kindergärtnerin und bei den anderen Kindern zu kompensieren suchen. Weil sie sehr hohe Erwartungen an den Freund oder die Freundin haben, überfordern sie sich in ihrem Bemühen, Freundschaften zu Gleichaltrigen zu schliessen. Sie können aber auch äußerst starke und sehr einseitige Beziehungen zu anderen Kindern eingehen. Diese Kinder versuchen oft, eine Stellung in der Gruppe zu erringen, die sie für ihr angeschlagenes Selbstwertgefühl benötigen, die ihnen aber nicht entspricht. Ihr Verhalten kann dazu führen, dass sie von den anderen Kindern in der Gruppe als zu dominant wahrgenommen und deshalb abgelehnt werden. Solche Kinder können sich aber auch völlig unterordnen, um nicht aus der Gruppe ausgeschlossen zu werden.«*

MC *»Glücklicherweise gelingt es Kindern aber oft, eine Freundin oder einen Freund zu finden. Kann diese Beziehung nicht zu einem wichtigen Ersatz für den Mangel an Geborgenheit werden?«*

RL *»Zweifelsohne. Ab etwa dem fünften Lebensjahr werden Freundschaften immer wichtiger, je älter die Kinder werden, desto mehr. Trotzdem kann dies seine Beziehung zu den Gleichaltrigen sehr belasten, wenn ein Kind ein emotionales Defizit auf diese Weise kompensieren muss.«*

MC *»Was sollen Eltern unternehmen, wenn die Kindergärtnerin ihnen berichtet, dass sich ihr Kind sozial auffällig verhält?«*

RL *»Sie sollten die Betreuungssituation überdenken und, falls notwendig, verbessern. Es ist immer wieder eindrücklich zu erleben, wie sich ein Kind im Kindergarten oder in der Schule in seinem Sozialverhalten normalisiert, wenn sich die Betreuungssituation verbessert hat.«*

Alexander war sehr getroffen, als ihm Paula, kurz nachdem beide von einem Studienaufenthalt in Paris zurück nach Genf übersiedelt waren, erklärte, sie wolle sich von ihm trennen. Er liebte sie trotz der Schwierigkeiten und der leichten Abkühlung der einst so leidenschaftlichen Gefühle füreinander. Sie hatte sich in den zehn gemeinsamen Jahren sehr verändert, war von der etwas schüchternen Literaturstudentin zu einer selbstbewussten, erfolgreichen Fernsehjournalistin geworden. Doch auch das liebte er an ihr, ihre Wandlungsfähigkeit, ihren Pragmatismus, ihre Lebensfreude. Warum war sie so unzufrieden?

Sie hingegen dachte: Merkt er nicht, wie wir uns einander entfremdet haben? Wie wir allmählich auseinander gedriftet sind? Ihre Gedanken waren längst nicht mehr die seinen. Früher hatte sie mit ihm oft Gedankenlesen gespielt und immer gewonnen. Jetzt ahnte sie nicht einmal mehr, wo er sich geistig und seelisch aufhielt. Seine Bücher las sie schon lange nicht mehr, hatte sie im Grunde nur anfangs, verliebt wie sie nun einmal war, gelesen. In Wirklichkeit interessierte sie sich für andere Dinge. So ist das nun einmal. Paula sah die Sache ganz nüchtern und wusste, dass auch Alexander kein Mann überzogener Reaktionen war. Wenn man sich nicht mehr liebt, zieht man auseinander. Das hatten sie einander bei der Hochzeit versprochen. Und zwar wie zwei vernünftige selbständige Erwachsene, ohne die gemeinsame Verantwortung für Desirée zu vernachlässigen.

Also zogen sie von Paris in zwei Genfer Wohnungen, nicht weit voneinander und Desirées neuer Grundschule entfernt. Wie schon zuvor teilten sie sich auch weiterhin die so genannte Erziehungsarbeit. Immer war einer der beiden für Desirée da. Das Mädchen erlitt durch die Trennung keinen Schock. Sie fragte, warum die Eltern nunmehr in zwei Wohnungen leben würden, und nahm die Antwort »weil das für Mama und Papa so besser ist« einfach hin. *Sie* hatte ja beide regelmäßig und – das Wesentliche – dann eben auch ganz für sich. Mama und Papa waren Freunde. Warum sie dafür zwei Wohnungen brauchten, verstand Desirée nicht. Aber es gab Wichtigeres, über das man nachdenken musste. Die Schule. Die Freunde. Die strenge Klavierlehrerin, die Desirée nicht enttäuschen wollte.

Alexander war anfangs traurig, das schon. Aber er ließ sich seinen Schmerz nicht anmerken. Stets machte er alles mit sich selber aus. Ihn erstaunte, dass Desirée nicht viel mehr unter der Trennung ihrer Eltern gelitten hatte. Auch Scheidungssymptome konnte er keine bei ihr entdecken. Um ja nichts zu übersehen, hatten er und Paula mit Desirée sogar einen Kinderpsychologen aufgesucht. Doch der hat alle drei gleich wieder nach Hause geschickt. Er hatte keinen Grund gefunden, den Eltern eine Therapie ihrer Tochter nahe zu legen. Heute ist Desirée zehn, lebt abwechselnd bei Mutter und Vater, hat viele Freunde, gute Schulnoten und interessiert sich weiterhin kaum für die Beziehungssituation ihrer Eltern.

MC *»Ist Desirée ein ganz normales, glückliches Kind?«*
RL *»Es sieht ganz danach aus. Solche Familienkonstellationen gibt es, man würde sich mehr davon wünschen. Die behutsame und konstante Fürsorge der Eltern, der fehlende Streit und die glücklichen Umstände haben Desirée auch nach der Scheidung das Gefühl gegeben, emotional gut aufgehoben zu sein. Das ist die Grundlage für Desirées Wohlbefinden. Darauf konnte das Mädchen ihren stabilen Freundeskreis aufbauen und ihre Talente und Leistungsfähigkeit in der Schule unter Beweis stellen. Die drei Lebensbereiche scheinen bei Desirée gut abgedeckt zu sein. Ihr Wohlbefinden und Selbstwertgefühl werden durch den emotionalen Rückhalt, den ihr die Eltern geben, ihr Beziehungsnetz und durch ihre Leistungen getragen. Die Trennung war für Desirée nicht traumatisierend, weil negative Folgen ausblieben.«*

1. Ein beeinträchtigtes Wohlbefinden kann sich beim Kind fol- gendermaßen äußern:
   - Emotionale Verunsicherung
   - Verhaltensauffälligkeit
   - Entwicklungsverzögerung, Leistungsverminderung
   - Psychosomatische Störung

2. Wie sich das beeinträchtigte Wohlbefinden äußert, ist von Kind zu Kind unterschiedlich und ist von seinem Alter und seiner individuellen Disposition abhängig.

3. Die Ursachen sind in den drei Grundbedürfnissen zu suchen:
   - Geborgenheit
   - Zuwendung und soziale Akzeptanz
   - Entwicklung, Leistung

4. Die Ursache für das verminderte Wohlbefinden sollte nicht der Scheidung selbst zugeschrieben, sondern in den Lebens- bedingungen des Kindes nach der Scheidung gesucht wer- den. Es ist weniger die Trennung als die Folgen, die sich dar- aus ergeben, die das Kind in seinen Grundbedürfnissen beeinträchtigen können.

Was ändert sich für die Eltern im Alltag nach der Trennung?

Urs ist auf dem Weg zu seinen beiden Kindern. Die achtjährige Sabina und der sechsjährige Theo leben bei ihrer Mutter, etwa dreißig Kilometer von seinem Wohnort entfernt. Seit der Scheidung, die vor etwa einem Jahr stattfand, nimmt Urs seine beiden Kinder jedes zweite Wochenende zu sich. Er hat mit seiner Ex-Frau vereinbart, das er sie am Samstag um 13 Uhr abholt und am Sonntagabend gegen 18 Uhr wieder zurückbringt. Den kommenden 29 Stunden sieht Urs mit gemischten Gefühlen entgegen. »Hoffentlich läuft es gut«, denkt er, »ich habe ja nur die Wochenenden mit ihnen.« Für Samstagnachmittag hat er Karten für das Theaterstück »Emil und die Detektive« besorgt, den Sonntagnachmittag werden sie mit zwei befreundeten Familien verbringen, die vier Kinder im gleichen Alter wie Sabina und Theo haben. Ungewiss ist noch der Sonntagmorgen. Werden sie lange ausschlafen, oder soll er mit den Kindern noch ins Hallenbad gehen? Heute Abend jedenfalls wird er Fischstäbchen braten, die sicherste Möglichkeit im Bereich »mütterliche Fürsorge«, bei seinen Kindern einen Volltreffer zu landen. Für Sonntagmittag hat er Spaghetti gekauft, dabei aber die Tomatensauce vergessen. Zu dumm. Aber normalerweise kocht am Sonntag ja auch seine Mutter für die Kinder.

Als Urs aus seinem Wagen steigt, stehen die Kinder bereits ungeduldig am Fenster. Freudig kommen sie ihm entgegen, begrüßen ihn kaum und wollen gleich wissen: »Gehen wir heute Nachmittag in Harry Potter?«

MC »*Von dieser Seite habe ich die väterlichen Besuchswochenenden noch gar nicht so genau betrachtet. Auch als Mutter*

95

überlegt man sich ja einiges für das Wochenende, aber lang nicht so generalstabsmäßig.«

RL *»Ich denke, für die meisten Väter ist es aber so. Auch ich musste im Voraus planen und gewisse Vorkehrungen treffen. Ein ziemlicher Stress. Man geht ja nicht erholt, sondern erschöpft von einer Woche Arbeit in das Wochenende. Zusätzlich ist man nun für Dinge verantwortlich, um die sich bis dahin meistens die Mutter gekümmert hat. Einkaufen, Kochen und vieles andere mehr. Das sind erhebliche Zusatzbelastungen für viele Männer. Die äußeren Bedingungen wie die Wohnung und die sozialen Kontakte in der Nachbarschaft haben sich ebenfalls verändert. Die Wohnung ist womöglich zu klein, um ein extra Kinderzimmer darin unterzubringen. Die Kinder haben kaum eine Chance, feste Freundschaften zu den Nachbarschaftskindern aufzubauen, wenn sie nur alle zwei Wochen beim Vater sind.«*

Urs hat die ganze Woche hart gearbeitet. Er hat in den letzten Wochen das Kinderzimmer eingerichtet, ewig hin und her überlegt, ob er wirklich Hochbetten kaufen soll, welche Vorhänge nicht zu kindlich, aber doch lustig und gemütlich sind und ob er für Theo eine kleine Hobelbank aufstellen soll, damit sie gemeinsam tischlern können. Er hat erkennen müssen, dass sein Junggesellenkühlschrank mit der vertrockneten Wurst und den Flaschen Bier nicht kindgerecht ist. Jetzt geht er immer freitags nach der Arbeit oder am Samstagmorgen in den Supermarkt, um Müsli, Joghurt, Nutella und frische Fruchtsäfte vorrätig zu haben. Auch seine Kochkünste hat er aufgemöbelt, dann aber festgestellt, dass Kinder vor allem von Fischstäbchen, Nudeln und Pfannkuchen leben und er seine marinierten Lammkoteletts mit Rosmarinkartoffeln für seine Freunde aufsparen kann.

RL *»Ich habe mich jedes Wochenende sehr auf die Kinder gefreut, aber die Zeit mit den dreien allein war schon eine große Belastung. Wenn ich das Wochenende mit den Kindern* *verbracht habe, war ich pausenlos dran. Es fehlte die Mutter als weitere Bezugsperson. Ich hatte praktisch keine Minute für mich, die Kinder beanspruchten mich ständig. Meine Wohnung war ihnen nicht so vertraut, noch weniger die Umgebung. Das heißt, sie konnten sich weniger gut selbst beschäftigen und waren umso mehr auf mich angewiesen. So ein Wochenende ist nicht nur die reine Freude. Als alleinige Bezugsperson ist man überfordert, und am Montagmorgen leidet man wegen der fehlenden Erholung.«*

MC *»Allein erziehenden, voll berufstätigen Müttern geht es eigentlich andauernd so. Berufsarbeit geht in Kinderarbeit über, und das rund um die Uhr. Ausruhen können sie sich höchstens dann, wenn die Kinder beim Vater sind. Dennoch unterschätzen sie, glaube ich, auch oft die Belastungen, die auf ihre Ex-Männer nach der Trennung zukommen. Einige denken wohl auch, es geschieht ihm recht, insbesondere wenn die Väter zuvor keinerlei Erziehungsarbeit geleistet haben.«*

Als Norbert das erste Wochenende nach der Trennung mit seiner dreijährigen Tochter verbringen sollte, ließ Christine ihn ins Messer laufen. Bestimmt hatte er sich nichts überlegt, dachte sie und spürte Schadenfreude aufsteigen. Als er dann schon Sonntag zu Mittag wieder bei ihr ankam, schien sie befriedigt. Auch Natascha beklagte sich hinterher über das Essen und die langweiligen Stunden mit ihrem Papa. »Endlich sieht er einmal, dass Kinder harte Arbeit sind«, sagte sie sich und konnte sich die Bemerkung nicht verkneifen, dass er ja jetzt sehen werde, wie er ohne sie zurechtkomme. Sie grollte ihm, weil er sie nach so vielen gemeinsamen Jahren verlassen hatte. Einfach so. Sie wusste nicht einmal, ob er eine Neue hatte, geschweige denn, wer das sein könnte. Er hatte gesagt, dass er die ständigen Nörgeleien einfach satt habe. Das hatte er gesagt. Typisch Mann. Als ob sie ihn ohne Grund kritisiert hätte. Besonders seit der Geburt von Natascha war er zu einem konservativen Macho verkommen. Nichts rührte er mehr an, weder im Haushalt noch bei der Kinderbetreuung. Ließ sich bedienen und sagte, dass er eben das Geld für die Familie verdiene. Das müsse doch reichen. Ihr hatte es nicht gereicht. Sie hatte sich ihn als Vater ganz anders vorgestellt. Irgendwie kompetenter und interessierter, so wie die neuen Väter eben sind, diese tollen Typen, die sie manchmal auf dem Spielplatz sah. Oder die mit Babywagen in der Stadt unterwegs waren. Und auf den Werbeplakaten. Und in den Frauenzeitschriften. Warum konnte er nicht auch so einer sein?

RL *»In meiner Sprechstunde habe ich Mütter kennen gelernt, die hatten keine ruhige Minute, wenn die Kinder ein Wochenende beim Vater verbrachten: Was macht er die ganze Zeit mit ihnen? Vergisst er auch nichts? Essen sie richtig?«*

MC *»Mein Ex-Partner und ich machen einander oft Vorschläge für die Planung der Wochenenden mit unserer Tochter. Wir wollten immer, dass sie eine gute Zeit mit dem jeweils anderen verbringt. Ich zum Beispiel habe oft geschaut, was es im Kinder-Museum gibt, oder ein paar Kinofilme vorgeschlagen. Wenn man sowieso die ganze Woche mit dem Kinderkram beschäftigt ist, ist es meistens keine Hexerei, ein paar Ideen für das Wochenende zu haben.«*

RL *»Das ist gut für deine Tochter und vor allem für den Vater. Viele Mütter jedoch können das leider nicht. Sie sind zu verletzt, zu traurig, zu wütend.«*

MC *»Mir hätte es einfach zu sehr wehgetan, wenn unsere Tochter enttäuscht von einem Wochenende mit ihrem Vater nach Hause gekommen wäre. Es ist doch ihr geliebter Papi, und da ich sie liebe, liegt mir auch deren Beziehung am Herzen. Außerdem muss man immer an die Folgekosten denken.«*

RL *»Was meinst du damit?«*

MC *»Also gut. Stell dir vor, meine Tochter wäre nicht gerne mit ihrem Vater unterwegs. Das würde ihn kränken und hätte zur Folge, dass er mir die Schuld daran geben würde, was wiederum zur Folge hätte, dass ein Streit entstehen würde mit dem unsinnigen Inhalt, dass ich ihn ihr gegenüber schlecht mache und sie deshalb nicht zu ihm wolle, was natürlich nicht* *wahr wäre, weswegen ich kontern müsste, dass daran allein er schuld sei, weil er nicht wisse, was er mit dem Kind am Wochenende machen solle und sie sich bei ihm langweile, was wiederum zur Folge hätte... und so weiter und so fort. Stattdessen sollte man sich lieber fragen: Was will ich langfristig? Dass meine Tochter mit beiden Elternteilen gerne zusammen ist und auch bleibt. Und dann: Was kann ich dafür tun?«*

RL *»An die Folgekosten zu denken, wie du es nennst, scheint mir wichtig zu sein. Wenn wir uns überlegen, wie sich unser jetziges Handeln auf die Zukunft auswirken wird, verhalten wir uns meist vernünftiger. Das erspart vieles.«*

Geschiedene Väter haben im Wesentlichen drei Strategien, die Wochenenden mit ihren Kindern zu verbringen. Entweder sie verplanen das Wochenende, gehen mit den Kindern ins Theater, ins Kino, in den Zoo oder ins Hallenbad. Oder sie besuchen Verwandte und spannen weibliche Familienmitglieder, vor allem die eigene Mutter, für die Betreuung der Kinder ein. Oder sie schieben die »mütterlichen Aufgaben« ihrer Freundin zu. Fünfzig Prozent der geschiedenen Väter leben mit einer Freundin zusammen, während nur 25 Prozent der geschiedenen Mütter mit einem Freund leben (Decurtins et al. 2001). Warum das so ist, wurde in der Studie zwar nicht erfragt, aber die Gründe liegen auf der Hand. Männer können weniger gut alleine leben (Coleman 1996, Rosengren 1993). Außerdem ist für einen geschiedenen Vater die Freundin eine Hilfe bei der Betreuung der Kinder. Der Freund hingegen empfindet das Kind seiner Freundin oft als eine Belastung für die Beziehung und lässt sich mitunter nur zögerlich auf das Kind ein.

RL *»Auch ich habe anfänglich die Wochenenden voll geplant. Wenn man mit den Kindern alleine in der eigenen Wohnung sitzt, muss man sich auf sie einlassen, man muss sich mit ihnen beschäftigen, sie bei Laune halten. Man ist nun gänzlich alleine für ihr Wohlbefinden verantwortlich. Das ist sehr an-*

spruchsvoll, kann aber auch eine Chance für den Vater sein, eine tragfähigere Beziehung zu den Kindern aufzubauen.«

MC *»Ich kenne etliche Väter, die durch die Trennung und Scheidung ihren Kindern näher gekommen sind. Es hat ihnen gut getan, dass sie ihre fürsorgliche Seite hervorkramen mussten, dass die Kinder auf Gedeih und Verderb nun auf ihren Vater angewiesen waren und nicht immer die Mutter als Entlastung zur Verfügung stand. Aber: Insgesamt klingt das ja so, als wären viele geschiedene Väter gar nicht in der Lage, ihre Kinder auf Dauer über das Wochenende alleine zu betreuen.«*

RL *»Ich denke, das trifft leider zu. Ich kenne zwar keine Untersuchung darüber, wie viele geschiedene Väter ohne familiäre Unterstützung oder Freundin auf Dauer ihre Kinder am Wochenende alleine betreuen. Nachdenklich sollte uns aber stimmen, dass rund 50 Prozent der geschiedenen Väter in Deutschland ein Jahr nach der Scheidung praktisch keine Beziehungen mehr zu ihren Kindern haben (Napp-Peters 1995).«*

MC *»Mit anderen Worten: Viele Väter nehmen ihr Besuchsrecht gar nicht mehr wahr. In der öffentlichen Diskussion werden hingegen vor allem die Unstimmigkeiten zwischen den Eltern dafür verantwortlich gemacht. Die Mutter würde die Kinder dem Vater entfremden, heißt es. Es gibt sogar einen Ausdruck dafür, das Parental Alienation Syndrome (PAS; siehe auch Seite 216).«*

RL *»Mütter, welche die Väter ihrer Kinder aus deren Leben verdrängen, schaden nicht nur ihren Ex-Männern, sondern vor allem auch ihren Kindern. Das bedenken sie oft nicht. Doch mit dem PAS-Syndrom lässt sich nicht hinreichend erklären, warum die Zahl der Väter, die sich nicht um ihre Kinder kümmern, so hoch ist. Das muss auch etwas mit einer generellen Beziehungslosigkeit zwischen Vätern und Kindern zu tun haben.«*

MC *»Du meinst, man sollte nicht nur über das Besuchsrecht und die ablehnende Haltung der Mütter diskutieren, sondern auch die Beziehung zwischen Vätern und Kindern hinterfragen. Sind Väter denn weniger beziehungsfähig als Mütter?«*

RL *»Die Frauen haben während der ganzen Menschheitsge-*

schichte die Kinder großgezogen. Sie sind deshalb wohl sozial etwas kompetenter als die Männer. Außerdem messen sie Beziehungen immer noch eine größere Bedeutung bei. Das soll nicht bedeuten, dass die Männer nicht fähig wären, für Kinder zu sorgen, doch so sehr haben sie sich, was die Kindererziehung und Rollenaufteilung betrifft, in den vergangenen Jahrzehnten nicht geändert. Die neuen Väter sind zwar ein Trendthema in den Medien, in der Realität aber immer noch eine Minorität. Ein geschiedener Vater hat aber nur dann eine Chance, die Beziehung zu seinen Kindern aufrechtzuerhalten, wenn er bereits vor der Scheidung eine tragfähige Beziehung zu ihnen eingegangen ist. Versucht er die Beziehung erst nach der Scheidung aufzubauen, wird er es sehr schwer haben. *Hier sehe ich die Hauptursache für den häufigen Beziehungsabbruch zwischen Kind und geschiedenem Vater.«*

Umfragen in der Deutschschweiz haben ergeben, dass sich Väter in vollständigen Familien durchschnittlich 20 Minuten pro Tag mit ihren Kindern abgeben, Mahlzeiten ausgenommen. Natürlich gibt es auch die Väter, die bis zu drei Stunden pro Tag mit ihren Kindern verbringen. Der weit größere Teil hat aber nicht so viel Zeit. Viele sind unter der Woche für ihre Kinder praktisch abwesend. Die meisten Väter spielen, ob gewollt oder durch ihr berufliches Engagement erzwungen, die Rolle eines Hintergrundvaters. Auch am Wochenende, wenn sie zu Hause sind, beschäftigen sie sich mit ihren eigenen Angelegenheiten und kaum mit den Kindern. Sie sind zwar da, übernehmen aber keine konkreten Aufgaben bei der Kindererziehung. Nach der Trennung ist diese Haltung kaum mehr möglich. Bloß im Hintergrund vorhanden zu sein reicht nun nicht mehr aus, da die Mutter als Ansprechperson für die Kinder fehlt.

Die Frage, die sich jeder Vater bei der Geburt seines Kindes stellen sollte, ist: Wie viel Zeit muss ich mit meinem Kind verbringen, um eine tragfähige Beziehung aufzubauen? Nur so hat er eine Chance, wirklich zum Vater seines Kindes zu werden. Doch nicht nur die gemeinsam verbrachte Zeit, auch die Qualität der Beziehung spielt eine Rolle. Gibt der Vater regelmäßig die Milchflasche, wickelt er das Kind, bringt er es am Abend zu Bett, steht er nachts auf, wenn es schreit? Wenn er nach der Scheidung ein Kleinkind bei sich hat, dann muss er all dies tun. Wenn er es vor der Scheidung nicht getan hat, wird er hinterher dazu kaum in der Lage sein. Er wird nur dann wissen, welche Spielsachen er kaufen soll, wenn er weiß, mit was sein Kind bisher gespielt hat. Außerdem sind da noch die organisatorischen Belastungen. Wenn die Kinder bei ihm übernachten sollen, muss er Betten und Bettzeug kaufen, kindgerechte Teller und Besteck und vieles andere. Diese zusätzlichen Ausgaben können den Vater nicht nur finanziell erheblich belasten, sie sind auch eine emotionale und organisatorische Herausforderung.

MC *»Ich kenne aber sehr wohl Väter, die in der Lage sind, für ihre Kinder in einer umfassenden Weise zu sorgen, die mit ihnen spielen und ihnen das richtige Maß an Geborgenheit und Zuwendung geben.«*

RL *»Diese Väter gibt es zweifelsohne. Viele andere tun sich aber schwer. Gute Voraussetzungen für eine positive Vater-Kind-Beziehung sind beispielsweise, wenn der Vater vor der Scheidung immer wieder am Wochenende alleine für seine Kinder gesorgt hat, während die Mutter beispielsweise eine Fortbildung besuchte oder mit Freundinnen verreiste. Oder wenn er jedes Jahr eine Ferienwoche alleine mit seinen Kindern verbracht hat. Ein solcher Vater spürt seine Kinder, hat sie beziehungsmäßig im Griff. Er kennt ihr Verhalten und ihre Eigenheiten. Er weiß, wann ein Kind müde wird oder Zuwendung braucht. Er wird sehr wohl in der Lage sein, auch nach der Scheidung in einer Weise für seine Kinder zu sorgen, die ihre Bedürfnisse befriedigen kann.«*

MC *»Zugespitzt kann man also sagen:* Die Kinder fühlen sich dann beim geschiedenen Vater wirklich wohl, wenn sie bereits vor der Scheidung erlebt haben, dass der Vater ihre körperlichen und psychischen Bedürfnisse umfassend befriedigen kann.«*

- Wohnung suchen und einrichten
- Neue Schule suchen
- Vermehrte finanzielle Belastungen
- Arbeit suchen
- Weniger Erholungs- und Freizeit
- Wochenenden planen und organisieren
- Anstrengende Rhythmuswechsel
- Soziales Netz neu aufbauen

Für die Mutter gelten ähnliche Veränderungen und Belastungen. Auch für sie ändert sich das Leben nach der Trennung oft dramatisch. Plötzlich muss sie alles in einer Person sein. Wo ist die zweite Schulter geblieben, auf die sich die Lasten des Lebens verteilen lassen? Wo ist jemand, der Möbel tragen, Glühbirnen einschrauben und Computer reparieren kann? Was tut man mit den Sorgen über die neue Zukunft, das spärlich fließende Geld, die eigene begrenzte Kraft und das Kind zwischen allen Stühlen? Chronisch erschöpft und immer wieder kurz vor dem Zusammenbruch, kann auch die Mutter kaum eine Beziehung zu ihren Kindern aufbauen, die nicht schon vorher gefestigt vorhanden war. Und wenn sie es gewohnt war, als Hauptbezugsperson immer für ihr Kind da zu sein, so muss sie sich nun darauf einstellen, nicht mehr lückenlos über das Leben ihres Kindes Bescheid zu wissen. Manchmal ist das Kind nicht da, fährt mit seinem Vater in Urlaub, und sie kann nicht kontrollieren, was dort geschieht. Sie hat plötzlich kinderfreie Tage und muss sich mit der neuen Dynamik aus Mutterwerktagen und Singlewochenenden auseinander setzen. War der Vater vor der Scheidung schon wenig verlässlich und hat sich wenig um die Kinder gekümmert, wird ihr nun angst und bange sein, wenn ihre Kinder bei ihm sind. Hatte sie davor stets etwas an seiner Art, wie er mit den Kindern umging, auszusetzen, wird sie jetzt noch viel weniger davon halten.

Wenn die Mutter es aber schafft, ihrem Ex-Partner eine aktive und kindgerechte Vaterrolle zuzutrauen, ihn vielleicht sogar dabei unterstützt, werden schließlich alle davon profitieren. Der Vater und die Kinder, weil ihre Beziehung wachsen darf, und die Mutter, weil sie die nötige Entlastung bekommt.

Ihr fröhliches »Ciao Mama!« hat Valerie noch im Ohr, als sie Anna an der Hand ihres Vaters davonspringen sieht. Er trägt ihre Tasche mit den Kleidern, Pullovern und der Unterwäsche lässig über der Schulter. Gestern hat sie ihr schnell das Wichtigste zusammengepackt. Auf Annas Rücken hüpft der Felix-Rucksack auf und ab, dort hat ihr Mädchen selbst ein paar wichtige Habseligkeiten hineingestopft, Malstifte, rosarotes Briefpapier, eine Schere, eine ausrangierte Illustrierte zum Ausschneiden, zwei Barbiepferdchen und ein kleines Buch zum Vorlesen am Abend. »Ciao Engel, mach es gut und viel Spaß!«, ruft Valerie ihr nach – auch fröhlich, wenngleich betont fröhlich. Sie wollte fröhlicher wirken, als sie tatsächlich war.

MC *»Abschied zu nehmen lernen, und wenn es nur für ein Wochenende, ein paar Tage ist, ist eine neue Erfahrung und ein immer sich wiederholender Schmerz. Ich empfinde es wie einen Vorgeschmack auf das definitive spätere Loslassen, ins Leben Entlassen des Kindes. Für Mütter sind Kinder eine Quelle der Zuwendung und Sinngebung. Wenn sie ihre Kinder abgeben, überkommt viele zumindest vorübergehend ein Gefühl des Verlassenseins. Die Kinder am Wochenende dem Vater zu übergeben ist immer ein kleiner Abschied.«*

RL *»Dies gilt genauso für die Väter, wenn sie die Kinder am Sonntagabend zurückbringen. Ich war jedes Mal in einer schlechten Verfassung, nachdem ich die Kinder wieder zur Mutter zurückgebracht hatte. Nicht wegen der Mutter, sondern weil ich die Kinder vermisst habe. Ein geschiedener Vater führt ein sehr ambivalentes Leben zwischen Wiedersehen und Abschied, Freude und Überforderung.«*

MC *»Wie aber ist es für die Kinder?«*

RL *»Ob sich das Kind gern oder ungern trennt, hängt oft von* *seiner aktuellen emotionalen Verfassung und der momentanen Situation ab, weniger davon, wie das Wochenende verlaufen ist. Wenn es zum Beispiel mitten in einem Spiel ist, möchte es ungern weggehen. Ob es dem Kind beim Vater gefallen hat oder nicht, zeigt sich weniger beim Abschiednehmen, als vielmehr wenn das nächste gemeinsame Wochenende naht. Freut sich das Kind darauf, zum Vater zu gehen?«*

MC *»Es ist schwierig für die Eltern, mit den Emotionen der Kinder umzugehen und daraus möglichst nichts Nachteiliges über den anderen Elternteil herauszulesen. Doch wenn die Eltern in den Trennungssituationen nicht eine gemeinsame Haltung einnehmen, kann das Kind schließlich die Wochenendbesuche verweigern.«*

Wird er es gut machen mit Anna? Bestimmt liest er ihr das Buch zum Einschlafen nicht vor. Hoffentlich ist er nicht unnötig streng. Anna versteht es nicht, ist gewohnt zu hinterfragen, nicht einfach zu tun, was die Erwachsenen von ihr verlangen. Soll Valerie sie morgen früh anrufen oder bekommt sie dann nur Heimweh? Hauptsache, Anna ist fröhlich. Immer wieder gehen Valerie solche und ähnliche Gedanken durch den Kopf. Sie sitzt im Auto, fährt nach Hause, während Anna und ihr Papa zum Skifahren aufbrechen. Vier freie Tage liegen vor ihr. Vier Tage nur für sie, ein Glück, wenn man so will. Sie wird ins Fitnesscenter und mit einem Freund ins Kino gehen, vielleicht endlich die Wohnung umräumen und jeden Tag neun Stunden im Atelier stehen. Malen, denken, lesen und Musik hören ohne Unterbrechung durch die Fahrt in den Kindergarten, das Mittagessen mit Anna und ihrer Freundin, die laute Musik aus dem Kinderzimmer, nachmittägliche Versteckspiele in ihrem Arbeitszimmer, die gemeinsamen Stunden vor dem Abendessen und das tägliche Schlafritual, das Geschichten erfinden und das »Krauli« zum Abschluss, eine kleine Rücken- und Kopfmassage zum besseren Einschlafen.

Zu Hause angekommen, ist es erst einmal seltsam ruhig, ungewohnt gleichgültig wirkt die Umgebung. Wo ist das Kinderlachen? Sind neun Stunden konzentriertes Arbeiten ohne Kinderunterbrechung nicht viel zu langweilig? Am ersten Tag ist der neue Rhythmus noch ungewohnt und deshalb wenig effizient. Am zweiten Tag geht es besser, und am dritten Tag nützt Valerie endlich die Chance und genießt die Ruhe, das Malen, das Für-sich-Sein. Doch am vierten Tag ist es dann auch schon wieder vorbei mit dem neuen konzentrierten Arbeitsrhythmus. Die Tür fliegt auf. »Mami!« Stiefel fliegen in die Ecke. Der Anorak landet auf dem Boden. Jemand springt auf Valerie drauf und beginnt zu quasseln, ohne Unterlass und ohne auch nur eine Sekunde Unaufmerksamkeit zu dulden. Valerie seufzt, schraubt die noch offenen Maltiegel wieder zu und ist glücklich.

RL *»Was also ändert sich für Mutter und Vater nach der Trennung?«*

MC *»Im besten Fall hat die Mutter Zeit für sich selbst und weiß diese auch zu nutzen, wenn die Kinder beim Vater sind. Und der Vater?«*

RL *»Anfänglich erlebt er sich als glänzenden Allrounder. Nach einigen gut geplanten Tagen voller Vergnügen und gemeinsamen Unternehmungen kommt er schließlich drauf, dass er die Tage mit seinen Kindern nicht immer voll planen muss. Dass nicht der Kinobesuch, sondern der Waldspaziergang zum Highlight des Besuchswochenendes wurde, weil er mit seinen Kindern Verstecken spielte und sich dann ein langes, gutes Gespräch zwischen ihnen entwickelte über die Schule, die Freunde und den letzten Kinofilm. Weil die Kinder plötzlich am liebsten im Wald gezeltet und dazu sogar auf das Kino verzichtet hätten.«*

MC *»Ja, das klingt ziemlich gut. Es ist sehr anstrengend, nur der Unterhalter zu sein, das hält auf die Dauer kein Vater durch. Auch den Kindern bringt es zu wenig, an den Papawochenenden bloß mehr oder weniger gut ›entertaint‹ zu werden. Sie müssen sich beim Vater wirklich aufgehoben fühlen. Nur so haben beide, Kinder und Väter, die Chance zu einer vertrauensvollen Beziehung und können entspannt gemeinsame Wochenenden verbringen.«*

1. Nach der Trennung kommt es für die Mutter und den Vater zu einer Reihe von Mehrbelastungen organisatorischer, finanzieller und sozialer Art, die sich auf ihre Beziehungsfähigkeit und damit auch auf die Betreuung der Kinder negativ auswirken können.

2. Die Eltern sollten sich gegenseitig unterstützen, um diese Mehrbelastungen zu mindern. Tun sie es nicht oder machen sie dem Partner gar zusätzlich Schwierigkeiten, kann dies nachteilig für die Kinder sein.

3. Die Eltern sollten ihr Kind unterstützen und bestärken, sodass es gerne am Wochenende zum anderen Elternteil geht.

4. Väter, die bereits vor der Trennung auf eine umfassende Weise ihre Kinder betreut haben, haben nach der Trennung viel bessere Voraussetzungen, eine für sie und die Kinder entspannte Zeit miteinander verbringen zu können.

Wie viele verschiedene Zuhause verträgt ein Kind?

Benjamin war noch keine drei Jahre alt. Ein stämmiger, stets fröhlicher kleiner Junge mit schalkhaften Augen. Seinen beiden älteren Geschwistern gab er abwechselnd dicke Schleckerküsse, oder er biss herzhaft zu und rannte dann auf seinen Babyspeckbeinen davon. Doch dann musste die Familie innerhalb eines Jahres zweimal umziehen. Zuerst gaben sie ihre kleine Wohnung in Frankfurt auf und übersiedelten nach München. Benjamins Vater hatte den Schritt in die Selbständigkeit gewagt und mit zwei Kollegen eine kleine Internetfirma gegründet. Doch nach zehn Monaten kam der Börsencrash, und das Unternehmen musste Konkurs anmelden. Benjamins Vater hatte noch einmal Glück. In Wien kam der gelernte Informatiker bei einem Telekommunikationsunternehmen unter. Allein die Familie seufzte. Benjamins Mutter bewältigte beide Umzüge am Rande des Nervenzusammenbruchs. Schon wieder die Wohnungssuche, die Renovierungsarbeiten, neue Schulen für Benjamins Geschwister, Pia und Heinrich, und einen Kindergartenplatz für ihren Jüngsten. Dann kamen schließlich wieder die Möbelpacker, und es galt die gerade neu gewonnenen Freunde zu verabschieden. Ach ja, und ihre mühsam errungene Arbeit zweimal die Woche vormittags als Sprechstundenhilfe beim Zahnarzt um die Ecke musste Patricia natürlich auch aufgeben. Sie war eine pragmatische Frau, und die Kinder waren ihr das Allerwichtigste. Nun, in Wien, machte sie sich große Sorgen um Benjamin. Die neunjährige Pia sah zwar etwas blass aus. Sie vermisste ihre beste Freundin aus München und die Lehrerin. Aber Pia war so vernünftig. Sofort begann sie allen Freunden Briefe zu schreiben, wie sie es auch in München mit ihren Frankfurter Freunden getan hatte. Schreiben war ihr

Allerhöchstes. Schreiben und Lesen. Heinrich war zehn, einigermaßen verträumt und gerade noch nicht in der Pubertät. In München hatte er keinen wirklich guten Freund gefunden. Außerdem interessierte sich Heinrich sowieso nur für seine Steinsammlung, die Astronomie und die Computerspiele.

Aber Benjamin. Er rannte nicht mehr kraftstrotzend durch die Gegend, um alle Welt zu beißen oder zu küssen, sondern wich seiner Mutter nicht mehr vom Rockzipfel. Trotz seiner 16 Kilo wollte er ständig von ihr getragen werden. Er schlief nicht mehr alleine ein. Um keinen Preis, nicht einmal in Pias Zimmer. Er schlief überhaupt nur noch im Bett der Eltern, genauer gesagt, in der Mitte, quer zu den beiden. In der Früh stand er schon als Erster an der Tür, um ja mitgenommen zu werden, wenn Patricia seine Geschwister in die Schule brachte. Sein erster Tag im Kindergarten war ein derartiges Desaster, dass die Kindergärtnerin schon nach einer Stunde Patricia anrief, damit sie das völlig verstörte, heulende Kind wieder abholte.

Wieso konnte Benjamin die Mama nicht alleine lassen? Pia fand, dass der kleine Bruder sich wie das brüllende Äffchen im Zoo aufführte, das auch immer so lange Theater macht, bis ihn seine Mutter wieder auf ihren Rücken nimmt. Patricia war knapp davor, einen Kinderpsychologen einzuschalten, doch diese Idee verlor sich im Alltagsstress. Stattdessen ordnete sie sich Benjamins Wünschen und Bedürfnissen unter. Sie akzeptierte, in nächster Zeit unter der lückenlosen Kontrolle und Präsenz ihres Sohnes zu stehen, verschob seinen Eintritt in den Kindergarten und ihre Arbeitssuche.

RL *»Patricia ist eine umsichtige Mutter. Sie realisiert, dass sie während des Umzuges zu wenig Zeit für Benjamin hatte. Nun lässt sie ihm Zeit, bis er sich wieder ganz geborgen und sicher fühlt. Sie nimmt seine Bedürfnisse ernst und wartet, bis Benjamin von sich aus bereit ist, sie loszulassen.«*

MC *»Ich kann mir vorstellen, dass manche Leute über so ein mütterliches Verhalten nur den Kopf schütteln. Sie würden Patricias Verhalten haarsträubend finden, würden sagen, dass sie*

ihren Sohn viel zu sehr verwöhnt. Wenn sie ihm andauernd nach-
gibt, anstatt Grenzen zu setzen, werde er sie bloß ausnützen.«

RL   *»Benjamin ist ein gutes Beispiel dafür, wie falsch die Vor-*
stellung sein kann, man würde ein emotional verunsichertes
Kind mit Zuwendung verwöhnen können. Hätte die Mutter
Benjamin nicht die Möglichkeit gegeben, die Geborgenheit, die
er vorübergehend verloren hatte, wieder zurückzugewinnen,
hätte ihr Sohn wahrscheinlich für längere Zeit gelitten und
wäre deshalb weiter so anhänglich geblieben. So aber findet er
sein emotionales Gleichgewicht nach einiger Zeit wieder.«

MC   *»Als Mutter habe ich immer wieder erlebt, dass Phasen*
vermehrter Anhänglichkeit schneller vorbeigehen, wenn man
dem Kind all seine Anhänglichkeit zugesteht. Leider geht das
nicht immer. Nicht alle Mütter können so flexibel auf die Be-
dürfnisse ihrer Kinder eingehen wie Patricia. Nicht jede Mutter
hat die Kraft und Zeit dazu. Und wenn sie arbeitet, muss sie ihr
Kind in den Kindergarten oder in eine andere Betreuungsein-
richtung geben.«

RL   *»Umzüge, das zeigt dieses Beispiel deutlich, können für*
Kinder eine Belastung sein. In der Regel sind sie für Kinder
schwieriger zu verkraften als für die Erwachsenen. Und das
auch ohne Trennung und Scheidung der Eltern. Größere Kin-
der können schon verstehen, dass sie durch den Ortswechsel
nicht alles verlieren, und dass das neue Umfeld auch wieder
neue schöne Erfahrungen mit sich bringen wird. Sie leiden vor
allem unter dem Verlust ihrer Freunde und der geliebten Umge-
bung. Je älter sie werden umso mehr. Damit kommen Kinder
unterschiedlich gut zurecht. Pia zum Beispiel hat ihr Schreib-
talent. Die Lebensumstände fördern ihre Liebe zum Lesen und
Schreiben sogar noch zusätzlich. Und Heinrich scheint der
klassische Eigenbrötlertyp zu sein. Solange er sich bei seinen
Eltern aufgehoben fühlt und seinen Hobbys nachgehen kann,
geht es ihm gut.«

»Benjamin ist Mamas Kletteraffe«, hänselten die Geschwister
und trieben manchmal böse Spiele mit ihm. »Benjamin. Wo

ist die Mama? Du bist schon zwei Minuten nicht mehr auf ihrem Schoß gesessen.« Zuerst lief das Kind immer sofort zu ihr, zurück auf den Schoß, auf den Arm, an ihre Hand. Benjamin war total verunsichert. Warum müssen alle die ganze Zeit Koffer ein- und auspacken? Warum bekommt er immer wieder ein neues Zimmer und findet seine Spielsachen nicht mehr? Warum ist sein geliebtes Dreirad plötzlich in einer Kiste gelandet und lange Zeit nicht mehr aufgetaucht.

Doch allmählich ließ Benjamins Anhänglichkeit nach. Er vergaß mehr und mehr, dass er die Mutter eigentlich nicht aus den Augen verlieren wollte. Das Spiel der Geschwister zog ihn in den Bann. Er wollte auch dabei sein, wenn sie die Spielzeugeisenbahn aufbauten. Immer wollten sie ihn weg haben, schickten ihn zur Mama. Das passte ihm nun gar nicht mehr.

MC *»Aus Benjamins Sicht ist es völlig logisch, dass er zum Kletteraffen seiner Mutter wird. So muss sich die Mutter um ihn kümmern.«*

RL *»Genau. Benjamins Mutter spürt das auch. Würde sie versuchen, etwas dagegen zu unternehmen, ihn zum Beispiel schreiend in seinem Bett einschlafen lassen oder ihn zwingen, in den Kindergarten zu gehen, oder ihn gar auf Distanz halten, würde es für Benjamin noch viel schlimmer werden. So aber ist es eine vorübergehende Krise, die der Dreijährige auf seine Art bewältigen kann.«*

MC *»Wenn Kinder wegen der Scheidung der Eltern umziehen müssen, sind die Reaktionen wahrscheinlich ähnlich.«*

RL *»Ja. Meistens kommen aber noch zusätzliche Belastungen auf die Kinder zu. Der Streit der Eltern (Seite 201), ihre seelische Verstimmung (Seite 179), die Probleme mit dem ausziehenden Elternteil und wie sich die Beziehung zu ihm gestalten wird, die materiellen Einschränkungen. Die Mutter wird mehr arbeiten oder, falls sie davor zu Hause war und ihre Kinder nicht mehr so klein sind, sich jetzt eine Arbeit suchen müssen.«*

MC *»Wäre es dann nicht besser, wenn die Kinder mit dem einen Elternteil in ihrem angestammten Umfeld bleiben dürften?«*

RL *»Wenn das möglich ist, ist das bestimmt vorteilhaft. Vor allem, solange die anderen Belastungen noch nicht bewältigt sind. Ein Problem bei Scheidungen wie bei allen großen Krisen ist ja, dass sie den Betroffenen mehr abverlangen als diese zu meistern vermögen. Die geschiedenen Eltern sind deshalb auf die Unterstützung von Großeltern und Verwandten, von Freunden und Lehrern angewiesen. Sie müssen mithelfen, den Umzug für die Eltern und vor allem für die Kinder so erträglich wie möglich zu machen.«*

Wenn sich Eltern trennen und sich scheiden lassen, entsteht für Kinder oft eine neue Wohnsituation. Manche Kinder verlieren ihr ursprüngliches Zuhause. Dabei bleibt die große Mehrheit der Kinder bei ihrer Mutter und besucht unterschiedlich oft den Vater. Manche halten sich strikt an die Besuchsrechtsregel und sind alle zwei Wochenenden im Monat beim anderen Elternteil, andere finden eigene Lösungen. Zu nicht wenigen Vätern, 50 Prozent wie wir gehört haben, besteht ein Jahr nach der Scheidung gar kein Kontakt mehr. In der Regel bleibt das Kind bei dem Elternteil, der weniger arbeitet und weniger verdient. Das ist zumeist die Mutter. Selten pendeln die Kinder zwischen den beiden Eltern hin und her. Dann übernehmen Vater und Mutter etwa die Hälfte der Erziehungsarbeit, und die Kinder haben zwei gleichwertige Zuhause.

Dominik und Sebastian sind Wanderer zwischen den Welten. Von Montag bis Donnerstag leben sie in der Papa-Welt mit ihren ganz eigenen Gesetzen, mit den Computerspielen, der Fertigpizza und dem Tischfußball. Sie gehen oft zu spät ins Bett, müssen ihr Kinderzimmer nur selten aufräumen und dürfen öfter fernsehen als bei der Mama. Nur bei den Hausaufgaben ist der Papa streng. »Die«, sagt er, »werden sofort nach der Schule erledigt, je schneller, desto mehr Zeit bleibt für andere Dinge, Jungs.« Am Donnerstagnachmittag steht dann die Mama an der Bushaltestelle. Wenn der achtjährige Sebastian und der sechsjährige Dominik aus dem Schulbus steigen und ihre Mutter umarmen, sind sie schon in einer anderen Welt, der Mama-Welt. Wie bei einem Kippschalter geht das, links Papa-Welt, rechts Mama-Welt. Klick, klack. In der Mama-Welt duftet es meistens schon aus der Küche, wenn sie die Wohnung betreten. Die Mama-Welt-Spielsachen warten, alles ist aufgeräumt, hell, jedes Buch, jeder Stuhl bewusst zurechtgerückt. Hier sind die Kinder ordentlich, helfen die Küche aufräumen, gehen pünktlich um acht ins Bett. Eine Welt mit anderen Spielregeln. Hier herrscht äußerste Akkuratesse, dort bohemienhafte Nachlässigkeit. Damals, als die Mutter auszog, wünschten sich die Kinder, »gleich viel bei Mama und Papa zu sein«. Anfangs, als sich Mama und Papa noch oft in die Haare gerieten, fühlten sie sich wie kleine Diplomaten in schwieriger Mission. Jetzt balancieren sie zwischen den Welten und freuen sich auf die Spielsachen im anderen Zuhause, auf die Mama und dann wieder auf den Papa. Wo sie zu Hause sind? Wahrscheinlich würden sie sagen an beiden Orten. Vielleicht käme es ihnen gar nicht in den Sinn, dass es sich um zwei voneinander getrennte Plätze handelt, vielleicht ist der Weg zwischen den Zuhause längst so etwas wie der lange Gang früher zwischen dem Schlafzimmer der Eltern und dem Kinderzimmer, ein Korridor von Vertrautem zu Vertrautem.

MC *»Hältst du es für möglich, dass Kinder wirklich so problemlos von einem Zuhause zum nächsten pendeln? Oder anders gefragt: Wie viele verschiedene Zuhause verträgt ein Kind?«*
RL *»Ich kann deine Fragen nicht allgemein beantworten, weil das kindliche Wohlbefinden von zahlreichen Faktoren abhängt. Als Erstes gilt es zu berücksichtigen, dass Kinder auf eine bestimmte Lebenssituation ganz unterschiedlich reagieren. Nicht jedes Kind kann gleich viel Unruhe vertragen. Gewisse Kinder werden zu Zappelphilipps, wenn sie allzu oft ihre vier Wände verlassen, den Ort wechseln und mit zu vielen Leuten auskommen müssen. Am besten geht es diesen Kindern, wenn ihr Tagesablauf immer gleichmäßig und ruhig verläuft und sie sich nur auf wenige Menschen und Orte einstellen müssen. Andere Kinder kommen mit einem ständigen Ortswechsel bes-*

ser zurecht. Im Großen und Ganzen sind Kinder aber ziemlich sesshaft. Umzüge gehören zu den großen Belastungen für sie, ob nun die ganze Familie gemeinsam umzieht oder, durch die Trennung bedingt, die Eltern auseinander ziehen und entweder einer auszieht oder sich beide Teile neue Wohnungen suchen müssen.«

MC *»Auch für die Eltern kann das ständige Hin- und Herpendeln der Kinder anstrengend sein. Sie müssen sich auf unterschiedliche Lebensrhythmen – mit und ohne Kinder – einstellen und zwei Arten von Leben führen. Ich hätte Mühe, wenn ich mich alle drei Tage umstellen müsste.«*

Doch was ist eigentlich ein Zuhause? Was für Qualitäten sollte der Ort, der für die ganze weitere Entwicklung so prägend ist, haben? Was bedeutet es für Kinder, wenn sie an zwei Orten zu Hause sind? Wie ertragen sie es, ihre Eltern an zwei unterschiedlichen Orten zu wissen? Jeder von uns trägt Bilder aus seiner Kindheit in sich, kann sich an ein ganz bestimmtes Gefühl der Vertrautheit zurückerinnern, ob glücklich oder nicht. Nie wieder schlägt der Mensch so tiefreichende Wurzeln wie zwischen ein und 18 Jahren. Die Orte der Kindheit, die Landschaft und ihre Häuser, bestimmte Geräusche und Gerüche erzeugen bei Erwachsenen noch nach Jahrzehnten ein »Daheim«-Gefühl. Wir vergessen dieses Gefühl deshalb nie mehr, weil es uns als Kind Geborgenheit bedeutet hatte. Geborgenheit vermitteln den Kindern nicht nur ihre Hauptbezugspersonen, sondern auch die vertraute Umgebung, der Bäcker und Supermarkt um die Ecke, die Häuser der Nachbarn, der Garten mit den alten Äpfelbäumen, die Spielsachen, der einäugige Teddybär und die Schachtel mit dem alten Puppengeschirr. Kinder schlafen am besten im eigenen Bett, umgeben von den geliebten Kuscheltieren und Spielsachen.

MC *»Die ständigen Ortswechsel, die die Kinder getrennter Eltern auf sich nehmen, um mit beiden Elternteilen zusammen zu sein, müssen eine ziemliche Belastung darstellen.«*

RL *»Es ist eine Mehrbelastung. Ob sie erträglich ist, hängt davon ab, wie die Besuche organisiert sind und – vor allem – wie wohl sich die Kinder an beiden Orten fühlen. Ob ein oder zwei Zuhause: Wichtig ist, dass den Kindern der Ort vertraut ist und sie sich von ihren Bezugspersonen gut betreut fühlen.«*

MC *»Das ist eine wenig hilfreiche, weil sehr allgemeine Antwort.«*

RL *»Stimmt. Eine klare Antwort gibt es nur für jedes einzelne Kind und seine Betreuungssituation. Es sind so viele Faktoren, die bestimmen, ob sich das Kind bei einem Elternteil wohl fühlt: Wie tragfähig ist ihre Beziehung? Wie oft sehen sie einander und für wie lange? Es macht einen großen Unterschied, ob dies jedes Wochenende zwei Tage oder alle 14 Tage für drei Stunden der Fall ist.«*

MC *»Für die Umgebung gilt wahrscheinlich Ähnliches: Ist die Wohnung auch für das Kind eingerichtet, hat es ein eigenes Bett, eine Ecke, die ihm gehört, mit seinen Spielsachen und Büchern. Kann es im Freien spielen, kennt es andere Kinder in der Nachbarschaft.«*

RL *»Ja, und dann gibt es auch noch etwas Atmosphärisches. Das Gefühl, willkommen und angenommen zu sein.«*

Die Schneiders hatten eine kleine Ferienwohnung in den Schweizer Alpen. Wann immer sie konnten, verbrachten sie ihre Ferien dort, sommers wie winters. Ihre kleine Tochter liebte die spartanisch eingerichteten zwei Zimmer mit Dusche und Kochnische im Dachboden des Bauernhofes. Sie durfte mit der Bäuerin in den Stall gehen und den ganzen Tag mit den Katzenbabys spielen. Es war immer so friedlich und ihre Mama konnte am Abend nicht ausgehen. Als Lea größer wurde, saß sie stundenlang im Apfelbaum und träumte. Oder sie nahm ein Buch mit und las darin, während sie ihre Beine durch die Äste baumeln ließ. Oder sie streifte mit den anderen Kindern durch den Wald, sammelte Blaubeeren und brachte Pilze nach Hause. Auch nach der Trennung der Eltern kam Lea regelmäßig hierher, einmal mit dem Papa, dann wieder mit der Mama. Viele

Jahre bestand sie sogar darauf, ihre gesamten Ferien dort zu verbringen. Nirgendwo sonst würde sie hinfahren, sagte sie trotzig und so willensstark, dass sich niemand ihren Wünschen zu widersetzen vermochte. Der Bauernhof war ihr eigentliches Zuhause, viel mehr als die Wohnung in der Stadt, in der sie aufgewachsen war, oder etwa das kleine Häuschen, in das ihr Vater und seine neue Frau nach der Scheidung gezogen waren. Auch als Lea schon längst erwachsen war, konnte nichts solch ein Gefühl an Geborgenheit bei ihr erzeugen wie die Landschaft rund um den Bauernhof, die Berge und Wiesen, der Gebirgsbach, in dem sie als Kind gebadet hatte, die Wanderwege in der Sonne, der mit den Jahreszeiten wechselnde Duft der Blumen, die Steine, von denen sie im Laufe der Jahre wahrscheinlich mehrere Tonnen gesammelt hatte. Wenn sie ganz traurig und verzweifelt war, stellte sie sich vor, dass sie bloß in die Zweizimmerwohnung über dem Bauernhof ziehen müsste, ganz allein, und dass dann alles wieder gut werden würde.

RL »*Viele Menschen kennen das. Orte, an denen sie als Kind glücklich waren, und Menschen, die ihnen ein Gefühl der Geborgenheit vermittelt haben. Dort fühlten sie sich umsorgt, gut aufgehoben, sicher. Das sind Qualitäten, die ein glückliches Zuhause ausmachen. Und wie wir erfahren haben, kann das selbst eine Ferienwohnung sein. Es kommt auch nicht darauf an, wie luxuriös dieses Zuhause gestaltet ist, sondern wie viel Wärme, Geborgenheit und Sicherheit es ausstrahlt.*«

MC »*Das heißt, es ist auch egal, ob Kinder ein oder zwei Zuhause haben, ob sie nun bei einem Elternteil leben und den anderen besuchen oder ob sie zwischen beiden hin- und herpendeln?*«

RL »*Ja, ich bin dieser Meinung. Ich bin überzeugt, dass wir mit Regelungen wie ›der Vater darf sein Kind alle 14 Tage zu sich nehmen‹ den Kindern nicht gerecht werden. Wie sie ihr Leben für die Kinder gestalten wollen, sollen die Eltern bestimmen, und die Behörden sollen sie darin unterstützen. Die Lebensbedingungen der Familie und die Kinder sind so unter-*

schiedlich, dass Verordnungen sinnvolle Arrangements nur zusätzlich erschweren. Die Möglichkeiten, dem Kind ein Zuhause zu geben, hängen von der Beziehung zwischen den Eltern und ihren sozialen, beruflichen und finanziellen Voraussetzungen ab.«

MC *»Ausschlaggebend sollte aber die Qualität des Zuhauses sein.«*

RL *»Wie aber definieren wir Qualität? Ich kenne nur einen – indirekten – Indikator: das Kind. Wenn das Kind die meiste Zeit zufrieden und ausgeglichen ist, wenn es sich gut entwickelt, sich für seine Umgebung interessiert, die Leistungen, zu denen es fähig ist, erbringen kann und ein gutes Selbstwertgefühl besitzt, dann ist die Qualität des Zuhauses gut.«*

Anna hatte nach der Trennung nicht umziehen müssen. Valerie war das sehr wichtig gewesen. Nur ja keine zusätzliche Unruhe jetzt, nachdem Annas Vater vorübergehend nach Stuttgart gezogen und sie und Anna in Hamburg zurückgelassen hatte. Annas Leben sollte möglichst so weitergehen wie bisher. Dass ihr Vater weniger da war und sie, Valerie, an den Wochenenden, wenn er kam, die Ausflüge nicht mehr mitmachte, oder dass er bei einer Freundin übernachtete, solange er keine eigene Wohnung in Hamburg gefunden hatte, war ihrer Meinung nach schon genug Veränderung für das Kind. Der Weg zum Kindergarten, zum Supermarkt, die vertrauten Spielplätze und Radwege sollten ihr erhalten bleiben. »Das wird ihr Stabilität geben«, erklärte Valerie gern und vermietete einen Teil ihrer Wohnung an eine junge Studentin. Sie war ein Glücksfall, manchmal spielte sie sogar mit Anna und insgesamt machte sie die Familie irgendwie kompletter. Als Annas Vater wieder zurück nach Hamburg kam und sich eine kleine Wohnung suchte, war Anna verstört. »Wieso? Im Gästezimmer ist doch noch viel Platz«, sagte die Vierjährige. Dann wieder ging sie voller Neugierde mit ihm durch die Straßen, um eine Wohnung für ihn zu suchen. »Eine, wo ich ohne die Mama hinlaufen kann«, sagte sie. »Oder die Wohnung über unserer Wohnung«, erklärte sie ihrem Papa. Sie erinnerte sich, dass vor einiger Zeit jemand Neues ins Haus eingezogen war. »Leider ist da nichts frei«, erklärten ihre Eltern. Als dann ihr Papa endlich eine kleine Wohnung fand und sie ein kleines Bett darin bekam und eine Kiste mit eigenen Spielsachen, war sie beruhigt. Auch ihre Fragen, warum der Papa denn nicht bei ihr und Mama wohnen würde, legten sich. Es war, als würde sie sich nun wieder zurechtfinden in ihrer Welt, als hätte sie die Koordinaten ihres Lebens wieder begriffen und begonnen, sich an beiden Orten wohl zu fühlen.

RL *»Kleine Kinder brauchen Stabilität. Wenn sie nicht wissen, wo ihr Vater wohnt, sind sie verwirrt. Sie fangen ja gerade erst an, Distanzen und geographische Bezüge zu erfassen. Mit vier Jahren kennen sie den Weg zum Kindergarten, zum Supermarkt. Sie wissen, dass man den Zug nehmen muss, um zur Oma zu fahren. Aber wo die Oma wohnt und dass sie in einer anderen Stadt lebt, sind Dinge, die eine Vierjährige noch nicht begreifen kann.«*

MC *»Wenn der Vater auswärts lebt und nur zu Besuch in die Stadt der Kinder kommt, kann nie ein richtiges Geborgenheitsgefühl entstehen?«*

RL *»Es ist zumindest schwierig. Wie ein Nomade zieht er dann mit seinen Kindern durch die Stadt, denkt sich irgendwelche Unterhaltungen aus, aber das wichtige Alltagsleben mit den Kindern fehlt. In Frankreich gibt es Einrichtungen, die den Vätern stunden- und tageweise Wohnungen zur Verfügung stellen.«*

MC *»Schwierig wird es für die Kinder mit den unterschiedlichen Zuhause, wenn sich die Eltern streiten. Wenn der eine Elternteil den anderen, seine Wohnsituation und die Zeit, die das Kind mit ihm verbringt, schlecht macht, muss das Kind ja das Gefühl haben, jedes Mal in ein feindliches Territorium zu wechseln. Das stelle ich mir schrecklich vor.«*

RL *»Das bringt die Kinder in schwere Loyalitätskonflikte. Sie lieben den Vater, müssen aber innerlich damit fertig werden,* *dass die Mutter sein Zuhause und alles, was sie mit ihm erleben, ablehnt. Dann entsteht ein Gefühl der Zerrissenheit und der Druck, sich für ein Zuhause entscheiden zu müssen.«*

MC »Wenn geschiedene Eltern einander in der Erziehung nicht unterstützen, werden sich ihre Kinder nicht geliebt und aufgehoben fühlen. *Da helfen die besten Vereinbarungen, die schönsten Wohnungen und die kürzesten Distanzen nicht weiter. Für die Kinder zu sorgen, muss ein gemeinsames Ziel der Eltern bleiben. Ein hoher Anspruch, zu dem es keine Alternative gibt.«*

Die Eltern des 14-jährigen Jonas und seiner siebenjährigen Schwester Josefa wollten ihren Kindern den Wohnungswechsel ersparen. Das Zuhause sollte so, wie es während der Ehe gewachsen war, erhalten bleiben, dennoch wollten beide aber weiterhin gemeinsam für die Kinder sorgen. Deshalb zogen Mutter und Vater aus und pendelten abwechselnd in die Wohnung der Kinder. Von Montag bis Donnerstag lebte der Vater mit ihnen zusammen und den Rest der Woche die Mutter. In dieser Konstellation wurden die Eltern zu Wanderern zwischen den Welten, sie lebten den Spagat zwischen kleiner, ordentlicher Singlewohnung und einem großen, mit Leben erfüllten Familienhaus.

MC *»Klingt gut. Nicht die Kinder pendeln, sondern die Eltern. So blieb den Kindern der Wechsel zwischen zwei Zuhause erspart.«*

RL *»Diese Eltern haben sich sehr viel vorgenommen. Im Nachhinein stellte sich aber heraus: Es war dennoch keine glückliche Lösung.«*

MC *»Warum?«*

RL *»Irgendwie war den Kindern durch das ständige Ein- und Ausziehen von Mutter und Vater nicht mehr klar, wer hier eigentlich die Verantwortung trug. Sie erlebten ihre Eltern nicht als kontinuierliche Instanzen ihres Lebens. Kontinuität in der Betreuung ist aber eine wichtige Voraussetzung, damit es Kindern gut geht. Für die Eltern selbst war dieser Lebensstil mit* *großem Stress verbunden. Sie hatten das Gefühl, nirgends zu Hause zu sein. Die eigentlichen Hausherren waren die Kinder, die Eltern kamen auf Besuch und konnten ihre Verantwortung nicht richtig wahrnehmen.«*

MC *»Aber in dem Fall, wo die Kinder hin- und herpendeln, gibt es ja auch keine Kontinuität?«*

RL *»Doch, in dem Sinne, dass zu jedem Ort eine kontinuierliche Bezugsperson, ein Erziehungs- und Lebensstil gehört. Das scheinen Kinder besser verkraften zu können.«*

Ein anderes Ehepaar, beide Psychologen, hatte sich auseinander gelebt, und die drei Kinder lebten drei Tage beim Vater und drei Tage bei der hundert Meter entfernt wohnenden Mutter. Als sie größer wurden und in die Pubertät kamen, veränderte sich das Wohnarrangement. Die zwei Töchter lebten ganz bei der Mutter, der Sohn ganz beim Vater, aber selbst das änderte sich manchmal. Da sich die Eltern aufeinander verlassen konnten, sozusagen aus zwei unterschiedlichen Wohnungen am gleichen Strick zogen, gab es kein Problem. Die Kinder suchten sich für Wochen und Monate den für sie momentan besten Platz aus und wussten, dass auch das andere Zuhause ihnen jederzeit offen stand.

MC *»Ein solcher Lebensstil verlangt von den Kindern wie auch von den Eltern sehr viel Toleranz und Flexibilität.«*

RL *»Eine Patentlösung gibt es offensichtlich nicht, vor allem deshalb, weil die Lebensumstände der Familien so unterschiedlich sind. Der gemeinsame Nenner der verschiedenen Lebensformen sollte sein, dass Kinder in für sie stabilen Verhältnissen aufwachsen, das ist vor allem beziehungsmäßig gemeint. So erfahren sie kontinuierlich ein Gefühl der Geborgenheit. Die Eltern sollten das Zuhause des anderen Elternteils, wenn die Kinder dort regelmäßig hingehen, nie ablehnen oder schlecht machen. Sie sollten im Interesse der Kinder miteinander regelmäßig kommunizieren und sich gegenseitig unterstützen.«*

1. Wenn die Kinder umziehen müssen, brauchen sie mehr Aufmerksamkeit und Zuwendung. Verwandte und Bekannte sollten daher die Eltern darin unterstützen.

2. Die geschiedenen Eltern sollten für ihre Kinder eine Lebensform finden, die sozial, zeitlich und örtlich möglichst große Stabilität gewährleistet.

3. Die Art der Betreuung durch Mutter und Vater soll auf die Kinder abgestimmt sein. Kinder können sich unterschiedlich gut an unterschiedliche Lebensbedingungen anpassen.

4. Die Eltern sollten das Zuhause des anderen Elternteils vor den Kindern nie schlecht machen. Sie sollten im Interesse der Kinder miteinander regelmäßig kommunizieren und sich gegenseitig unterstützen.

5. Die Qualität der Zuhause ist dann gut, wenn das Kind die meiste Zeit zufrieden und ausgeglichen ist, sich für seine Umgebung interessiert, die Leistungen, zu denen es fähig ist, erbringen kann und ein gutes Selbstwertgefühl besitzt.

Wie viel und was für eine Betreuung braucht ein Kind?

Anna war keine besonders zuverlässige Puppenmutter. Die »Puppi« und noch zwei andere mehr oder weniger geliebte, treuherzig aussehende Puppenkinder lagen meistens in ihren Betten oder hausten in einer Kiste gemeinsam mit den Legosteinen, der Kindergitarre und anderem Krimskrams. Malen, Basteln und Kaufladenspielen war meist interessanter. Doch als Anna in einen neuen Kindergarten kam, änderte sich ihr Verhältnis zur »Puppi« schlagartig. Die noch nicht Fünfjährige musste von ihrer alten Kindergärtnerin Abschied nehmen und sich auf ein neues Umfeld, neue Bezugspersonen und Kinder einstellen. Ausgerechnet zu dem Zeitpunkt hatte Valerie für vier Tage im Ausland zu tun. Annas Papa war auch nicht da, und so musste Anna auch noch bei einer Freundin von Mama schlafen. Valerie war verzweifelt, aber sie konnte ihre Reise nicht verschieben. Sie packte für Anna die nötigsten Sachen zusammen und legte ihr die »Puppi« und ein paar andere vertraute Spielsachen oben in den Koffer. Sie sollten Anna trösten, ein Stück Geborgenheit und Zuhause für ihr kleines Mädchen sein, solange sie weg war. Als Valerie wieder aus Basel zurückkam, erzählte ihr Anna bestürzt und traurig, dass es der »Puppi« gar nicht gut ergangen sei. Niemand habe mit ihr gespielt, sie sei ganz alleine in einem Zimmer gesessen und hätte oft weinen müssen. Einige Tage später lag die Puppe aus Versehen auf dem Boden. Anna weinte bitterlich. »Schau, die arme Puppi, niemand hebt sie auf.« Valerie war bestürzt, wie verlassen sich ihr Mädchen während ihrer Abwesenheit gefühlt haben musste. Sie versuchte in der Folge, besonders aufmerksam und fürsorglich zu sein. Manchmal fragte Valerie, wie es denn der Puppi gehe? »Gut«, sagte Anna zusehends fröhlicher.

Als Valerie nach zwei Monaten noch einmal einige Tage verreisen musste, hatte Anna eine Idee. Ihre Mama solle die Puppi mitnehmen, gut auf sie aufpassen, ihr immer etwas Warmes kochen und sie Abends mit ins Bett nehmen. So geschah es. Valerie verreiste mit Annas Puppe und telefonierte jeden Tag mit ihrer Tochter, um zu erzählen, was die Puppi zum Essen bekommen, welche Kleider sie ihr angezogen und wie sie geschlafen habe. Und dann wollte Valerie noch wissen, wie es Anna geht und so weiter. Die Puppe war zu einem Bindeglied zwischen Valerie und Anna geworden.

MC »*Mit der Puppenidee hat Anna eine kreative Lösung gefunden, wie sie die Beziehung zu ihrer Mutter aufrechterhalten kann. Sie gab ihr ein Stück von sich selbst mit auf die Reise. Dadurch konnte sie sich am Telefon besser vorstellen, was ihre Mama an dem fremden Ort tat, und fühlte sich mit ihr verbunden. Sie hatte nicht mehr das Gefühl, dass ihre Mama plötzlich verschwunden sei, weil doch die Puppe, also ein Teil von ihr, bei ihr war.*«

RL »*Ich finde es faszinierend, wie erfinderisch bereits ganz kleine Kinder sind. Für die Mutter ist diese Form der Kommunikation sicher auch beruhigend gewesen. Wie aber erklärst du dir, dass Anna durch die viertägige Abwesenheit der Mutter so verunsichert war?*«

MC »*Sie wohnte bei einer Freundin der Mutter. Diese Frau war ihr nicht vertraut genug. Anna fühlte sich bei ihr nicht aufgehoben. Insbesondere abends, wenn Anna zu Bett gehen sollte, war sie sehr alleine. Auch das Essen war irgendwie ungewohnt, und die Freundin von Mama erzählte ganz andere Geschichten als ihre Mutter.*«

RL »*Hat Anna die Freundin der Mutter zuvor gar nicht erlebt?*«

MC »*Anna kannte sie von gelegentlichen Besuchen und Ausflügen. Damals hatte sie sie ganz gerne gemocht. Sie war aber nie mehrere Stunden oder gar einen Tag mit ihr allein und wurde schon gar nicht von ihr zu Bett gebracht.*«

Immer wieder wurde in diesem Buch darauf hingewiesen, dass Kleinkinder nicht allein sein können. Sie brauchen ständig eine Bezugsperson, bei der sie Hilfe, Schutz und Zuwendung bekommen können. Je umfassender die Bezugsperson mit dem Kind vertraut ist, desto sicherer fühlt sich das Kind.

Eine Person zu kennen und zu mögen reicht indes nicht aus. Vertraut sein bedeutet vielmehr, konkrete gemeinsame Erfahrungen gemacht zu haben. So fühlt sich das Kind beim Zu-Bett-Gehen nur dann wirklich wohl, wenn es von dieser Person schon zuvor ins Bett gebracht worden ist. Dies gilt genauso für das Essen, auf die Toilette zu gehen oder die Kleider zu wechseln. Ganz wesentlich dabei ist, *wie* die Bezugsperson mit dem Kind umgeht. Sie muss das Kind nicht gleich behandeln wie die Eltern, aber so, dass es sich dabei wohl fühlt.

Eigenschaften, die eine Bezugsperson auszeichnen

Ein Kind fühlt sich dann wohl, wenn die Bezugsperson die folgenden Eigenschaften aufweist:

- Die Bezugsperson ist dem Kind vertraut. Beide haben in den Bereichen, in denen die Betreuung stattfindet, gemeinsame Erfahrungen gemacht.
- Die Bezugsperson ist verfügbar. Wenn das Kind ein Bedürfnis hat, ist sie für das Kind da.
- Die Bezugsperson ist verlässlich. Sie geht mit dem Kind immer gleich um.
- Die Bezugsperson ist angemessen in ihrem Verhalten. Sie geht auf die individuellen Eigenheiten des Kindes ein.

Sarahs Vater überlegte sich stets sehr genau, wie er die wenige Zeit mit seiner achtjährigen Tochter verbringen konnte. Er spielte mit ihr, nahm sich Zeit für ihre Fragen, sah sich ihre Schulhefte an und kochte ihre Lieblingsspeisen, wenn Sarah bei ihm war. An den Besuchswochenenden gab es für ihn nur eine Priorität, sein Kind. Manchmal gingen sie natürlich auch ins Kino oder zu Freunden, aber Ernst wusste, dass für eine gute Vater-Kind-Beziehung andere Dinge ausschlaggebend sind, als den Tag mit irgendwelchen Vergnügungsangeboten anzufüllen. Er hatte etwas gegen Eltern, die ihren Kindern alle möglichen Kurse finanzieren und Hotelferien mit Kinderbetreuungsprogrammen buchen. Er nannte sie »die großen Ermöglicher« oder »die großen Delegierer von Erziehungsverantwortung«. Ernst war Lehrer an einem Gymnasium in Zürich. Er hatte es immer wieder mit den so genannten »Züriberg-Kindern« zu tun. Dieser Begriff hat sich in der Schweiz für »wohlstandsverwahrloste« Kinder eingebürgert, weil es von ihnen in der Luxuswohngegend am Zürichberg besonders viele zu geben scheint. Diese Kinder haben alles, ein ganzes Arsenal sie umgebender »Aktivitätsmanager«, Kindermädchen, Tennislehrer und Malkursleiterinnen. Nur eines haben sie häufig leider nicht: tragfähige Beziehungen. Ernst hatte seine liebe Mühe mit diesen Kindern, sie machen, was sie wollen, sind nicht mehr führbar, sind vermehrt aggressiv oder wirken im Unterricht völlig unbeteiligt. Mühe hatte Ernst aber auch mit ihren Eltern, die nicht bereit waren einzusehen, weshalb eine gute Eltern-Kind-Beziehung so wichtig ist. Dass es eben nicht genügt, das Leben der Kinder generalstabsmäßig durchzuorganisieren. Dass Kinder auch nicht mittels Effizienzlisten und fünf Minuten Qualitätszeit erzogen werden können, sondern dass sie ständig verfügbare, sie liebende Bezugspersonen brauchen, die ganz einfache Dinge tun, zum Beispiel Bücher vorlesen, Wanderungen und Radtouren machen, mit Eisenbahn und Puppen spielen. Dass man das Frühstück und Abendessen für die Kinder nicht einfach so auf den Tisch stellen und weitertelefonieren sollte, sondern dass gemeinsame Essenszeiten auch Beziehung und Kommunikation bedeuten. Was hatte sich Ernst schon den Mund fusselig geredet. Doch meistens half es nicht viel. Auch seine Ehe hatte er deshalb nicht mehr ausgehalten. Für Sarahs Mutter bestand das Zusammenleben mit einem Kind auch nur aus einer reibungslos ablaufenden Organisation. Und unter Erziehung verstand sie vor allem Ge- und Verbotssätze und Zurechtweisungen.

MC »Ich finde es schon eigenartig, dass manche Eltern glauben, wenn sie das Leben ihrer Kinder gut organisiert haben, dann hätten sie ihren Erziehungsauftrag erfüllt.«

RL »Es ist verständlich. Diese Eltern sind womöglich von ihren Eltern genauso erzogen worden. Ihnen fällt ihre Beziehungslosigkeit gar nicht auf. Ein lückenloses Betreuungssystem ist für Kinder zwar unerlässlich, aber die Qualität der Betreuung ist genauso wichtig. Qualität bedeutet vor allem Beziehung. Das heißt, es kommt auch darauf an, ob alle, Eltern, Kindergärtnerinnen oder Aupairmädchen, wirklich eine Beziehung zu den Kindern eingehen wollen und können.«

MC »Bei geschiedenen Eltern habe ich immer wieder erlebt, dass Kinder von einem zum anderen Elternteil übersiedelt sind. Und zwar deshalb, weil sie sich nicht geborgen und angenommen gefühlt haben.«

RL »Geschiedene Eltern haben es besonders schwer. Es ist für sie verführerisch zu glauben, mit einer guten Organisation von Krippe und Hort, Kindergarten und Schule hätten sie ihre erzieherische Aufgabe erfüllt. Aber weder reicht es, als Mutter den Kinderalltag gut zu organisieren, noch, als Vater bloß im Hintergrund präsent zu sein und sich ansonsten mit der Rolle des Ernährers zu begnügen. Beide Elternteile sind nach der Scheidung alleine mit ihrem Kind und alleine für eine tragfähige Beziehung zu ihm verantwortlich. Beziehung aber heißt, gemeinsame Erfahrungen machen und füreinander da sein. Beziehung erfordert Zeit.«

Die meisten Eltern sind nach der Trennung und Scheidung vermehrt auf zusätzliche Betreuungspersonen für ihre Kinder angewiesen. War die Mutter davor ganz für ihre Kinder da, muss sie nun womöglich mehr arbeiten, oder sie will ihre berufliche Karriere vorantreiben. Sie hat keinen Partner mehr, der die Kinder in der Früh in den Kindergarten bringt und wieder abholt, der ihr im Alltag die Kinder wenigstens stundenweise abnimmt. Früher mag sie seinen Beitrag wenig gewürdigt haben, jetzt wäre sie schon dankbar, wenn da wenigstens zweimal die Woche am Abend jemand zwei Stunden auf die Kinder aufpassen würde, damit sie sich mit einer Freundin treffen kann. Leben die Kinder beim Vater, gibt es ähnliche, meist noch viel dringlichere Betreuungsprobleme. Ein aufmerksamer Vater beziehungsweise eine liebevolle Mutter zu sein, die Verantwortung für alles zu tragen *und* auch noch beruflich das Beste zu geben, ist eine große Belastung, oft auch eine Überlastung. Manche Eltern müssen deshalb für die Betreuung der Kinder die Hilfe der eigenen Familie in Anspruch nehmen. Großeltern können zu unersetzlichen »Lückenfüllern« im Betreuungssystem werden.

Ein Satz ihrer Mutter kam Karin in letzter Zeit oft in den Sinn. »Wenn du es nicht mehr aushältst, komme ich dich holen«, hatte die resolute 50-Jährige schon bald nach der Hochzeit zu ihrer 24-jährigen Tochter gesagt. Sie hatte sich von ihrem Schwiegersohn nie blenden lassen, weder von seiner ansehnlichen beruflichen Position – er leitete ein kleines Reisebüro, flog viel in der Welt herum und hatte ihre Tochter vor der Hochzeit auf die schönsten Reisen eingeladen – noch von seinem guten Aussehen, seinem für sie, die Mutter, bloß aufgesetzten Charme und seinem weltmännischem Auftreten. Rita hatte ihre Eltern früh verloren, für sich und die Geschwister Geld verdient, war bald auf eigenen Beinen gestanden und hatte sich ein feines Gespür für »Macho-Männer, die nicht halten, was sie versprechen«, zugelegt. Nur, wieso war Karin auf diesen Blender hereingefallen? Wie hatte es passieren können, dass sie für ihn alles aufgegeben hat? Ihren Job als Verkäuferin, ihre Freundinnen, ihre Hobbys, ihr sonst so unabhängiges und lebensfrohes Gemüt. Zwei Kinder im Abstand von nur einem Jahr kamen auf die Welt. Karin hatte alle Hände voll zu tun mit den Babys. So war das nun einmal. Klassische Rollenaufteilung. Er verdiente das Geld, und zwar nicht wenig. Sie kümmerte sich um Haus und Kinder. Karin war anfangs recht zufrieden. Zuerst merkte sie gar nicht, wie das Interesse ihres Mannes an seiner »blonden Schönheit« langsam versickerte. »Mein Schatz« hatte er sie vor der Hochzeit immer gerne genannt. Jetzt sagte er so Sätze wie: »Du bist aber schrecklich angezogen. Hast du nichts Anständiges?« Vor einem Jahr hatte er das gleiche Kleid zwar noch gelobt, aber Karin versuchte darüber hinwegzusehen. Bestimmt hat er Probleme mit seiner Firma. Sie versuchte ihn mit ihrer fürsorglichen, liebevollen Art zu verwöhnen, kochte etwas Gutes und zog sich extra eine frische Bluse an, wenn er abends zum Essen nach Hause kam. Öfter kam er dann nicht, hatte noch bis spät in die Nacht zu arbeiten. Sie aß dann die Kalbsschnitzel in Rahmsoße alleine. Sie hatte sich das Familienleben viel rosiger vorgestellt. Nun pendelte sie zwischen ersten Gefühlen der Ablehnung und der Angst, ihren Mann zu verlieren, hin und her. Waren seine »beruflich wichtigen Angelegenheiten« in Wirklichkeit Affären? Nein, dachte sie lange, und ihre Freundinnen pflichteten ihr bei. »So darfst du gar nicht zu denken anfangen. Wenn er gelegentlich... Das hat nix zu sagen.« Als ihr Mann eines Tages jedoch von ihr verlangte, dass sie sein Zweitleben mit einer attraktiven Stewardess akzeptierte, rief sie heulend bei ihrer Mutter an. Rita kam samt Karins Vater und einem ausgeliehenen VW-Bus, packte die Tochter, die Kinder und die nötigsten Sachen, und weg waren sie. Alle. Es folgte ein erbitterter Scheidungskampf. Karins Mann weigerte sich, für seine Frau Unterhalt zu zahlen, und für die Kinder gab es nur das gesetzliche Minimum. So zog Karin in das Kleinfamilienhäuschen ihrer Eltern, in die zwei Zimmer unter dem Dach, die sie schon als Jugendliche bewohnt hatte. Großmutter Rita und ihr Mann waren junge Großeltern. Sie freuten sich, dass noch einmal junges Leben in ihr Haus gekommen war, und halfen, wo sie gebraucht wurden. »Das war mein Glück«, erklärte Karin ihrer Freundin Sonja, die ein Jahr nach Karins Trennung einmal auf Besuch kam und erstaunt darüber war, wie gut sich Karin von allem erholt hatte. Sonja hatte ebenfalls eine schlechte Ehe und keinen Job. Aber sie hatte keine Eltern, die sie unterstützt hätten. Deshalb sah sie für sich keine Möglichkeit, sich scheiden zu lassen und mit den beiden Kindern ein neues Leben anzufangen.

MC »Es gibt gute Gründe, bei der Kinderbetreuung auf die Verwandten, vor allem die Großeltern, zurückzugreifen. Sie sind vertraut mit den Kindern, oft bestehen starke emotionale Bindungen zwischen Enkeln und Großeltern. Bei unvorhergesehenen Ereignissen kann man die Großeltern ohne große Hemmungen für kurzfristige Einsätze einzuspringen bitten.«

RL »Eine Studie in der Schweiz hat kürzlich festgestellt, dass die ›Krippe Großmutter‹ einen sehr wichtigen Faktor in der Kinderbetreuung darstellt (Eichenberger 2002). Dreißig Prozent aller Haushalte mit Kindern unter 15 Jahren nehmen haushaltexterne Kinderbetreuung in Anspruch, mehr als die Hälfte greifen dabei auf Verwandte zurück, zu 90 Prozent auf die Großeltern.«

MC »Die Großeltern sind heutzutage weniger autoritär, sie sind jugendlicher, vitaler. Dadurch haben sie mehr Gemeinsamkeiten mit ihren Kindern und Enkelkindern. Den Großvater, der sich vom Enkel den Computer erklären lässt, gibt es nicht nur in der Werbung.«

RL »In der Studie wurde errechnet, dass die Großeltern 100 Millionen Betreuungsstunden pro Jahr leisten. Das liegt deutlich über dem Arbeitsvolumen aller Primarschullehrerinnen und -lehrer in der Schweiz. Bei Betreuungskosten von bescheidenen 7,5 Euro pro Stunde und Kind erbringen die Großeltern eine Betreuungsleistung von 750 Millionen Euro pro Jahr.«

MC »Diese Zahlen sind beeindruckend und erfreulich. Eine Studie in Deutschland ist zu einem ähnlichen Ergebnis gekommen. Aber trotzdem: Die Mehrheit der geschiedenen Eltern bekommen von ihren Familien keine ausreichende Hilfe. Die Großeltern führen entweder selbst noch ein sehr aktives Leben und sind froh, dass die eigenen Kinder groß und aus dem Haus sind. Oder sie sind nicht mehr kräftig und gesund genug, um die Belastungen, die durch die Enkelkinder entstehen, tragen zu können. Sie freuen sich zwar auf einen kurzen Besuch, aber eine wirkliche Hilfe sind sie nicht. Das heißt aber auch, dass diese Eltern die Betreuung ihrer Kinder anders organisieren müssen und auf zusätzliche Unterstützung angewiesen sind.«

Seraina hatte als allein erziehende Mutter und Unternehmensberaterin alle Hände voll zu tun. Nach beiden Schwangerschaften war sie schon nach kürzester Zeit wieder im Büro und arbeitete so viel wie davor. In ihrer Branche, das wusste sie, musste man sich entweder 100 Prozent für die Karriere einsetzen oder aufhören. Auch nachdem die Beziehung zu ihrem Mann in die Brüche gegangen war, änderte sich daran nichts. Ebenso wenig am Betreuungssystem der Kinder, das sie kurz nach der Geburt ihrer älteren Tochter eingeführt hatte. Damals schon hatte sie sich nicht auf ein System von wechselnden Aupairmädchen eingelassen. Sie hatte das Gefühl, dass das zu viel Unruhe in das Leben ihrer Kinder bringen würde. Sie engagierte eine einheimische, gut bezahlte Erzieherin. Petra war die ganze Woche tagsüber bei den Kindern und übernachtete dort, wenn Seraina nicht da war. Die Kinder liebten ihre Petra, und ihre Mutter akzeptierte, dass nicht sie, sondern die Kinderfrau zur ersten Hauptbezugsperson für die Kinder wurde. Seraina litt manchmal darunter, zum Beispiel wenn die Kinder sich wehtaten und zu Petra anstatt zu ihr liefen. Doch sie wusste, dass eine langjährige Betreuung durch Petra und eine tragfähige Beziehung zwischen Petra und den Kindern der beste Ersatz für ihre fehlende Präsenz zu Hause war. Jahrelang begnügte sie sich damit, mit Petra alles zu besprechen, die Erziehung der Kinder aus der Ferne mitzubestimmen und dafür ausgeglichene, frohe Kinder zu haben. Je älter die beiden Mädchen wurden, desto wichtiger wurde die leibliche Mutter für sie. In dem Maße, in dem sie in der Pubertät emotional selbständiger wurden und sich von Petra ablösten, wurde die Mutter als Gesprächspartnerin, Vorbild und Freundin zur wichtigsten Bezugsperson.

MC *»Im Interesse der Kinder so zu handeln, finde ich als Mutter schon sehr konsequent.«*
RL   *»Stimmt. Seraina sah ein, dass sie für ihre Abwesenheit in der Familie einen Preis bezahlen muss und dass sie durch eine intensive Stunde Aufmerksamkeit am Abend nicht die Kontinui-*

tät in der Betreuung gewährleisten kann, die Kinder nun aber einmal brauchen. Mit dem Spruch ›Nicht Quantität, sondern Qualität zählt in der Erziehung‹ lässt sich eine derart große zeitliche Abwesenheit nie rechtfertigen. Die Kinder brauchen immer eine vertraute Person in ihrer Nähe, zu der sie hinlaufen können, wenn sie sich wehgetan haben, wenn sie krank oder unglücklich sind oder wenn etwas ihr Herz berührt.«

MC »*Würde Seraina nicht in der Schweiz, sondern in Frankreich leben, könnte sie ihre Kinder im ganztägigen Betreuungssystem von der Krippe bis zur Schule unterbringen und wäre damit nicht einmal die Ausnahme.*«

RL »*Ganztagesstätten würden für viele Eltern, auch zusammenlebenden, eine große Entlastung bringen.*«

MC »*Als die Kinder von Seraina älter wurden, wurde die Mutter für sie immer wichtiger.*«

RL »*Aber nur, weil sie sich wirklich auf die Kinder eingelassen hat. Die wichtigste Bezugsperson konnte sie auch im Schulalter für die Kinder noch nicht sein, weil sie weiter so intensiv arbeitete. Wie bedeutend anwesende Bezugspersonen auch in diesem Alter noch sind, zeigt das Schicksal der so genannten Schlüsselkinder (Kinder, die alleine zu Hause warten, bis die Eltern von der Arbeit kommen).*«

MC »*Ein schwieriges Thema. Ich kenne viele Mütter, die die Lücke in ihrem Betreuungssystem mit einem Aupairmädchen schließen. Ich im Übrigen auch. Unter bestimmten Voraussetzungen kann das durchaus gut gehen. Oft sind diese jungen, in der Kinderbetreuung meist unerfahrenen Mädchen aber überfordert und deshalb auch keine Bezugspersonen, die den Kindern ausreichend emotionale Sicherheit geben können.*«

RL »*Ja, das ist richtig. Es können eine ganze Reihe von Problemen mit den Aupairmädchen entstehen. Beispielsweise kann es passieren, dass sich das Kind nie richtig an das Aupairmädchen bindet, weil das Mädchen zu jung und erzieherisch zu unerfahren ist. Wenn ein Aupairmädchen sozial kompetent ist und sich emotional auf das Kind einlässt, wird das Kind nach einigen Wochen Vertrauen schöpfen und sich an das Mädchen*

*binden. Doch dann verlässt das Aupairmädchen die Familie
schon nach einem Jahr wieder. Das ist ein herber Verlust für
das Kind. Die meisten Kinder sind innerlich nicht bereit, jedes
Jahr eine Beziehung zu einer geliebten Person aufzugeben und
eine neue Beziehung zu einer fremden Person einzugehen.«*

MC *»Die eigentliche Idee mit den Aupairmädchen ist ja, jungen Menschen einen Aufenthalt im Ausland zu ermöglichen,
ihnen die Chance zu geben, eine andere Sprache und Kultur
kennen zu lernen und durch die Mitarbeit in der Familie ein
Taschengeld zu verdienen.«*

RL *»Dieses Konzept ist in Ordnung. Auch für die Kinder. Die
Eltern dürfen aber nicht erwarten, dass ein Aupairmädchen sie
ersetzen kann. Konkret bedeutet das, dass die Betreuung der
Kinder nicht überwiegend durch das Mädchen geleistet werden
darf. Ein Aupairmädchen darf nicht als Hauptbezugsperson
eingesetzt werden. Mir ist wiederholt berichtet worden, dass
Frauen ganz bewusst für die Betreuung ihrer Kinder Aupairmädchen anstellen, weil die Kinder keine dauerhafte Beziehung zu ihnen aufbauen können. Diese Mütter sind nicht bereit
oder nicht in der Lage, für ihre Kinder verfügbar zu sein. Sie
wollen aber auch nicht akzeptieren, dass andere Personen zu
dem Kind eine Bindung eingehen, die enger ist als die ihre.
Sie übersehen, dass eine solche enge Bindung an eine Hauptbezugsperson aber für das psychische Wohlbefinden des Kindes
notwendig ist. Ihr Verhalten, sich auf Kosten des Kindes vor
›mütterlicher Konkurrenz‹ zu schützen, betrachte ich als eine
Form der Kindsvernachlässigung.«*

MC *»Wie wirken sich wechselnde Aupairmädchen, die die
Mutter als Hauptbezugsperson ersetzen müssen, denn längerfristig auf die Kinder aus?«*

RL *»Ich kenne zwei Kinder, die im Säuglings- und Kleinkindalter fast ausschließlich von Aupairmädchen betreut wurden.
Die Kinder sind jetzt im Schulalter und fallen sozial durch
Distanzlosigkeit auf. Sie finden zwar leicht Kontakt zu Erwachsenen und Kindern, zu dauerhaften Beziehungen sind sie aber
unfähig und haben daher auch keine Freundinnen und Freunde.«*

MC *»Das Problem ist eben, dass bei uns aus der Anstellung von Aupairmädchen eine Art Notsystem entstanden ist, weil Ganztagsangebote in ausreichender Zahl fehlen.«*

Tobias war ein zufriedener und aktiver Säugling, der sich überdurchschnittlich gut entwickelte. Als er zwei Jahre alt war, verließ der Vater die Familie. Tobias kam zu seiner Mutter, doch ein halbes Jahr nach der Scheidung erkrankte sie an Brustkrebs und verbrachte wiederholt Wochen und Monate im Krankenhaus. Schon während der langwierigen Krankheit der Mutter kam Tobias zu Pflegeeltern. Als der Junge sechs Jahre alt war, starb seine Mutter. Er hatte inzwischen schon bei diversen Pflegefamilien gelebt und zwischendurch auch noch einige Zeit in einem Heim verbracht. Mit sieben Jahren wirkte er sehr traurig und passiv. Seine Entwicklung war deutlich verzögert.

Tobias zog sich gern in eine Ecke seines Zimmers zurück. Dort saß er dann unbeteiligt. Er interessierte sich nicht für die ihn umgebenden Spielsachen, nicht einmal für das Fernsehen. Wenn andere Kinder kamen, schien es, als sähe er durch sie hindurch, so wenig nahm er Anteil an ihnen. Er hatte einen todtraurigen Gesichtsausdruck, und, wenn er weinte, wollte er nicht getröstet werden. Er schien in einer Art tonloser Leere gefangen zu sein.

RL *»Wir, Kinderärzte und Psychologinnen, waren sehr besorgt über die Depression und die verzögerte Entwicklung von Tobias. Anfänglich verstanden wir nicht, wie es zu diesem schlechten psychischen Zustand und der Entwicklungsverzögerung gekommen war.«*
MC *»Wenn die Scheidung der Eltern und der Tod der Mutter nicht schuld daran waren, dann muss Tobias wohl unter der ungenügenden Betreuung in den Pflegefamilien und im Heim gelitten haben.«*
RL *»Das haben wir uns ursprünglich auch gedacht. Aber sowohl die Pflegeeltern als auch die Heimerzieher waren kompetent und liebevoll. Sie haben sich große Mühe mit Tobias*

gegeben. Das Drama war, dass Tobias alle drei bis sechs Monate den Betreuungsort und damit seine Betreuer wechselte. Er konnte nie beständige Beziehungen zu ihnen aufbauen. Für ihn blieben die Betreuer fremd. Das heißt, er war im Grunde genommen zwischen seinem dritten und siebten Lebensjahr nur von für ihn fremden Menschen umgeben.«

MC *»Wie ist es mit Tobias weitergegangen?«*

RL *»Nach dem Tod der Mutter wurde Tobias adoptiert. Sein soziales Umfeld stabilisierte sich, und nach etwa zwei Jahren hatte er sich psychisch erholt. In seiner Entwicklung machte er in dieser Zeit einen großen Sprung. Die Erfahrung mit Tobias hat mich gelehrt, wie wichtig die Kontinuität der Betreuungspersonen für die Kinder ist.«*

MC *»Wenn sich Eltern scheiden lassen und außerfamiliäre Betreuung für ihre Kinder brauchen, wird die Kontinuität der Bezugspersonen zu einem wichtigen Thema. Ob sie nun eine Kinderfrau engagieren oder ihr Kind einer Tagesmutter anvertrauen, eine Kinderkrippe suchen oder ihr Schulkind in einen Hort geben wollen, immer müssen sie sich fragen, wer sind die Bezugspersonen für mein Kind und wie lange werden sie seine Bezugspersonen bleiben.«*

Marion stand kurz vor dem Nervenzusammenbruch. Der Vater ihres zweijährigen Sohnes war nach der Trennung auf Nimmerwiedersehen verschwunden. Sie hatte bei ihrem ehemaligen Chef angerufen. Zum Glück konnte er in seinem In-Laden die ausgebildete Friseurin gut gebrauchen. Marion war erleichtert. Sie hätte sonst Sozialhilfe beantragen müssen. Nun musste sie nur noch für Adrian eine ganztägige Betreuung finden. Nur noch? Nachdem sie alle Tagesstätten der Stadt durchtelefoniert hatte, gab es »möglicherweise in einem halben Jahr eine kleine Chance« auf einen Platz in der Kinderkrippe am anderen Ende der Stadt. In Bayern würden auf 100 Kinder keine zwei Krippenplätze kommen, erklärte ihr die Leiterin der aus allen Nähten platzenden Einrichtung resigniert. Sie solle es doch einmal mit einer Tagesmutter versuchen. Eine Liste gäbe es bei den

Mutter-Kind-Beratungsstellen oder dem Alleinerzieherinnen-Verein.

Marion hatte von Anfang an gemischte Gefühle, als sie für Adrian schließlich eine Tagesmutter gefunden hatte und ihr Kind das erste Mal dort ablieferte. Sie hatte mehrere Telefonnummern auf der Liste angerufen, alle klangen freundlich, erklärten ihr, dass sie gut kochen könnten und mit den Kindern schon mal in den Innenhof zum Spielen gehen würden. Marion entschied sich dann für die geographisch am günstigsten gelegene Tagesmutter. So würde sie Adrian auf dem Weg zur Arbeit abgeben und auf dem Nachhauseweg wieder abholen können. Die ersten Male weinte Adrian, als Marion weggehen wollte, und war vor Freude kaum zu halten, als sie ihn wieder abholte. »Das braucht Zeit«, sagte Frau Schneider. Einmal kam Marion zwei Stunden früher zum Abholen und bemerkte, dass die Tagesmutter offensichtlich nicht, wie sie anfangs gesagt hatte, vier Kinder zu betreuen hatte, sondern sechs. Es seien eben nun doch mehr geworden, aber das mache ja nichts. Schließlich hätten die Kinder dadurch mehr Spielkameraden, erklärte Frau Schneider voller Ruhe. Marion regte sich nicht weiter auf. Wäre sie nicht so heilfroh gewesen, Adrian überhaupt irgendwo untergebracht zu haben, hätte sie sich vielleicht darüber Gedanken gemacht, wie Frau Schneider sechs ein- bis dreijährige Kinder wickelt, füttert und beruhigt, wenn sie zu schreien beginnen. Außerdem ließ ihr die Arbeit keine Verschnaufpause. Haare schneiden, waschen, legen, ununterbrochen auf den Beinen durch den Edel-Friseurladen hasten, freundlich und gelassen, den Druck des Chefs und die Kritik der pingeligen Kundinnen aushalten. Als Adrian Windpocken bekam, nahm sie sich Urlaub aus Angst davor, als »weiblicher Belastungsfaktor« angesehen und ausgemustert zu werden. Sie machte sich zunehmend Sorgen wegen Adrian. Er war immer ein so fröhliches Kind gewesen. Nun wirkte er verstört, weinte viel, wollte sie gar nicht mehr loslassen. Auch als die Windpocken abgeklungen waren, Marion wieder in die Arbeit und Adrian zur Tagesmutter ging, blieb ihr Sohn blass und verstört. »Es ist eben nicht einfach für den Kleinen, dich den ganzen Tag nicht zu sehen«, sagte ihre Freundin, Mutter von zwei Kindern und Hausfrau. »Und dazu noch der fehlende Vater.« Es war schon sehr schwierig, das alles. Aber lag es wirklich an der familiären Situation? Marion meinte, nicht. Wenn sie an die Tagesmutter dachte, hatte sie ein ungutes Gefühl, wusste aber nicht, warum. Als sich die Möglichkeit bot, zu einer anderen Tagesmutter zu wechseln, ergriff Marion die Chance. Dieses Mal erkundigte sie sich genau nach der Anzahl der Kinder, der Ausbildung und Motivation der Tagesmutter. Und siehe da, nachdem sich Adrian an die neue Bezugsperson gewöhnt hatte, blühte er zusehends auf. Er blieb gerne den ganzen Tag bei ihr und wurde wieder der fröhliche kleine Knabe, der er immer gewesen ist.

MC *»Es ist wirklich schwierig, die Qualität einer Tagesmutter zu beurteilen. Sie hat ja keinen fachlichen Nachweis vorzuweisen und wird auch nicht kontrolliert. Außerdem haben viele, denke ich, Angst, die Tagesmutter mit an sich berechtigten Fragen zu verärgern. Immer wenn man kommt, brauchen alle Kinder gleichzeitig etwas, weinen oder krabbeln davon, und es bleibt keine Zeit für Fragen.«*
RL *»Das mag schon sein. Dennoch ist es die Pflicht und auch das Recht der Eltern, sich genau zu informieren, wie ihr Kind von der Tagesmutter betreut wird.«*
MC *»Auf welche Dinge kommt es denn an?«*

Unter Kinderbetreuung wird leider immer noch häufig Kinderaufbewahrung verstanden. Deshalb ist es wichtig, dass sich die Eltern, wenn sie ihr Kind zu einer Tagesmutter oder in eine Kinderkrippe geben, auch sicher sind, dass die Betreuung kindgerecht ist. Die meisten Tagesmütter bringen zwar eine wichtige Voraussetzung, nämlich ihre Erfahrungen mit Kindern, mit. Diese Erfahrung ist sozusagen ihr pädagogisches Kapital. Das große Problem mit den Tagesmüttern ist die fehlende soziale Stellung ihres Berufes, die schlechte Bezahlung und die ungenügende Aus- und Weiterbildung. Das macht den Beruf »Tagesmutter« nicht gerade attraktiv. Eine gute Betreuung von Kindern ist aber überaus anspruchsvoll. Anspruchsvoller als so manch anderer Beruf. Den Kindern zuliebe sollten wir uns deshalb für eine größere gesellschaftliche Anerkennung der Tagesmütter einsetzen.

Wenn Eltern ihr Kind einer Tagesmutter anvertrauen, sollten sie sich nicht scheuen, Fragen an sie zu stellen und sich in den Räumen umzusehen, in denen ihr Kind nun viel Zeit verbringen wird. Was ist sie für eine Frau? Lädt sie die Eltern zum Kaffee ein, setzt sich mit ihnen hin und will wissen, wie die Eltern leben, was sie arbeiten, was für eine Persönlichkeit das Kind ist, worauf sie achten soll und welche Anliegen die Eltern im Umgang mit ihrem Kind haben? Wie begegnet die Tagesmutter dem Kind und wie heißt sie es willkommen? Wie ist die Wohnung eingerichtet, wird sich das Kind hier wohl fühlen? Was für Spielsachen gibt es? Kann das Kind im Freien spielen?

Fragen an die Tagesmutter

Zur Person
- Frühere Tätigkeiten?
- Eigene Kinder: wie alt, was machen die Kinder?
- Wie sind die Lebensbedingungen (was macht der Partner)?
- Andere Tätigkeiten?

Als Tagesmutter
- Weshalb nimmt sie Kinder in Betreuung?
- Was will sie über das Kind wissen?
- Wie interessiert ist sie, die Eltern kennen zu lernen?
- Hat sie sich weitergebildet?
- Ist sie Mitglied eines Vereins für Tagesmütter?

Betreuung
- Wie viele Kinder betreut sie? Wie alt sind die Kinder?
- Wie viele Tage pro Woche und wie viele Stunden pro Tag betreut sie Kinder?
- Was bekommen die Kinder zu essen?

Wohnung

- Wie viele Zimmer? Wie viel Raum steht den Kindern zur Verfügung?
- Wie sieht die Küche, die Toilette aus?
- Welche Spielsachen stehen den Kindern zur Verfügung?
- Welche Möglichkeiten haben die Kinder, um im Freien zu spielen?

Was die Eltern am meisten beschäftigen sollte, ist folgende Frage: Wie viele Kinder betreut die Tagesmutter, und wie alt sind sie? Grundsätzlich gelten für Tagesmütter die gleichen Anforderungen wie für Tagesstätten. Ob eine Tagesmutter zwei, drei oder gar vier Kinder im Alter von zwei bis fünf Jahren betreuen kann, hängt von ihrer erzieherischen Kompetenz, den räumlichen Bedingungen und davon ab, ob sie die Kinder schon länger kennt. Oft hingegen wird die Anzahl der zu betreuenden Kinder von finanziellen Überlegungen auf Seiten der Tagesmutter wie auch der Eltern mitbestimmt. Je mehr Kinder, desto billiger ist der Betreuungsplatz oder desto mehr verdient die Tagesmutter.

Im Gegensatz zu Marion hatten die Eltern von Johann wirklich Glück. Nach der Scheidung musste Inge wieder ganztags arbeiten. Das heißt, sie war heilfroh, dass sie statt ihrer schlecht bezahlten Halbtagsstelle sofort eine Ganztagsstelle, und das im gleichen Unternehmen, bekam. Durch den Regierungsumzug waren gute Sekretärinnen in Berlin mehr als gefragt. Inge hatte für den eineinhalbjährigen Johann einen Platz in der Kinderkrippe gefunden, noch dazu in einer geradezu ideal erscheinenden Institution. Klein und überschaubar, in hellen, freundlichen Räumen mit ausgewählten Spielsachen und einem kleinen Garten. Nach kürzester Zeit schon hatte sich Johann dort gut eingelebt. Vor allem zu Susanna hatte er eine innige Beziehung aufgebaut. Sie war Halbitalienerin und in vielem seiner Mutter ähnlich. Herzlich, etwas mollig und ausgeglichen. Bei den anderen beiden Betreuerinnen blieb Johann schüchtern. Weinte er, lief er sofort zu Susanna, und wenn er am Nachmittag ein kleines Schläfchen machen sollte, konnte nur Susanna ihn zum Einschlafen bringen. Inge störte die innige Beziehung zwischen Johann und Susanna nicht. Im Gegenteil. Sie hatte das Gefühl, dass ihr Kind eine starke Bezugsperson brauchte, und freute sich, dass sich Johann ausgerechnet die ausgesucht hatte, die auch ihr am besten gefiel. Inge war dankbar und wirklich entlastet durch die gute Betreuungssituation für Johann. Sie freute sich immer schon zu Mittag auf ihr Kind, ging dann, wenn sie ihn schließlich um fünf Uhr nachmittags abholte, auch oft noch auf den Spielplatz mit ihm, dann kochte sie, manchmal auch noch für eine Freundin und deren gleichaltrige Tochter. Nein, Inge hatte nicht das Gefühl, unter ihrer Lebenssituation zu leiden, und war auch nicht übermäßig gestresst. Doch dann, nach einem halben Jahr, kehrte Susanna nach Turin zurück. Johann litt sehr unter dem Verlust. Er weinte, wirkte verstört, hatte keine Lust zu essen und wachte nachts oft auf. Es brauchte lange, bis er sich in der Kinderkrippe wieder zurechtfand.

MC »Die Qualität dieser Krippe war in jeder Beziehung optimal. Das Personal war gut ausgebildet, die Anzahl der Kinder pro Betreuerin war nicht zu hoch. Das Problem war offensichtlich, dass Johann durch den Weggang seiner Susanna einen echten Verlust erlitten hat.«

RL »Ja. Kinder brauchen Kontinuität. Wir Erwachsenen im Übrigen auch. Den Arbeitsplatz zu wechseln oder einen neuen Chef zu bekommen bedeutet Stress und reduziert die Arbeitskraft. Für Kinderbetreuungseinrichtungen ist es in unserer schnelllebigen Zeit nicht immer einfach, die nötige Kontinuität zu gewährleisten. Aus unterschiedlichsten Gründen herrscht oft eine hohe Fluktuation.«

MC »Man könnte im Interesse der Kinder fordern, dass Tagesstätten ihr Personal nur längerfristig anstellen?«

RL »Das wäre wünschenswert und sollte auch dem Berufs-

ethos der Betreuerinnen entsprechen. Auch sie möchten die Kinder ja möglichst gut versorgen. Dazu gehört auch das Gewährleisten von Kontinuität. Und es erhöht die Qualität der Krippe, wenn sie Längerfristigkeit in den Kriterienkatalog für eine Anstellung mit aufnimmt.«

MC *»Es war sicher unglücklich, dass Johann in der Krippe nur eine Bezugsperson hatte. Wären es zwei oder drei gewesen, hätte er möglicherweise überhaupt keinen Verlust erlebt.«*

RL *»Ja, das stimmt. Es gibt Kinder, die sich schwer tun, zu verschiedenen Betreuerinnen eine Beziehung aufzunehmen. Sie binden sich nur an eine Person, und wenn die weggeht, fühlen sie sich verlassen. Die meisten Kinder sind durchaus in der Lage, mehrere Bezugspersonen in einer Kinderkrippe zu haben.«*

MC *»Welche Kriterien für eine gute Tagesstätte gibt es noch?«*

RL *»Die Eltern sind froh und dankbar, wenn sie überhaupt einen Krippenplatz bekommen. Sie wagen gar nicht, kritische Fragen zu stellen. Sollten sie aber. Der wichtigste Faktor ist, wie schon bei der Tagesmutter, das Zahlenverhältnis Kinder pro Betreuerin. Fragen die Eltern danach, wird die Tagesstätte angeben, wie viele Betreuerinnen angestellt sind. Das ist aber nicht der Punkt. Für die Kinder wesentlich ist, wie viele Kinder auf eine anwesende Betreuerin kommen. Die Arbeitsdauer und Anstellungsbedingungen spielen also eine wichtige Rolle.«*

Kinder haben in jedem Alter ganz bestimmte Bedürfnisse. Diese Bedürfnisse müssen bei jeder Form von Betreuung beachtet werden. Wenn das der Fall ist, so belegen viele Studien, ist eine kindgerechte Betreuung auch in Institutionen möglich.

Welche Anforderung an eine Krippe sollen die Eltern nun stellen? Das Wichtigste ist das Personal. Das Personal muss gut ausgebildet sein und sich regelmäßig fortbilden. Die Leitung der Krippe muss gut organisiert, die Anstellungsbedingungen und Löhne sollten fair sein. Ist Letzteres nicht der Fall, werden keine gut qualifizierten Personen bereit sein, in dieser Institution zu arbeiten. Im Interesse der Kinder sollte höchstens eine nicht ausgebildete Person auf eine ausgebildete Person kommen. Auch die räumlichen Gegebenheiten sollten eine Reihe von Bedingungen erfüllen. Besteht ausreichend Platz, damit sich die Kinder zurückziehen und in kleinen Gruppen beschäftigen können? Gibt es einen Spielplatz? Werden sich die Kinder regelmäßig bewegen, laufen und klettern können?

Checkliste für eine gute Kinderbetreuung in einer Tagesstätte

Personal
- Qualifizierte pädagogische und administrative Leitung
- Ausbildung und Weiterbildung
- Ausgebildete Bezugspersonen

Eine ausgebildete Person für eine nicht ausgebildete Person
- Klare und sinnvolle Verteilung von Aufgaben und Verantwortung

Weiter- und Fortbildung

Fachberatung

Supervision
- Gesicherte finanzielle Grundlage
- Faire Arbeitsbedingungen und Löhne

Räumliche Gegebenheiten
- Ausreichend, eine freie Gruppenbildung zulassend
- Anregende Ausstattung
- Leicht zugängliches und inspirierendes Material
- Grobmotorische Bewegungs- und Rückzugsmöglichkeiten in den Gruppenräumen
- 7 bis 9 Spielzonen pro Gruppe
- Sanitäre Einrichtungen

(modifiziert nach Hellmann 2002)

Wie viele Kinder kann eine Erzieherin in einer Krippe oder einem Hort betreuen? Die Vor- und Nachteile der außerfamiliären Betreuung werden seit vielen Jahren kontrovers diskutiert

(Belsky 1988, Belsky und Steinberg 1978, Scarr 1990). Die Studien haben gezeigt, dass die Anzahl Kinder, die eine Erzieherin betreuen kann, wesentlich von ihrer sozialen und fürsorglichen Kompetenz, ihrer Belastbarkeit und ihren bisherigen Erfahrungen mit Kindern abhängt (Scarr und Eisenberg 1993, Burchinal et al. 1996, Lamb und Wessels 1997).

Wenn wir von den Grundbedürfnissen der Kinder ausgehen, ist der entscheidende Faktor die Verfügbarkeit der Bezugspersonen. Wenn sich die Kinder wohl und geborgen fühlen sollen, dann wird die Anzahl der Kinder, die eine Erzieherin betreuen kann, durch ihre Verfügbarkeit begrenzt. Die Kinder erwarten, dass sie jederzeit Zugang zu der Erzieherin haben und von ihr die notwendige Nähe und Zuwendung bekommen. Die individuellen Ansprüche, welche die Kinder an sie stellen, sind dabei sehr unterschiedlich. So gibt es unter drei- bis fünfjährigen Kindern solche, die immer wieder einen kurzen oder längeren Körperkontakt mit der Erzieherin brauchen, während anderen gelegentliche Blicke und aufmunternde Worte von ihr ausreichen.

Die Kinder verlangen nicht, dass sich die Erzieherin ständig mit ihnen abgibt, sie sollte aber jederzeit verfügbar sein. In einer Spielgruppe beschäftigen sich die Kinder die meiste Zeit miteinander oder für sich alleine. Jedes Kind will aber irgendwann die ungeteilte Aufmerksamkeit der Erzieherin, das eine Kind häufiger als das andere. Sind die Kinder zwischen drei und fünf Jahre alt, kann eine Erzieherin je nach ihren Fähigkeiten und Erfahrungen bis zu fünf Kinder während einiger Stunden betreuen. Ist die Gruppe größer, vermag sie dem einzelnen Kind nicht mehr gerecht zu werden. Sie kann die Kinder lediglich noch beaufsichtigen und mit dem Nötigsten versorgen. Nach dem fünften Lebensjahr verringern sich die Ansprüche, welche die Kinder an eine Erzieherin stellen, weil sie immer fähiger werden, sich gegenseitig Geborgenheit und Zuwendung zu geben, weil sie selbständiger werden.

Altersgemischte Gruppen
* Mindestens 3 Jahrgänge

Kleine Gruppen
* 8 Plätze für eine Gruppe mit einem Säugling und 7 Kleinkindern
* 10 Plätze für eine Gruppe mit zwei- bis sechsjährigen Kindern

Kinder-Betreuerin-Verhältnis
* Kinder jünger als 18 Monate: eine anwesende Person für 2 bis 3 Kinder
* Kinder 18 bis 36 Monate alt: eine anwesende Person für 4 Kinder
* Kinder 37 bis 60 Monate alt: eine anwesende Person für 5 Kinder
* Kinder älter als 60 Monate: eine anwesende Person für 6 bis 8 Kinder

Gruppenstabilität
* Mehrheitlich feste Wochengruppe/Halbtagesgruppe/Tagesgruppe

Kontinuität in der Betreuung
* Es gibt mehr als eine Bezugsperson für ein Kind
* Das Kind hat jederzeit Zugang zu einer vertrauten Person

Kindgerechte Verpflegung

(modifiziert nach Hellmann 2002)

RL *»In den vergangenen vierzig Jahren wurden zahlreiche Studien zur Kinderbetreuung in Institutionen durchgeführt. Die Studien belegen, dass eine gute Kinderbetreuung in Tagesstätten möglich ist. Sie weisen aber auch nach, dass eine gute Kinderbetreuung teuer ist. Damit wird die außerfamiliäre Betreuung zu einer finanziellen und letztlich politischen Frage. Wie viel ist die Gesellschaft bereit, für die Betreuung der Kinder zu bezahlen?«*

Anforderungen an eine kindgerechte Betreuung:

1. Das Kind hat jederzeit Zugang zu einer Bezugsperson

2. Eine Bezugsperson ist eine Person, die
   - dem Kind vertraut ist
   - verfügbar ist
   - verlässlich ist
   - angemessen mit dem Kind umgeht

3. Die Bezugspersonen gewährleisten Kontinuität in der Betreuung

4. Bei familienergänzender Betreuung ist zu achten auf:
   - Ausbildung der Betreuerinnen
   - Organisation der Tagesstätten
   - Räumliche Gegebenheiten

5. Das zahlenmäßige Verhältnis Kinder pro Betreuerin ist der wichtigste Indikator für eine qualitativ gute Kinderbetreuung

Wie viel Unterstützung brauchen die Eltern?

Wie sie das alles nur überstanden hatte, fragte sich Maria oft, und manchmal konnte sie gar nicht glauben, dass sie, sie allein es gewesen war, die die vergangenen zwanzig Jahre für alles gerade gestanden war. Für alles. Das Geld, die Kindererziehung, den Haushalt und die Stimmung daheim. Wie oft war sie depressiv, hoffnungslos, nervlich am Ende gewesen. Zufrieden, wie sie heute ist, sieht sie das ganz klar. Deshalb hatte sie sich auch diese simplen Sprüche mit Plastikmagneten an die Tür des Kühlschranks geheftet. »Wenn das Leben schwer ist, kann man nicht auch noch griesgrämig sein.« »Ein Lächeln am Tag, vertreibt Kummer und Sorgen.« »Wehwehchen sind was für reiche Leute.« Maria war nicht zimperlich. Sie hatte nur ihr Lachen für einige Jahre verloren. Sie, das fröhliche, bodenständige und zuversichtliche Mädchen. Doch hätte sie ihren Mann nicht verlassen, sie wären wohl alle drei draufgegangen. Alkoholexzesse, Funkstreife, Frauenhaus. Er war kein schlechter Vater, nur krank. Einmal hat er sogar den Kleineren aus dem Kinderwagen gekippt, so betrunken war er. Dann verkroch sie sich mit den beiden Kleinkindern in eine Ecke des Zimmers, versuchte, unsichtbar zu werden. Ob er sie geschlagen hat? Sie weiß es nicht mehr, weiß nur, dass ihr der Ältere mit einem Fleischklopfer zu Hilfe gekommen war. Gegen manches sperrt sich die Erinnerung.

Nachdem er auf Nimmerwiedersehen davongegangen war, gab es seine Schulden und ihre Existenzängste. Jeden Tag den sozialen Abstieg vor Augen, arbeitete sie bis zum Umfallen. Mittags kellnerte sie in der Gaststätte »Zum Löwen«, davor und danach putzte sie und führte anderer Leute Haushalt. Und die Kinder? Sie holte sie um vier Uhr nachmittags vom Kindergarten und später aus dem Hort ab, um sie anschließend für drei Stunden alleine zu lassen. Noch ein Kunde, 150 Quadratmeter Staub saugen, acht Fenster putzen und zwei Bäder schrubben. Dann die beiden Jungen ins Bett legen und ein Buch vorlesen. Die Abende mit ihnen ließ sie sich nicht nehmen. Und ebensowenig die Verantwortung, auch nicht vom Jugendamt. Ihre Kinder besuchten gute Schulen, bekamen den Nachhilfeunterricht bezahlt und schließlich die Universität.

Gott sei Dank sind die Schulen in Deutschland kostenlos, dachte sie und wählte stets die SPD. Der Sozialstaat hat etwas für die unteren Schichten der Gesellschaft übrig. Alle haben die gleichen Bildungschancen. Nur die allein erziehenden Mütter, die eine gute ganztägige Betreuung für ihre Kinder brauchen, fallen irgendwie durch den Rost. Doch das ist eben so. Immer musste sie um Hortplätze und Öffnungszeiten kämpfen, immer wieder bekam sie für eines der beiden Kinder keinen Betreuungsplatz, und oft ließ sie das Gefühl nicht los, dass die beiden bloß verwahrt werden, aber nicht gut betreut sind.

MC *»Es ist für eine Mutter ausgesprochen belastend, wenn sie jahrelang unter einem mangelhaften Betreuungssystem für ihre Kinder zu leiden hat. Immer zu wissen, dass man als allein stehende, berufstätige Frau zwar bei weitem nicht die Einzige, aber doch nicht erwünscht ist, macht das Leben zu einem Hindernisrennen. Wenn es ein ganztägiges, qualitativ gutes Betreuungssystem für Kinder gäbe, könnte man Leben und Beruf auch ganz anders planen. Maria war bestimmt auch deshalb immer so chronisch übermüdet, weil es ein durchgängiges Betreuungssystem für Kinder wie etwa in Frankreich in Deutschland leider nicht gibt.«*

RL *»Viele Eltern geraten in einen Betreuungsnotstand, weil sie keinen Krippen- oder Hortplatz finden. In der Schweiz arbeiten etwa 75 Prozent der allein erziehenden Eltern Halb- oder Vollzeit. Sechzig Prozent aller Mütter, deren Kinder älter als fünf Jahre sind, sind berufstätig. Wer soll ihre Kinder betreuen? Die Gesellschaft erwartet, dass diese Aufgabe immer* noch von den Eltern oder ihren Familienangehörigen geleistet wird. Was offensichtlich vielen Familien heutzutage nicht mehr möglich ist. In der Schweiz verfügen wir je nach Schätzung über 12 000 bis 25 000 Krippenplätze. Benötigt würden aber zwischen 100 000 und 200 000 (Eichenberger 2002). Die Schweiz ist im Jahr 2002 in Bezug auf die familienergänzende Kinderbetreuung ein Entwicklungsland.«

MC »In Deutschland ist die Situation nicht besser. Bundesweit gibt es für jedes 30. Kind einen Krippenplatz, für jedes sechste einen Ganztagskindergarten und für jedes 25. Kind einen Hortplatz. Dabei gibt es große regionale Unterschiede. In Berlin und Sachsen-Anhalt kann jedes zweite Kind eine Krippe besuchen, in Bayern und Baden-Württemberg jedoch nur jedes 50. Kind. Würden wir die Kinderbetreuung in Deutschland wie in Frankreich oder Skandinavien ausbauen, müssten wir 19 Milliarden Euro im Jahr zusätzlich aufwenden (Kreyenfeld et al. 2001).«

RL »Die Finanzierung der familienergänzenden Kinderbetreuung ist eine politische Herausforderung! Die skandinavischen Länder zeigen, dass ein breites Angebot an Kinderbetreuung möglich ist, wenn die Einsicht für die Notwendigkeit in der Bevölkerung und der politische Wille dazu vorhanden sind.«

MC »Ich fürchte, in Deutschland besteht immer noch eine große Skepsis gegenüber der Krippenbetreuung. Viele Eltern haben eine Scheu, ihre Kinder so früh von zu Hause weg in eine Betreuungseinrichtung zu geben. Bei Kinderkrippe hören sie das Wort Rabenmutter gleich mit und denken eher an traurige Verwahreinrichtungen für Kinder als an anregende, freundliche, auf die Bedürfnisse von Kleinkindern zugeschnittene Orte, wo Kinder wichtige soziale Erfahrungen machen und vieles lernen können.«

RL »Die Bedenken gegen die Kinderkrippen sind nicht berechtigt. Zahlreiche Studien zeigen, dass eine außerfamiliäre Betreuung, die qualitativ gut ist, den Kindern nicht schadet und sogar gewisse Vorteile gegenüber der Familienbetreuung hat (Erath 1983).«

MC *»Die beste Lösung wäre, wenn die Eltern selbständig ent-*
scheiden könnten, wer ihre Kinder betreut. Dazu müssten sie
aber mit einem, an den heutigen Verhältnissen gemessen, groß-
zügigen Kindergeld unterstützt werden. Sie könnten es sich
dann entweder leisten, die Kinder selber zu betreuen oder
aber eine entsprechende Kinderbetreuung finanzieren. Öster-
reich geht da interessante Wege. Die Eltern werden neuerdings
mit einem Kindergeld von 450 Euro pro Kind und Monat unter-
stützt. Das Geld entschädigt sie für den Arbeitsausfall, oder sie
können es für die Bezahlung einer Tagesstätte verwenden.«

RL *»Solange das Kindergeld nicht als Legitimation genutzt*
wird, die Frauen aus dem Arbeitsleben herauszudrängen, klingt
das gut. Immer mehr Familien sind auf eine finanzielle Unter-
stützung angewiesen. In der Schweiz wurde berechnet, wie viel
es kostet, ein Kind aufzuziehen. Angefangen bei der Flaschen-
nahrung und den Wegwerfwindeln bis zu der Unterstützung
während der beruflichen Ausbildung. Die Zahlen sind von ihrer
Größenordnung her wohl auch für andere mitteleuropäische
Länder gültig.«

Kosten für Kindererziehung

- Kinder kosten je nach Alter unterschiedlich viel Geld. Die
  gesamten Auslagen für ein Kind, von seiner Geburt bis zum
  20. Lebensjahr, belaufen sich in einem Haushalt mit durch-
  schnittlichem Einkommen auf rund 200000 Euro. Für jedes
  weitere Kind müssen zwischen 100000 und 120000 Euro
  aufgewendet werden.

- Kinder kosten Zeit; Zeit, die vor allem von den Müttern aufgewendet wird. Sie reduzieren ihre Erwerbstätigkeit zugunsten der Familienarbeit und büßen damit einen großen
  Teil ihres Einkommens ein. Durch die zusätzlichen Kosten
  und die Einbußen reduziert sich das verfügbare Einkommen
  eines durchschnittlichen Paarhaushaltes bei der Geburt des
  ersten Kindes auf etwa die Hälfte und bleibt dann bis zum
  Auszug der Kinder auf relativ niedrigem Niveau.

- Ein Teil der Zeitkosten von Kindern fällt bereits an, bevor die Kinder da sind – manche Frauen reduzieren schon bei der Heirat ihre Erwerbstätigkeit – und vor allem noch weit über die Kinderphase hinaus. Die Frauen bleiben weiterhin teilzeitlich erwerbstätig, ihre Aufstiegs- und Lohnchancen sind wegen der Unterbrechung reduziert.
- Vor allem die umfangreichen indirekten Kosten, Einkommenseinbußen und Altersvorsorge der Mütter, bleiben zu etwa 95 Prozent ungedeckt.
- In den sechziger Jahren lebte jedes 75. Kind unter der Armutsgrenze. Heutzutage ist es jedes siebte Kind.

Die Berechnungen wurden für die Schweiz angestellt, gelten aber im Wesentlichen wohl auch für andere mitteleuropäische Länder (Bauer 1998).

Maria hat es keinen Tag bereut, dass sie zwei Kinder aufgezogen hat. Auch wenn ihr Leben ohne die beiden viel, viel einfacher gewesen wäre. Im Gegensatz zu anderen Frauen ihres Alters verstand sie jedoch sehr gut, dass sich heute viele junge Frauen davor scheuen, schwanger zu werden. Auch die Freundinnen ihrer beiden Söhne wollten nicht ohne weiteres Kinder bekommen. Zuerst alles andere und dann, wenn es nicht zu spät ist, vielleicht noch ein Kind. Als i-Tüpfelchen auf einem gelungenen Leben. Als Luxusdraufgabe nach Reihenhaus, Auto und Urlaub. So ungefähr waren deren Lebenspläne, und Maria empfand sie nicht als egozentrische Hedonisten, wie das die anderen Frauen ihrer Generation gerne taten. Manchmal verteidigte sie ihre Schwiegertöchter in spe sogar vor diesen Leuten. Sie hatten doch Recht. Kinder sind ein großes Risiko. Wer wusste das besser als sie. Und dann erzählte sie ein bisschen aus ihrem eigenen Leben und warum sie bei allem Unglück doch immer auch Glück gehabt habe. Aber die Zeiten würden nicht einfacher werden. Der Sozialstaat bräche zusammen, die Arbeitslosigkeit wachse. Wer denke da schon an die Familien, geschweige denn an die Alleinerzieherinnen. Nein, Maria verstand die jungen Frauen.

RL »Allen Erwachsenen, die sich Kinder wünschen, sollte es existentiell möglich sein, Kinder zu haben. Kinder werden aber zunehmend zu einem Luxusgut. Immer mehr Familien leben heute am Existenzminimum. In der Schweiz sind es neben den älteren Menschen vor allem die allein erziehenden Eltern, aber auch immer mehr zusammenlebende Eltern mit einem geringen Einkommen, die an der Armutsgrenze leben. Wir sprechen in der reichen Schweiz von einer neuen Armut.«

MC »Der Staat soll also nicht nur die Tagesstätten finanzieren, sondern auch die Familien finanziell unterstützen. Das wäre wirklich ein sinnvolles Gesamtpaket. Dann hätten Frauen und Männer die Wahl zwischen Selbst- und Fremdbetreuung. Aber ich fürchte, ein derart tief greifender gesellschaftlicher Strukturwandel ist weder von der Politik noch der Finanzierung her realistisch. Stattdessen wird in der Familienpolitik Kosmetik betrieben. Einmal steigt das Kindergeld um ein paar Euro, dann gibt es wieder ein paar Kindertagesstätten mehr. Das reicht aber alles nicht.«

RL »Der Bevölkerung ist noch nicht bewusst, welche Konsequenzen sich ergeben werden, wenn dieser Wandel nicht vollzogen wird! Kinder aufzuziehen ist heutzutage mühsam und kostspielig. Die Auswirkungen sind: Immer weniger junge Menschen heiraten, und immer weniger Kinder werden geboren. Wir erleben seit einiger Zeit einen stillen Gebärstreik.«

MC »Was ich sehr gut verstehen kann. Immer mehr Frauen wollen sich nicht mehr dem Stress aussetzen, Kinder zu haben, mit einer fast 50-prozentigen Wahrscheinlichkeit sie allein aufziehen zu müssen, unter der Doppelbelastung von Elternschaft und Beruf zu leiden und keine ausreichende Unterstützung zu erhalten.«

RL »Aber auch die Männer scheuen immer mehr davor zurück, Kinder zu haben. Sie haben große Angst davor, mit einer Familie in materielle Bedrängnis zu geraten, und vor allem, wenn es zur Scheidung kommt – das Risiko ist immerhin 40 Prozent – am Existenzminimum leben zu müssen.«

MC »Die Frauen sind heutzutage genauso gut, oft sogar besser *ausgebildet als die Männer. Die Mütter wollen und viele müssen aus finanziellen Gründen arbeiten. 20 Prozent der jungen verheirateten Frauen und 40 Prozent der Akademikerinnen wollen keine Kinder, weil diese für ihre Karriere hinderlich sind. Sechzig Prozent der Mütter mit Kindern im Schulalter sind mindestens teilweise berufstätig. Die Wirtschaft hat sich liberalisiert und öffnet sich immer mehr für die Frauen. Aber die Gesellschaft hat sich noch nicht an die veränderte Wirtschaft angepasst. Sie ist in einer traditionellen Rollenaufteilung zwischen Mann und Frau stecken geblieben.«*

In Europa kamen in den vergangenen zwei Generationen immer weniger Kinder zur Welt. Dieser Geburtenrückgang wird langfristige Auswirkungen auf die Bevölkerungszahlen haben. Um die Bevölkerungszahl stabil zu halten, müssen mindestens 2,1 Kinder pro Frau geboren werden. In den skandinavischen Ländern beträgt die Geburtenrate 1,7 bis 1,8, in Deutschland, Österreich und in der Schweiz 1,3 bis 1,4. Den Negativrekord hält das katholische Italien mit 1,2 Kindern pro Frau im gebärfähigen Alter. Nicht weit davon entfernt sind Spanien und Griechenland sowie die osteuropäischen Staaten.

Geburtenrate und Bevölkerungsentwicklung

Land	Geburten pro Frau im gebärfähigen Alter	Bevölkerung (in Millionen)		Bevölkerungs-rückgang bis ins Jahr 2100
Norwegen	1,8	4,4	3,2	28%
England	1,6	56	28	50%
Deutschland	1,4	84	14	83%
Österreich	1,4	7,6	1,4	83%
Schweiz	1,4	7,5	1,3	83%
Italien	1,2	56	8	86%

(modifiziert nach Pearce 2002)

Geht man von der Annahme aus, dass keine Einwanderung erfolgt und die Geburtenrate gleich bleibt, ergibt eine Hochrechnung, dass die Bevölkerung von Deutschland, Österreich und der Schweiz in den nächsten hundert Jahren um 83 Prozent zurückgehen wird.

MC »Die europäischen Völker werden also aussterben oder – wahrscheinlicher – durch Einwanderer aus verschiedensten Erdteilen ersetzt werden.«

RL »Eine solche Entwicklung ist aus globaler Sicht ja nicht unbedingt negativ, würde aber zu einschneidenden demographischen Veränderungen führen. Diese Einsicht wird, weil wir die Konsequenzen daraus nicht ziehen wollen, immer noch verdrängt.«

MC »Immerhin haben die Politiker realisiert, dass die Renten wegen der veränderten Altersstruktur in der Bevölkerung in ein bis zwei Generationen nicht mehr gesichert sein werden. Es gibt immer mehr alte Menschen und immer weniger junge Leute, die für die alten Menschen arbeiten.«

RL »Alles hängt zusammen. Die älteren Menschen hängen von den Kindern ab, die Kinder aber auch von den älteren Menschen. Im Interesse aller Altersgruppen muss der Staat die Rahmenbedingungen für die Eltern verbessern. Er hat in den vergangenen hundert Jahren verschiedene Aufgaben übernommen, die früher ausschließlich von den Familien geleistet worden sind: Altersvorsorge, Krankenversicherung, Arbeitslosenversicherung. Nun kommt eine weitere Aufgabe hinzu.«

MC »Es scheint ein direkter Zusammenhang zwischen der familienergänzenden Kinderbetreuung und der Geburtenrate zu bestehen. Je größer das Angebot und je besser die Qualität der Kinderbetreuung sind, desto höher ist die Geburtenrate. So haben Länder wie Schweden und Frankreich mit gut ausgebauter familienergänzender Betreuung mit 1,7 Kindern pro Frau eine wesentlich höhere Geburtenrate als Italien oder Spanien, wo das Betreuungsangebot nur sehr spärlich ausgebildet ist. Nur wenn die Doppelbelastung der Mütter mit Kinderbetreuung und beruflicher Tätigkeit abgebaut wird, gibt es wieder mehr Kinder.«

Eine neuere Studie, die in der Stadt Zürich durchgeführt wurde, kam zum Schluss, dass ein verbessertes Angebot an familienergänzender Betreuung auch volkswirtschaftlich attraktiv sein kann (Kucera und Bauer 2001). Die Aufwendungen, die für die Kinderbetreuung gemacht werden müssen, werden durch eine höhere Erwerbsbeteiligung, zukünftig höheren Lohnsatz und mehr Sozialleistungen bei den Müttern mehr als aufgewogen. Dadurch sind die Frauen sozial besser integriert und haben eine höhere Lebensqualität. Die Vorteile für die Wirtschaft sind eine größere Verfügbarkeit qualifizierter Arbeitskräfte und eine erhöhte Attraktivität als Arbeitgeber. Die Gesellschaft profitiert von einem zusätzlichen Steueraufkommen und besserer Nutzung der Aufwendungen im Bildungsbereich. Bei der Berechnung des Kosten-Nutzen-Verhältnisses bei den Kindertagesstätten der Stadt Zürich hat sich herausgestellt, dass für jeden Franken, der für die Kinderbetreuung eingesetzt wird, drei bis vier Franken an die Gesellschaft zurückfließen.

Wenn sich die Gesellschaft eine gute familienergänzende Kinderbetreuung leistet, wird sie also nicht verarmen, ganz im Gegenteil. Diese Kosten-Nutzen-Überlegungen treffen aber nur zu, wenn alle mitziehen. So müssen die Arbeitgeber umdenken, in ihren Betrieben gut geführte Krippen eröffnen, auf die Bedürfnisse der Mütter Rücksicht nehmen (Schicht- und Nachtarbeit sind eine große Belastung) und vermehrt Teilzeitarbeitsstellen für Frauen und Männer zur Verfügung stellen. Schließlich spielt auch der Beschäftigungsgrad in der Gesellschaft eine wesentliche Rolle.

MC »*Eines der wichtigsten politischen Postulate des kommenden Jahrzehnts sollte lauten: Kinder aufzuziehen soll wieder attraktiv werden!*«

Kosten und Nutzen von Kindertagesstätten in der Stadt Zürich

	Kinder	Eltern	Firmen	Gesellschaft
Kosten		• Beitrag an Betreuung	• Beitrag an Betreuung	• Beitrag an Betreuung
Direkter Nutzen	• Bessere Integration und Sozialisation	• Höhere Erwerbsbeteiligung Zukünftig höherer Lohnsatz Mehr Sozialleistungen	• Bessere Verfügbarkeit qualifizierter Arbeitnehmerinnen	• Zusätzliche Steuern • Weniger öffentliche Ausgaben
Indirekter Nutzen	• Höhere Schulabschlüsse und Lebenseinkommen	• Bessere soziale Integration	• Erhöhte Attraktivität als Arbeitgeber	• Nutzen aus wirtschaftlichem Wachstumspotenzial
Nicht berechenbarer Nutzen	• Bessere Entwicklung von sprachlichen und kognitiven Fähigkeiten	• Erhöhte Lebensqualität	• Erhöhte Standortattraktivität	• Erhöhte Lebensqualität

(Kucera und Bauer 2001)

RL *»Eine eigentliche Familien-Bewegung wäre etwas Wunderbares. Kinder zu haben muss Freude machen, sonst verzichten immer mehr Erwachsene darauf. Eine Gesellschaft ohne Kinder ist aber etwas zutiefst Trauriges. Sie hat ihre Existenzberechtigung verloren. Unsere Gesellschaft muss sich über ihre gegenwärtige und zukünftige Situation klar werden. Tut sie das nicht, wird die demographische Entwicklung für sie entscheiden. Wenn die Gesellschaft eine Zukunft haben will, muss sie für die Familie, für die Eltern und vor allem für die Kinder einstehen. Das heißt, sie muss finanzielle und strukturelle Rahmenbedingungen schaffen, die es Eltern ermöglichen, ihre Aufgabe auch erfüllen zu können. Dann wird es Freude machen, Kinder zu haben, und es wird wieder mehr Kinder geben.«*

Das Wichtigste in Kürze!

1. Damit die Eltern ausreichend für ihre Kinder sorgen können und nicht ständig überfordert werden, muss die Gesellschaft die folgenden Rahmenbedingungen erfüllen:
   - Elternurlaub
   - Familienergänzende Betreuung
   - Familienfreundliche Arbeitsbedingungen (Teilzeitarbeit)
   - Familienfreundliches Wohnen
   - Alimentenbevorschussung durch den Staat
   - Finanzielle Unterstützung der Familien (Kindergeld)
   - Anrechnung der Erziehungstätigkeit als Berufstätigkeit

2. Erfüllt die Gesellschaft diese Rahmenbedingungen nicht, werden immer weniger Erwachsene bereit sein, eine Familie zu gründen.

3. Die Folge wird ein demographischer Bevölkerungsrückgang sein, der zu großen wirtschaftlichen und sozialen Umwälzungen führen wird.

Getrennt leben, gemeinsam erziehen?

Eines Tages platzte Valerie der Kragen. »So sitz doch gerade, Anna! Wieso musst du beim Essen immer so lümmeln. Nimm die Füße unter die Bank. Stütz dich nicht mit beiden Ellbogen auf und iss endlich anständig.« Anna schaute ihre Mutter mit finsterer Miene an. »Ich möchte aber liegen«, sagte sie bockig. Valerie seufzte. Manchmal wünschte sie sich, Anna würde einfach gerade sitzen, nicht liegen und auch nicht die Beine auf der Bank zum Türkensitz übereinander schlagen. Manchmal fand sie Annas Wunsch, *nur* einmal und ausnahmsweise in Strumpfhosen über den Esstisch laufen zu dürfen, einfach ungezogen. Bei allem Verständnis für die Lebenswelt ihrer Vierjährigen und der Überzeugung, dass nicht Ge- und Verbotssätze, sondern das eigene Vorbild die einzig relevante Erziehungsmethode sei, war sie dennoch manchmal schlicht genervt. Das hatte sie nun davon. Früher, als Annas Vater noch bei ihnen lebte, hatte sie sich oft über seinen altmodischen Erziehungsstil geärgert, heute griff sie selbst manchmal in die Mottenkiste der autoritären Erziehungsmethoden. Valerie war abgespannt, müde und dünnhäutig. »Bei deinem Vater durftest du auch nie beim Essen herumliegen«, schimpfte sie. Oh wie gerne hätte sie diesen Satz wieder zurückgepfiffen. Was für eine hilflose Argumentation.

RL *»Das sind beliebte Spielchen. Die kenne ich als Vater auch sehr gut. Kinder spielen sie genauso in intakten Familien. Mit der Scheidung hat Annas Verhalten wenig zu tun. Aber Valerie scheint verunsichert zu sein und sich zu fragen: Kann ich nicht streng mit Anna sein, weil ich Angst habe, ihre Liebe zu verlieren? Hätte ich diese erzieherischen Schwierigkeiten nicht, wenn wir, ihre Eltern, noch zusammenleben würden?«*

MC *»Jedes Kind lümmelt irgendwann mal beim Essen und möchte über den Tisch laufen. Das Problem geschiedener Eltern ist, dass sie dazu neigen, solche erzieherische Schwierigkeiten allzu schnell mit der Scheidung in Verbindung zu bringen. Kommen dann noch Schuldgefühle dazu, fällt es ihnen umso schwerer, Grenzen zu setzen, dem Kind nicht nachzugeben und es nicht zu verwöhnen. Neulich habe ich gelesen, dass eine Mutter ihrer Tochter sagte, ›Du weißt genau, wie sauer Papa immer war, wenn du dein Zeug in der Wohnung herumliegen lässt‹. Ein paar Tage später soll die Tochter gefragt haben, ›Mama, wenn ich den Flur aufräume, kommt der Papa dann zurück?‹.«*

RL *»In diesem Beispiel fühlt sich das Mädchen offenbar – was keineswegs bei allen Kindern der Fall ist – an der Scheidung mitschuldig und glaubt, wenn es brav ist, versöhnen sich die Eltern wieder. Doch selbst wenn das Mädchen Schuldgefühle haben sollte, hilft ihr ein Nachgeben der Mutter in Sachen Aufräumen nicht. Es wird dem Kind deswegen nicht besser gehen. Die Mutter sollte zu ihrer Erziehungshaltung stehen, aber herauszufinden versuchen, weshalb ihre Tochter sich schuldig fühlt. Es gibt auch Kinder, die der Mutter Schuldgefühle machen, um sie zu verunsichern und sich so durchzusetzen. Mich würde interessieren, wie es mit Valerie und Anna weitergegangen ist.«*

Anna kommentierte die Zurechtweisungen ihrer Mutter und den etwas hilflosen Satz vom Vater, bei dem sie sich auch nicht so benehmen dürfe, ganz pragmatisch: »Weiß ich«, sagte sie. »Der Papa ist strenger als du. Aber ich will nicht, dass du jetzt auch noch so anfängst.«

RL *»Annas Antwort bringt das Thema auf den Punkt. Kinder finden sich problemlos zurecht, wenn ihre Bezugspersonen unterschiedliche Erziehungsstile haben. Das erlebe ich als Kinderarzt sowohl bei geschiedenen als auch bei verheirateten Eltern.«*

MC »*Ich fand es als Mutter erstaunlich, wie früh sich ein Kind auf unterschiedliche Erziehungsstile einstellen kann, ohne dabei die Eltern gegeneinander auszuspielen. Wenn Eltern dies wissen, können sie mit den anderen Erziehungsvorstellungen des Partners oder Ex-Partners gelassener umgehen. Die meisten verheirateten und geschiedenen Eltern haben nun einmal unterschiedliche Vorstellungen über die Erziehung ihrer Kinder. Sie finden unterschiedliche Dinge wichtig und möchten auf ihre Art und Weise mit ihrem Kind zusammenleben. Wenn Kinder aber ihre Eltern gegeneinander ausspielen, was ist dann schief gelaufen?*«

RL »*Gründe dafür gibt es einige. Zum Beispiel wenn die Eltern ihre unterschiedlichen Erziehungsvorstellungen zu einem Streitpunkt machen und das Kind ihre Meinungsverschiedenheiten mitbekommt. Oder wenn das Kind in Loyalitätskonflikte hineingezogen wird und die Eltern sich vor dem Kind gegenseitig schlecht machen. Oder wenn das Kind emotional zu kurz kommt und versucht, so die Aufmerksamkeit der Eltern zu erringen.*«

MC »*Was sollten Eltern bei der gemeinsamen Erziehung also berücksichtigen?*«

RL »*Ob verheiratet oder geschieden, Mutter und Vater sollten dem Kind klar machen, dass sie den Erziehungsstil des anderen akzeptieren und vom Kind erwarten, dass es dem anderen Elternteil gehorcht. Die Eltern sollten sich in der Erziehung loyal zueinander verhalten. Wenn sie erzieherische Meinungsverschiedenheiten haben, können sie diese unter sich bereinigen, sie sollten sie aber nicht vor dem Kind austragen.*«

Lara war gerade drei geworden. Ein stämmiges selbstbewusstes kleines Mädchen. Sie sagte nicht mehr nur »Lara nicht müde«, sondern auch schon »Ich will Joghurt. Mit Erdbeeren.« Täglich lernte sie neue Worte und ihre Bedeutungen. Es schien fast so, als hätte sie schon in ihrem zarten Alter Lust an Sprachspielen, an den Reaktionen der Erwachsenen, wenn sie Worte nicht so gebrauchte, wie es für Kinder üblich ist. Ihr Vater hatte für den eigenwilligen Spracherwerb seiner Tochter ein tiefes Verständnis. Er war Schauspieler, ein Mann des Wortes also, jemand, der selbst andauernd die Wirkung von Sprache erforschte. Lara sagte zu ihm »Hansi« – er hieß Hans –, und noch mehr erfreute sie die Wortkombination »Mein Hansi-Papi« oder »Hansilein-Papilein«, dazu sang sie die Melodie von »Hänschen klein, ging allein...« Ihre Mutter hingegen wurde wütend, wenn Lara »Marianne, Lara hat Hunger« sagte und antwortete der Kleinen jedes Mal entnervt und bestimmt. »Ich bin die Mama, Lara. Nicht die Marianne. Hast du das vergessen?« Zumindest für dich bin ich nicht die Marianne, fügte sie in Gedanken noch hinzu. Wenn das mit drei schon so anfängt, wie wird es später einmal werden, wo wird Laras Respekt vor der Erziehungsautorität ihrer Eltern bleiben. Auf solche Gedanken wäre Hans gar nicht erst gekommen. Er hatte viel zu viel Freude daran, seiner Lara beim Wachsen zuzusehen, dem großen Abenteuer Entwicklung zu folgen und sie in ihrem Streben nicht einzuengen. Als Lara dann bei den Großeltern zu Besuch war und von ihrem Papa abgeholt werden sollte, sagte sie zur Oma: »Der Hansi kommt heute.« »Und wer ist bitte der Hansi?«, fragte die alte Dame leicht irritiert. »Der Papa«, antwortete das Mädchen und lachte, weil die Großmutter ganz offensichtlich den Namen ihres Vaters vergessen hatte. »Und du darfst Hansi zu ihm sagen?« Jetzt musste die Großmutter schmunzeln, so sehr fühlte sie sich plötzlich von diesem Dreikäsehoch an ihren Sohn Hans erinnert und daran, dass auch er die Dinge nie einfach so hingenommen, immer seinen eigenen Kopf behalten hatte. »Ja, der Papa heißt Hansi, und die Mama heißt Marianne. Mama mag nicht, wenn ich Marianne sage. Zur Mama sage ich Mama und zum Papa Hansi.«

MC *»Es war während vieler Jahrhunderte in Europa so. Eine Autoritätsperson wurde als solche angesprochen. Herr Geheimrat, Herr Lehrer, Herr Pfarrer. So auch die Eltern; Vater und Mutter. Es ist gar noch nicht so lange her, da wurden die Eltern noch gesiezt. Den Vater beim Vornamen zu rufen bedeu-*

*tete für die Großeltern- und teilweise auch noch für die Eltern-
generation eine Respektlosigkeit, die zu einem Autoritätsver-
lust führen musste.«*

RL *»Meine beiden Enkelkinder haben vor einiger Zeit heraus-
gefunden, dass ihr Nonno auch Remo heißt. Es bereitet ihnen
ein großes Vergnügen, mich nun beim Vornamen zu rufen. Für
mich hat sich unsere Beziehung durch diese Umbenennung in
keiner Weise verändert.«*

MC *»Autorität hat wenig mit solchen Äußerlichkeiten zu tun,
sondern mit der Glaubwürdigkeit einer Person.«*

RL *»Die Autorität, die erlaubt, lobt, aber auch verbietet und
straft, ist in unserer Gesellschaft immer noch dominant. Sie
hat in der jüdisch-christlichen Kultur eine 2000 Jahre alte Tra-
dition. Noch heute gehen viele Eltern und gelegentlich auch
Fachleute davon aus, dass Kinder nur gehorchen, weil sie
gelobt werden möchten und Strafe fürchten.«*

Die psychologische Forschung der letzten Jahrzehnte hat sich
gründlich mit dem kindlichen Bindungsverhalten beschäftigt
(Barlby 1995, Grossmann et al. 1997). Auf Grund dieser Resultate können wir davon ausgehen, dass Kinder vor allem deshalb
gehorchen, weil sie emotional von ihren Bezugspersonen
abhängig sind, ihre Liebe nicht verlieren wollen. *Ein Kind
braucht nicht zum Gehorsam erzogen zu werden. Es ist biologisch darauf angelegt zu gehorchen (Largo 1999).* Die Voraussetzung ist allerdings, dass zwischen dem Kind und dem
Erwachsenen eine vertrauensvolle Beziehung besteht. Beziehung kommt vor Erziehung (Petrin 1991). Das Kind wird mit
der Bereitschaft geboren, sich erziehen zu lassen, aber nicht
von irgendjemandem, sondern von vertrauten Personen, die
seine Bedürfnisse zuverlässig befriedigen. Das Kind bindet
sich an vertraute Personen, richtet sich nach ihnen, lässt sich
von ihnen leiten und orientiert sich an ihrem Verhalten. Wenn
seine Grundbedürfnisse ausreichend befriedigt werden, kann
ein Kind – nicht ganz, aber weitgehend – ohne Zwang und
Druck erzogen werden. Dies bedeutet aber nicht, dass es beim

Essen lümmeln kann, wie es ihm gerade passt, dass es nicht aufräumen oder Bitte und Danke sagen lernen soll. Grenzen zu setzen und ganz bestimmte Dinge zu verlangen bleibt auch den kompetentesten Eltern nicht erspart, und dass sich die Kinder dagegen auflehnen auch nicht. Aber wenn das Kind sich von den Eltern angenommen fühlt und die notwendige emotionale Sicherheit bekommt, dann wird es – mit einigen Wenns und Abers – den Eltern gehorchen.

MC *»Wenn ich das richtig verstehe, hängt der Gehorsam weniger davon ab, wie man Lob und Strafe einsetzt, als vielmehr davon, wie verlässlich die Eltern-Kind-Beziehung ist.«*

RL *» Genau. Eine gute Eltern-Kind-Beziehung ist die Grundlage, um Nein sagen zu können. Ist die Beziehung schwach oder gar nicht vorhanden, ist es für Erwachsene schwierig oder gar unmöglich, Grenzen zu setzen. Dies gilt ganz besonders für die Kinder geschiedener Eltern. Es geht nicht so sehr darum, wo und wie Mutter und Vater Grenzen setzen, sondern wie ihre individuelle Beziehung zum Kind gestaltet ist. Haben beide Eltern eine tragfähige Beziehung zum Kind, können ihre Erziehungsstile recht unterschiedlich sein.«*

MC *»Dies würde wiederum bedeuten, dass Eltern erpressbar werden, wenn ihre Beziehung zum Kind schwach und dadurch auch wenig belastbar ist.«*

RL *»Genau. Grenzen setzen und bestimmte Dinge verlangen müssen alle Eltern. Das Kind wird aber nur gehorchen, wenn es sich angenommen fühlt. Die Neigung, wenn einem das Kind entgleitet, mit Druck zu reagieren, ist verständlich, aber erzieherisch das Verkehrteste. Bei einer nicht gefestigten Beziehung reagiert das Kind auf Druck mit Ablehnung.«*

MC *»Aber können Kinder auch in Krisenzeiten wie bei einer Scheidung ohne vermehrten Zwang und Druck erzogen werden?«*

RL *»Ganz bestimmt. Die Kinder leiden unter der Scheidung, weil ihre Beziehungen in die Brüche zu gehen drohen oder tatsächlich zusammenbrechen und gleichzeitig ihre Eltern weniger Zeit und Kraft für sie aufbringen können. In dieser Situa-*

tion erleben die Kinder Druck – wie bereits erwähnt – oft als Ablehnung. Bleibt die Beziehung zwischen Eltern und Kindern indes erhalten, werden die Eltern auch kein über das normale Maß hinausgehendes Erziehungsproblem haben.«

MC »*Oft leidet aber die Eltern-Kind-Beziehung unter der Trennung und die Kinder werden schwieriger. Wenn sich Kinder schlecht fühlen, testen sie ihre Eltern auch mit ungehorsamem Verhalten nach der Formel: Wenn die Eltern mich lieb haben, werden sie nachgeben. Was soll man da machen?*«

RL »*Nicht nachgeben, aber sich vermehrt um die Kinder kümmern wäre die liebevolle Konsequenz. Oft ist das schwer zu realisieren, weil die Eltern überlastet sind.*«

Grundsätze einer kindorientierten Erziehung

- Die Grundvoraussetzung jeder Erziehung ist die Beziehung.
- Nur Erwachsenen, mit denen das Kind vertraut ist und von denen es sich angenommen fühlt, wird es auch gehorchen.
- Alle Erziehungsregeln nützen wenig oder gar nichts, wenn die Beziehung nicht tragfähig und vertrauensvoll ist.

Elternratgeber (Benedeck und Brown 1997) weisen darauf hin, dass es nach und während der Trennung und Scheidung mehr denn je darauf ankäme, die Kinder im Griff zu haben, sie zu kontrollieren und mit Disziplin in die rechten Bahnen zu lenken. Ansonsten drohten die Kinder, die Situation auszunutzen, sie würden »die einsetzende Anarchie« bemerken und »das Machtvakuum zu ihrem Vorteil ausnutzen«. Hinter dieser Vorstellung steckt die Annahme, dass sich das Kind sozial wünschenswerte Verhaltensweisen nur aneignet, wenn sie ihm aufgezwungen werden. Sozialisiert wird das Kind aber in erster Linie über das Vorbild der Eltern, anderer Bezugspersonen und anderer Kinder. Das heißt, wie die Eltern mit den Kindern und miteinander umgehen, hat auch eine große Wirkung auf das Kind.

Unter Eltern ist die Ansicht weit verbreitet, dass man Kindern nicht den kleinen Finger reichen dürfe, weil sie sonst die ganze Hand nehmen würden. Dahinter steckt wiederum eine negative Vorstellung vom Kind. Das Kind wird als ein maßloses Wesen angesehen, das ständig in seine Schranken verwiesen werden muss. Kinder, denen es gut geht, sind aber nicht maßlos. Das Empfinden der Erwachsenen, die Kinder seien maßlos, ist vor allem ein Ausdruck ihrer eigenen Überforderung.

»Eltern, die der Verantwortung aus dem Weg gehen, ihre Kinder erfolgreich zu erziehen und ihnen Grenzen zu setzen, nehmen in Kauf, dass die Kinder Schwierigkeiten mit anderen Autoritätsfiguren bekommen, in ihren schulischen Leistungen nachlassen und mit anderen Kindern nicht auskommen. Irgendwann werden die Kinder jeden Respekt vor den Eltern verloren haben und sich ihrer Autorität offen widersetzen (Benedek und Brown 1997).« Wenn die Kinder während und nach der Trennung Schwierigkeiten machen, liegt der Grund dafür aber eben nicht darin, dass die Eltern in diesen schweren Zeiten zu wenig auf ihre *erzieherische* Autorität pochen, sondern dass ihre Beziehung zum Kind gelitten hat. Eltern sind in Trennungszeiten überfordert, seelisch aus dem Gleichgewicht, von den Meinungsverschiedenheiten zermürbt, von Schuldgefühlen den Kindern gegenüber als Erzieher verunsichert oder gar gelähmt. Und sie haben meist zu wenig Zeit für die Kinder. Dass sich ihre Befindlichkeit und ihr Verhalten negativ auf ihre Beziehung zu den Kindern auswirken kann, ist nicht überraschend, und dass die Kinder daraufhin mit Verhaltensauffälligkeiten reagieren können, nur zu verständlich.

MC »Seitdem die antiautoritäre Erziehung wieder aus der Mode gekommen ist, habe ich das Gefühl, dass ›Grenzen setzen‹ zum großen Zauberwort Erfolg versprechender Pädagogik geworden ist. Oft läuft diese Neuorientierung aber auf nichts anderes als die ›guten alten‹ Werte der autoritären Pädagogik hinaus.«

RL »Das stimmt. Die Befürchtung, wenn wir unsere Autorität

nicht demonstrieren, würden uns die Kinder entgleiten, ist falsch. Die Angst, die Kontrolle über das Kind zu verlieren, ist dann berechtigt, wenn zum Kind keine vertrauensvolle Beziehung besteht.«

MC *»Die Erziehungsprobleme, die nach Trennung und Scheidung auftreten können, sollten eher als Hilfeschrei der Kinder interpretiert werden. Man sollte sich fragen, ob sich die Kinder alleine gelassen fühlen, ob ihnen die Geborgenheit abhanden gekommen ist und ihre Bedürfnisse nicht mehr befriedigt werden?«*

RL *»Ganz entschieden. Eine der häufigsten Folgen, wenn die Erwachsenen Stress haben, leiden und streiten, ist die Vernachlässigung der Kinder. Darunter leiden sie und reagieren ungezogen.* Erziehungsschwierigkeiten sind weit weniger Autoritäts- als Beziehungsprobleme.«

Jim wollte nach der Trennung seiner Eltern lieber zu seinem Vater ziehen. Jim war zwölf und ein richtiges Papa-Kind. Der Vater war sportlich, lebensfroh und unkompliziert, die Mutter hingegen eine schwierige Persönlichkeit und anspruchsvolle Künstlerin. »Die Mama kümmert sich eh nur um Naomi«, sagte Jim, der schon immer auf seine zwei Jahre jüngere Schwester eifersüchtig gewesen war. Jims Mutter war gegen die Pläne ihres Sohnes und seines Vaters machtlos. Auch vor Gericht hätte sie keine Chance gehabt, Jim zu halten. Nun litt sie schrecklich, glaubte, als Mutter versagt zu haben, und brauchte lange, bis sie sich in ihrem neuen Alltag einigermaßen zurechtfand. Dass ihr Mann mit einer neuen Frau zusammenlebte, verkraftete sie noch halbwegs. Dass dort auch noch ihr Sohn ein neues Zuhause gefunden hatte, war sehr schwer für sie. Sie weinte viel, zog sich zurück und sprach nur noch von Jim, anstatt sich angemessen um Naomi zu kümmern. Nun fühlte sich auch noch ihre Tochter zurückgestoßen. Sie hatte niemanden, mit dem sie reden konnte. Was war nur in ihre Mutter gefahren, dachte das Mädchen. Früher hatten sie es immer gut miteinander gehabt, jetzt musste sie sich allzu oft am Abend selbst ein Brot mit Nutella schmieren, weil ihre Mutter ausgegangen war. Zu Mittag war sie meist auch nicht da, arbeitete oder besuchte eine Freundin, um sich auszuweinen. Die Besuchswochenenden bei ihrem Vater wurden Naomis größter Lichtblick. Dort gab es alles. Spielzeug, Roller, Fahrräder und einen kleinen Garten. Der Vater las seiner Tochter ihre Wünsche von den Lippen ab, kaufte ihr Geschenke und war lebensfroh – wie immer.

Zu Hause wurde Naomi zusehends schwieriger. Sie bekam schlechte Schulnoten, war leicht reizbar und tat alles, nur nicht das, was die Mutter von ihr verlangte. »Wieso machst du jetzt auch noch Probleme?«, sagte die Mutter vorwurfsvoll. »Als ob ich nicht genug davon hätte.« »Dann geh ich halt zu Papa«, drohte Naomi trotzig, wann immer sie in einen Machtkampf mit ihrer Mutter geriet. Schließlich setzte sie sich durch und zog zu ihm. Dort wurde sie wie Jim nach allen Regeln der Kunst verwöhnt, doch eine innige Beziehung konnte Naomi zu ihrem Vater auch nicht aufbauen. Dazu war er viel zu beschäftigt. Neben seinem Job als Versicherungsmakler gab es noch die alten Fußballfreunde und die wechselnden Freundinnen. Aber er hatte Geld und ein schlechtes Gewissen. Naomi und Jim brauchten, wenn sie etwas wollten, nur »dann ziehen wir wieder zu unserer Mama« zu sagen, und schon bekamen sie, was sie wollten.

RL *»Dass diese beiden Kinder ihre Eltern gegeneinander ausspielen, erstaunt wenig. Der Machtkampf und die Verwöhnung der Kinder sind jedoch nicht eine Folge davon, dass die Eltern zu wenig streng sind. Die Kinder nützen vielmehr den Machtkampf der Eltern aus. Erziehungsprobleme hätten diese Eltern auch dann, wenn sie noch zusammenleben würden. Weit schlimmer als der Machtkampf ist aber die fehlende emotionale Sicherheit der beiden Kinder. Weder die Mutter noch der Vater verfügen, wie es scheint, über eine wirklich tragfähige Beziehung zu ihnen. Damit ist dem Verwöhnen Tür und Tor geöffnet. Die Eltern können nicht Nein sagen und Grenzen setzen, weil*

sie ihre Kinder emotional nicht im Griff haben. Die Mutter
scheint vor allem mit ihren eigenen Problemen beschäftigt zu
sein. Der Vater bezahlt für seine Nichtverfügbarkeit.«

MC *»Meinst du, wenn der eine Elternteil eine gute Beziehung*
zu seinen Kindern hat, kann der andere Elternteil die Kinder
nicht durch materielle Versprechungen zu sich hinüberzie-
hen?«

RL *»Kurzfristig mögen sich Kinder verführen lassen. Aber auf*
die Dauer wollen sie mit dem Elternteil leben, bei dem sie sich
geborgen und aufgehoben fühlen. Für Kinder gibt es nichts
Kostbareres als Erwachsene, die Zeit für sie haben, auf sie eingehen und ihnen Erfahrungen, gemeinsame und mit anderen
Kindern, ermöglichen.«

Jürgen, Paulis Vater, war schon vor der Trennung ein wenig
fürsorglicher Vater gewesen. Im Grunde interessierten ihn Kinder nicht. Er war der Ansicht, dass Kindererziehung Frauen-
sache sei. Männer würden ihre Söhne später einmal zum Fuß-
ballspielen mitnehmen, aber der ganze Rest, die Erziehung, das
ewige Sichabmühen mit den Schulen, die Alltagsorganisation
und die Sorgen seien bei den Müttern viel besser aufgehoben
als bei den Vätern. Paulis Vater war »ein Fossil aus den Glanz-
zeiten des Patriarchats«, gab Ruth ihren Freundinnen gegenüber gerne zu. Aber dass sein Interesse an seinem mittlerweile
achtjährigen Sohn nach der Trennung vollkommen verlöschen
würde, wollte sie lange Zeit dann doch nicht wahrhaben. Es
war ihr wichtig, dass ihr Sohn einen Vater hat, eine männliche
Bezugsperson, mit der er all die Dinge erleben konnte, für die
sie sich so wenig erwärmen konnte. Außerdem wollte sie ihr
Kind vor möglichen Trennungsschäden bewahren, es besonders gut machen, fair sein, nie ein schlechtes Wort über den
Vater sagen, die Beziehung zwischen ihren beiden Männern
fördern. So vereinbarte sie immer wieder Besuchswochenenden bei Jürgen für Pauli. Anfangs ging der Junge auch ganz
gerne zu seinem Vater, wollte wissen, wo er jetzt wohnt und
was er so macht. Dass Jürgen nach der Scheidung in eine Art

Lethargie verfallen war, dass er die Wochenenden mit Pauli vor dem Fernseher verbrachte, ahnte Ruth anfänglich natürlich nicht. Pauli erzählte nicht viel, wenn sie ihn am Sonntagabend dort abholte. Erst allmählich ließ er manchmal durchsickern, dass es beim Papa nur Coca-Cola und Chips gegeben habe. »Und seid ihr beide nicht etwas einkaufen gegangen?«, fragte Ruth. »Nein.« Dann schwieg Pauli wieder. Einmal erzählte er, dass zum Fußballschauen irgendwelche Kumpels von Papa vorbeigekommen waren. Allmählich fügte sich für Ruth das Puzzle zusammen. Offenbar waren die gemeinsamen Wochenenden von Pauli und Jürgen durch »Kommunikationslosigkeit vor der Flimmerkiste« bestimmt. Sie sprach mit einem Kindertherapeuten und sorgte sich. Pauli tat ihr Leid. Seit sie wusste, wie wenig sich Jürgen offenbar für seinen Sohn interessierte, musste sie sich zusammenreißen, wenn Jürgen kam, um ihn abzuholen. Er kam ohnehin immer seltener. Wenn er sich aber doch dazu aufraffte, wartete der kleine Pauli schon mit seinem Rucksack voller Spielzeug und Matchbox-Autos auf ihn. »Bestimmt mag er mit Autos spielen, er mag ja auch Autorennen, oder Mama?« »Das ist eine gute Idee, wenn du welche mitnimmst«, sagte Ruth aufmunternd. Was sollte sie bloß tun? Immer wieder hatte sie versucht, mit Jürgen zu sprechen, ihm einige Tipps für das Wochenende zu geben, aber er hörte nicht zu. Wenn Pauli am Sonntagnachmittag enttäuscht nach Hause kam und das Polizeiauto, den LKW und den Feuerwehrzug samt abrollbaren Löschschläuchen und Feuerwehrmännern wieder auspackte, ohne dass sein Vater die schönen Dinge auch nur angeschaut hatte, setzte Ruth sich seufzend auf den Boden und spielte »Autounfall auf der Autobahn«. Trotzdem sagte sie weiterhin nichts Schlechtes über Jürgen vor dem Kind und versuchte, die Treffen nicht ganz abreißen zu lassen. Allerdings kam Jürgen immer seltener, und Pauli hatte immer weniger Lust, etwas mit seinem Vater zu unternehmen. Als der Junge zehn war, hatte er jegliches Interesse an seinem Vater verloren.

MC »War es klug von der Mutter, den Kontakt zwischen Vater und Sohn immer wieder zu fördern, obwohl sie längst wusste, dass es für Pauli dort nicht sehr schön war?«

RL »Den Kontakt zum Vater zu unterstützen halte ich für sehr wichtig. Ich finde es auch gut, dass Ruth auch noch versucht hat, ihm Tipps zu geben, mit ihm zu reden und weiterhin nichts Schlechtes zu Pauli über den Vater zu sagen. Oft ist es ja auch so, dass Väter anfänglich mit den Besuchswochenenden überfordert sind, nicht recht wissen, wie sie diese schwierige Situation meistern können. Dann, nach einiger Zeit, finden sie aber Gefallen an diesen Vater-Kind-Tagen und können die Chance, zu ihrem Kind eine Beziehung – unter neuen Vorzeichen – aufzubauen, auch wahrnehmen. Wenn die Mutter also den Kontakt zum Vater in diesen schwierigen Zeiten weiter fördert, erweist sie ihrem Kind einen wichtigen Dienst. Eine Beziehung zum Vater.«

MC »Wenn das aber wie im Fall vom kleinen Pauli nicht gelingt?«

RL »Die Beziehung zwischen Pauli und seinem Vater schläft quasi von selber ein. Da Jürgen offensichtlich kein Interesse an seinem Sohn hat, erlischt auch das Interesse von Pauli an seinem Vater. Die Mutter braucht sich wirklich keine Vorwürfe zu machen. Sie hat alles unternommen, was in ihrer Macht lag.«

MC »Diese Mutter musste auch aushalten, dass der Vater an den Wochenenden den Sohn vernachlässigt hat. Ich stelle mir das sehr schwierig vor. Wenn eine Mutter berechtigte Sorgen wegen des Verhaltens des Vaters hat, kann sie da einfach zuschauen?«

RL »Wenn ein Elternteil befürchten muss, dass der andere Elternteil dem Kind Schaden zufügt oder zufügen könnte, muss er reagieren. Die Frage ist nur, wie?«

Hannes war sinnesfreudig, cholerisch und pflegte einen autoritären Erziehungsstil. Er war und blieb der Ansicht, dass ein gelegentlicher Klaps auf den Hintern seiner sechsjährigen

Tochter Cara nicht schaden würde. Er, der Erstgeborene, sei auch noch mit dem Weidenstock gezüchtigt worden und aus ihm sei schließlich auch etwas geworden. Hannes hatte sich zum Abteilungsleiter eines mittleren Finanzunternehmens hinaufgearbeitet. Er war stolz, stolz auf sich, stolz auf Ute und auf Cara. Ihm war völlig entgangen, dass seine Frau längst eigene Wege ging. Dass sie ihn eines Tages verlassen würde, hielt er für ebenso unwahrscheinlich wie die Vorstellung, dass seine Firma Konkurs anmelden könnte. Er, Hannes, war schließlich ein Glückskind, einer von der Gewinnerseite, einer der genau Bescheid wusste. Auch in Erziehungsfragen.

Doch Ute wird ihm jenen Gefühlsausbruch nie verzeihen, als er in einem italienischen Restaurant seine hysterisch schreiende Tochter übers Knie legte, das Sommerkleid hochschob und ihr den Hintern versohlte. Angeblich, weil sie nur so zur Vernunft kommen würde. Caras Gebrüll wandelte sich in stilles Weinen, voller Scham und Furcht. Selbst Caras Freundin, die alles mit verfolgt hatte, wurde blass und schweigsam. Cara hatte sich geweigert, die Nudeln mit Brokkoli und Schinken aufzuessen.

Eines Tages passierte dann, was passieren musste. Ute nahm Cara und zog aus. Hannes bekam Tobsuchtsanfälle. Er und Ute begannen einen Rosenkrieg, der die beiden voller Misstrauen aufeinander zurückließ. Immer wenn Cara von den Besuchswochenenden bei ihrem Vater nach Hause kam, war sie wortkarg, weinte rasch und wollte in ihrem Kinderzimmer allein sein. Ute mutmaßte, dass Hannes das Mädchen weiterhin schlug, und als sie tatsächlich einmal Fingerabdrücke auf Caras Wangen feststellte, schaltete sie ihren Anwalt ein.

MC »*Wenn ich den Verdacht hätte, dass der Vater meine Tochter schlägt, wüsste ich nicht, zu welchem Mittel ich dann greifen würde.*«

RL »*Das ist für eine Mutter eine überaus schwierige Situation. Wenn es in einer intakten Familie zu Gewalt gegen die Kinder und häufig auch gegen die Mutter kommt, ist die Mutter meistens außerstande, sich zu wehren. Das kann zu jahrelangem*

Leiden führen und in der Regel ist der einzige Weg, der Gewalt zu entkommen, den Vater zu verlassen. Früher sind die Mütter mit ihren Kindern in ein Frauenhaus geflüchtet. In der Stadt Zürich wird neuerdings der Vater durch die Polizei aus der Wohnung ausgesperrt. Mutter und Kinder können hingegen in der Wohnung bleiben.«

MC »Was aber, wenn die Gewalt von dem geschiedenen Vater oder der geschiedene Mutter ausgeübt wird?«

RL »Den richtigen Weg in so einer Situation einzuschlagen ist sehr schwierig. Schnell setzt sich die Mutter dem Vorwurf aus, das Kind dem Vater vorzuenthalten, wenn sie es nicht mehr zu ihm lässt oder ihren Anwalt einschaltet und damit einen ganzen Rattenschwanz an Maßnahmen wie psychologische Gutachten, Jugendamt und überwachte Besuche auslöst. Außerdem ist die Bandbreite zwischen einem Vater, der eine gelegentliche Ohrfeige austeilt, und einem Vater, der wirklich zur Gewalt neigt, groß. Körperliche Züchtigung wird ja auch in der Bevölkerung immer noch als ein probates Erziehungsmittel angesehen. Wenn der Vater das Kind körperlich züchtigt, kann die Mutter versuchen, mit dem Vater zu reden oder einen Freund, Therapeuten oder Mediator einzuschalten. Es ist aber fraglich, ob dies etwas bringen wird. Der Vater ist ja – aus eigener Erfahrung – überzeugt, dass körperliche Strafen notwendig sind. Bei offensichtlich körperlicher oder psychischer Gewalt gibt es nur eine Konsequenz: Den Kontakt zwischen dem Vater und seinen Kindern zu unterbinden, zum Beispiel mit Hilfe des Jugendamtes.«

MC »Es wird vor allem von väterlicher Gewalt gesprochen und geschrieben. Aber auch Mütter schlagen ihre Kinder. Merkwürdigerweise sind diese Mütter weit weniger ein Thema als die schlagenden Väter.«

RL »Ja, das stimmt. Dazu gibt es aber keine Zahlen.«

MC »Es fehlen auch Zahlen über ein anderes Problem, das zunehmend häufiger vorkommt. Die Vernachlässigung. Sie geschieht im Stillen, ist daher sehr schwierig nachzuweisen. Wenn nicht Verwandte, Freunde oder Nachbarn die Situation bemerken und etwas dagegen unternehmen, kann die Vernach-

lässigung jahrelang dauern. Dabei geht es um Mütter, die ihre Kinder stundenlang in ein Zimmer oder gar in einen Schrank einschließen, um Ruhe zu haben. Oder um Mütter, die einen halben oder ganzen Tag in die Stadt gehen, sogar für ein Wochenende verreisen, und die Kinder in der Wohnung sich selbst überlassen. Nicht so selten sogar ohne ausreichende Nahrung. Ich finde das schrecklich. Aber gibt es da keine Möglichkeit, eine Art Frühwarnsystem einzurichten?«

RL *»Ich wüsste nicht, wie ein solches System aussehen könnte. Vermutlich hat die Problematik mit der aktuellen Verfassung unserer Gesellschaft zu tun und der Bedeutung, die wir der Familie und den Kindern zumessen.«*

MC *»Du meinst damit eine Verwahrlosung der elterlichen Verantwortung?«*

RL *»Nicht im moralischen Sinn. Zumeist handeln Mütter oder Väter so, weil sie überfordert, verzweifelt oder selbst unglücklich und einsam sind, an Krankheiten oder an einer Sucht leiden.«*

MC *»An das Verantwortungsgefühl der Eltern zu appellieren bringt also wenig. Hilfe brauchen nicht nur die Kinder, sondern auch die Mütter und Väter. Sie brauchen Entlastung durch Verwandte, Freunde, das Jugendamt und ein gutes öffentliches Betreuungssystem für die Kinder. Und für sich selbst brauchen sie womöglich auch eine therapeutische Unterstützung.«*

RL *»Wir haben es bereits früher betont. Das soziale Netz ist das Entscheidende. Die Erziehung von Kindern einer einzigen Person aufzubürden ist nicht für alle, aber für viele Mütter und Väter eine Überforderung. Darunter zu leiden haben die Kinder. Wie sagt doch ein afrikanisches Sprichwort: Um ein Kind aufzuziehen, braucht es ein ganzes Dorf.«*

Die Eltern können in ihrem Erziehungsverhalten durch psychosozialen Stress, eingeschränktes psychisches oder körperliches Wohlbefinden sowie partnerschaftliche Konflikte, die nach der Scheidung weiterschwelen, erheblich beeinträchtigt werden. Häufige Auswirkungen davon sind, dass ihre emotionale Verfügbarkeit abnimmt und ihr Erziehungsstil inkonsistent wird. (Weiss 1979, Kurdek et al. 1981).

Eltern, die unter Stress leiden, neigen dazu, ihre Kinder vermehrt allein zu lassen und höhere Anforderungen an die Kinder, zum Beispiel bei der Mithilfe im Haushalt, zu stellen. Wenn es den Eltern psychisch oder körperlich schlecht geht, erhalten die Kinder nicht nur weniger emotionale Zuwendung, oft sind es die Kinder, die ihre Eltern emotional stützen müssen. Wenn es den Eltern schließlich nicht gelingt, Partner- und Elternrolle auseinander zu halten, werden die Kinder durch die erzieherischen Anordnungen, die gegen den anderen Elternteil gerichtet sind, in Loyalitätskonflikte hineingezogen (Emery et al. 1987, Fthenakis et al. 1993). Toleranz gegenüber dem Erziehungsstil und der Lebensweise des anderen Elternteils tragen wesentlich zum Wohlbefinden der Kinder bei.

Brigitte wusste, dass es zwecklos ist, Philipp davon zu überzeugen, dass er strenger zu den Kindern sein sollte, dass es ihnen gar nicht schaden würde, wenn sie auch einmal aufräumen müssten, dass sie ihre Kleider ordentlich über den Stuhl legen, beim Tischdecken helfen und zu einer ganz bestimmten Uhrzeit im Bett sein sollten. Sie hatte sich während ihrer Ehe schon genug über Philipps chaotische, alle Regeln missachtende Art aufgeregt. Jetzt, nach der Trennung, wollte sie möglichst nicht mehr damit konfrontiert werden. Sie blühte in ihrer ordentlichen, ruhigen Wohnung förmlich auf. Alles hatte seinen Platz. Die beiden Kinder, der sechsjährige Johannes und die achtjährige Sabine, halfen im Haushalt, räumten ihr Zimmer ohne größere Diskussionen auf und hielten sich an die Hausordnung, die Brigitte aufgestellt hatte, damit ihr Zusammenleben möglichst reibungslos verlief. Sie wollte ihrem Job als Homöopathin effizient und halbtags nachgehen können und am Nachmittag auch noch Zeit für Unternehmungen mit den Kindern haben. Johannes und Sabine hatten eine gute Beziehung zu ihrer Mutter, sie fühlten sich geborgen und wussten, dass sie für sie da ist.

Waren sie bei ihrem Vater, fiel die »gute Erziehung« wie eine

Uniform von ihnen ab, und sie genossen die Chaos-Tage. Bei Papa wäre keiner von ihnen auf die Idee gekommen, die Kleider vom Boden aufzuheben, schließlich lagen Philipps Unterhemden auch auf dem Boden verstreut. Nur wenn am nächsten Tag Schule war, steckte der Vater die Kinder einigermaßen rechtzeitig ins Bett. Das hatte er Brigitte versprochen. Dass er regelmäßig vergaß, ihnen eine Brotzeit mitzugeben, war kein Anlass zu Streitereien mit Brigitte. Sie wusste, dass er sich liebevoll um die Kinder kümmerte. Er war schon immer ein geradezu rührender Vater gewesen. Nie hatte er sich mit der typisch männlichen Rolle des Familienoberhauptes zufrieden gegeben. Als die Kinder noch Babys waren, hatte er sie gewickelt, gefüttert und war mit ihnen auf allen vieren durch die Wohnung gekrabbelt. Er arbeitete als Elektriker in einer Firma und war ein passionierter Bastler. Nachdem er den Trennungsschmerz – Brigitte war ausgezogen, weil sie ihn einfach nicht mehr aushielt – einigermaßen überwunden hatte, verwirklichte er in seiner Junggesellenbude seine Vorstellung vom Wohnen mit Kindern. Eine elektrische Eisenbahn führt seither vom Gang über das kleine Wohnzimmer in sein Schlafzimmer, Ampeln regeln den Verkehr, sowohl den der Züge als auch den der Menschen, und immer wieder denkt er sich neue Gags aus, um seine Kinder zum Lachen zu bringen. Brigitte und er sind heute ziemlich zufrieden.

Seitdem sie einander mit ihren unterschiedlichen Lebens- und Erziehungsstilen nicht mehr auf die Nerven gingen, begannen sie das, was der jeweils andere mit den Kindern tat, für einen guten und willkommenen Beitrag zu halten. Die Kinder waren beiden auf ihre Weise gleich wichtig, und in den wesentlichen Dingen, etwa der Verfügbarkeit, Geborgenheit und der engen Beziehung, die sie zu den Kindern haben wollten, glichen Brigitte und Philipp einander. Das wussten sie auch. Der Rest war Beiwerk, seit der Trennung sogar schmückendes Beiwerk, weil sie nun die Vielfalt ihrer Lebensentwürfe zu schätzen wussten.

1. Die Grundlage des Gehorsams ist eine tragfähige Kind-Mutter/Vater-Beziehung. Nur mit einem solchen Vertrauensverhältnis ist Gehorsam möglich.

2. Kinder sind durchaus in der Lage, mit unterschiedlichen Erziehungsstilen von Mutter und Vater umzugehen.

3. Ob verheiratet oder geschieden, Mutter und Vater sollten dem Kind zu verstehen geben, dass sie den Erziehungsstil des anderen akzeptieren und vom Kind erwarten, dass es dem anderen gehorcht.

4. Wenn die Eltern erzieherische Meinungsverschiedenheiten haben, sollen sie diese unter sich bereinigen und nicht vor dem Kind austragen.

5. Wenn ein Kind nicht mehr gehorcht, kann dies die Folge eines zu laxen und inkonsequenten Erziehungsstils sein. Häufig liegt dem fehlenden Gehorsam eine emotionale Verunsicherung zugrunde.

Die Ebene der Gefühle

Kann es den Kindern gut gehen, wenn es den Eltern schlecht geht?

Valerie war eine Meisterin zuversichtlicher Phrasen, ein Ausbund an innerer Haltung, ein Zinnsoldat. Schon die Frage, ob sie selbst unter der Trennung von ihrem Mann gelitten habe, erschien ihr angesichts der Aufgaben, die nun anstanden, als wenig bedeutsam. Die Ehe, so sah sie die Dinge, war gescheitert. Es gab genug Gründe. Keiner war schuld oder beide oder die Umstände oder die jeweiligen Kindheitserfahrungen. Was nützte es, weiter darüber nachzugrübeln? Nur eines wusste sie, dass alles viel schlimmer werden würde, würde sie sich ihrem Seelenschmerz unter der pragmatischen, lebenstüchtigen Oberfläche hingeben. »Depressionen und Schuldgefühle«, so hatte ihr eine Freundin gesagt, »diesen Luxus sparst du dir am besten für lange Abende und schlaflose Nächte auf. Tagsüber gehst du deinen Verpflichtungen nach, bist deiner Tochter eine aufmerksame und fröhliche Mutter. Nichts anderes hat sie verdient.« Diese Worte waren bei Valerie auf fruchtbaren Boden gefallen. Seelennöte wurden in ihrer Familie schon immer in den Bereich des Imaginären oder zumindest des unnötig Zimperlichen verbannt. Also sagte sie zu ihrer Tochter weiterhin Sätze wie: »Jetzt wollen wir etwas Schönes zusammen essen und es uns dann besonders gemütlich machen. Nur wir zwei. Wir werden zusammen spielen, dann ein Bad nehmen und im Bett Bücher lesen. Okay?« Sie redete so, obwohl sie an ihrer Einsamkeit geradezu zu ersticken drohte und von Existenzängsten geplagt wurde. Oft half der Pragmatismus über die schwarzen Löcher der Seele hinweg, war die selbst auferlegte Verpflichtung, sich auf das kindliche Glück einzulassen, die beste Heilmethode. Dann ließ sie sich vom Lachen ihrer Tochter Anna anstecken, fuhr mit ihr und deren Freundinnen in die Berge. Sie fieberte mit den Mädchen der abenteuerlichen Übernachtung auf der Almhütte entgegen und war nach drei Tagen wirklich wie ausgewechselt. Manchmal jedoch hörte sie sich reden und glaubte ihren wohltemperierten Sätzen nicht mehr. Plötzlich empfand sie ihre eigenen Worte wie leere Hülsen. Dem betont fröhlichen Klang mischte sich eine innere Klage bei und machte ihn schrill, falsch, schneidend. Dann musste sie sich eingestehen, wie traurig sie war, und meist nur nachts sich diesen Gefühlen hingeben und auf die selbstheilende Wirkung solcher Konfrontationen hoffen.

RL *»Valerie ist eine starke Frau. Ich habe viele Frauen erlebt, die sich verlassen fühlten, Rachegedanken und existenzielle Ängste hatten und es nicht mehr schafften, ihrer Mutterrolle gerecht zu werden. Sie konnten vor ihren Kindern nicht verheimlichen, dass es ihnen schlecht geht. Sie hatten oft nicht einmal mehr die Kraft, ihren Kindern zuzuhören und ihre Nöte wahrzunehmen.«*

MC *»Ich denke, dass es den meisten von uns Eltern nach der Scheidung nicht gut geht. Es gibt aber auch Menschen, die sich entlastet fühlen. Sie haben das Gefühl, endlich wieder frei atmen zu können, endlich das Leben leben zu dürfen, das ihm oder ihr in der Partnerschaft all die Jahre verwehrt blieb.«*

Wenn eine Frau sich nach zehn Jahren Ehe scheiden lässt, weil der Mann ihr und den Kindern das Leben mit seinen Alkoholproblemen zur Hölle gemacht hat, ist sie wahrscheinlich sehr erleichtert. Dass für sie und die Kinder endlich Frieden einkehrt, ist ihr das Allerwichtigste, und sie nimmt materielle Einschränkungen, einen allfälligen Umzug und vermehrte Arbeit gerne in Kauf. Immer häufiger lassen sich auch junge Mütter scheiden, weil sie die physische und psychische Abwesenheit des Partners satt haben. Sie wollten einen Vater, der für sie und die Kinder da ist. Sie hatten sich unter Ehe und Familie etwas anderes vorgestellt. Ein Zusammenleben, das wichtiger ist als die Arbeit und das berufliche Fortkommen, die Hobbys und soziale Aktivitäten. Wenn diese Frauen sich scheiden lassen, wiegt die neu gewonnene Selbständigkeit den Verlust des Partners und allfällige Einschränkungen und Belastungen oft auf.

Das Wohlbefinden geschiedener Eltern wurde in Verlaufsstudien ausführlich untersucht. Dabei wurden unter anderem folgende zwei Beobachtungen gemacht. In den ersten ein bis zwei Jahren nach der Scheidung besteht in den meisten Familien ein hoher Grad an Desorganisation, der die Eltern seelisch und körperlich stark belastet. Danach fangen sich die meisten Eltern aber wieder, und das Zusammenleben stabilisiert sich allmählich (Beelmann et al. 1991, Hetherington 1989, 1991, Schmidt-Denter et al. 1995). Dabei wirkt sich die Scheidung sehr unterschiedlich auf das Wohlbefinden der Erwachsenen aus. So gibt es geschiedene Eltern, die unter einem negativen Selbstbild, Depressionen und psychosomatischen Erkrankungen leiden (Berger-Schmitt et al. 1991, Cramer 1993). Andere Geschiedene hingegen sind zufrieden und fühlen sich durch die Scheidung befreit (Napp-Peters 1985, Sevèr und Pirie 1991).

MC *»Den meisten geschiedenen Eltern geht es aber schlecht! Die Streitereien und Schwierigkeiten haben sie schon vor der Trennung erschöpft. Jetzt fühlen sie sich wie nach einem endlos langen Marathon, aber ohne am Ziel angekommen zu sein. Neue, unvorhergesehene Schwierigkeiten türmen sich vor ihnen auf. Nicht einmal an den Partner können sie sie nun delegieren. Sie müssen alleine damit fertig werden.«*

RL *»Jeder Mensch hat seine eigene Art, solche Schwierigkeiten zu meistern. Valerie hat Energiereserven und wahrscheinlich auch gute Lebensbedingungen. Sie bleibt psychisch einigermaßen im Gleichgewicht. Der Stress, den die Trennung auslöst, ist für sie verkraftbar. Die meisten Eltern sind in einer weniger komfortablen Situation. Schon am Tag nach der Scheidung geht der Stress weiter. Wenn auch anders. Mütter und Väter reagieren darauf sehr unterschiedlich. Dem einen schlägt es vor allem auf die Psyche, andere reagieren mit ihrem Körper. Häufig geschieht beides.«*

MC »*Ein Freund von mir fühlte sich nach der Scheidung derart einsam und verlassen, dass er wieder unter Migräne-Anfällen zu leiden begann. Seine Ex-Partnerin hingegen fühlte sich von der alleinigen Verantwortung für die Kinder derart überfordert, dass sie eine regelrechte Fresssucht entwickelte. Sie begann, große Mengen Süßigkeiten zu essen und nahm innerhalb weniger Wochen deutlich an Gewicht zu. Das drückte sie dann zusätzlich nieder.*«

Beschwerden, die auftreten können, wenn es den Eltern schlecht geht

Psychisch
- Verlassenheitsgefühle, Verzweiflung
- Hass, Wut, Rachegefühle
- Existenzielle Ängste
- Lustlosigkeit
- Plötzliche Verstimmungen
- Depression

Körperlich
- Müdigkeit
- Unwohlsein
- Psychosomatische Beschwerden wie Kopfschmerzen, Migräne, Schlafstörungen, Bauchschmerzen, Verspannungen der Nacken- und Schultermuskulatur etc.

Die Rolle der hingebungsvollen, abenteuerlustigen Mutter fiel Valerie nicht schwer. Früher hatte sie sich die tollsten Dinge für Anna ausgedacht. Auch jetzt verausgabte sie sich lieber für ihr Kind, als mit Freundinnen im Café zu sitzen. Lieber brachte sie ihre Abende mit Büchervorlesen zu und schlief dann neben Anna ein, als sich unter Leute zu begeben, jemanden anzurufen oder gar ein Rendezvous mit einem Mann anzunehmen. Anna war mehr denn je zum Mittelpunkt ihrer Welt geworden und oft war sie damit sogar ziemlich glücklich.

MC »Kompensiert Valerie ihren Schmerz, indem sie bei ihrem Kind Geborgenheit und Selbstbestätigung sucht?«

RL »Kinder können uns sehr wohl ein starkes Gefühl von Geliebtwerden geben. Kinder lieben vorbehaltlos. Auch in intakten Familien kommt es vor, dass Kinder in eine Verantwortlichkeit hineingeraten, die ihrem Alter nicht gerecht wird. Der Vater hat berufliche Sorgen, es geht ihm immer schlechter, schließlich gerät er in eine Depression. Anstatt dass er dem Kind Zuwendung und emotionale Sicherheit gibt, tröstet und liebkost ihn das Kind. Auch die fehlende Liebe zwischen Ehepartnern kann zu einer symbiotischen Ersatzbeziehung zwischen Eltern und Kind führen.«

MC »Noch einmal zu Valeries Gemütsverfassung. Ist es gut, die starke, ausgeglichene oder sogar fröhliche Mutter zu spielen, wenn einem gar nicht danach ist?«

RL »Emotionale Ehrlichkeit um jeden Preis? Solange Valerie die psychischen und körperlichen Bedürfnisse ihrer Tochter befriedigen kann, ist ihr Verhalten nicht nachteilig. Dazu gehört auch, dass sie Anna nicht in ihrer Autonomie-Entwicklung einschränkt, ihr also nicht Erfahrungen und Beziehungen vorenthält, um sie an sich zu binden. Das Kind darf für sie auch nie zu einem Partnerersatz werden und mit ihr Sorgen wie ein Erwachsener teilen müssen. Anna soll nicht Schmerzen auffangen, Therapeutin spielen und eine Verantwortung übernehmen müssen, die ihrem Entwicklungsstand nicht entspricht.«

MC »Gelegentlich ist es umgekehrt. Geschiedene Eltern versuchen ihren Schmerz in übertriebenem Aktionismus zu ersticken. Sie werden zu Nestflüchtern. Die Angst vor dem Alleinsein und Alleinbleiben treibt sie aus dem Haus und weg von den Kindern. Sie suchen Zuwendung und Bestätigung außerhalb der Familie. Für die Kinder haben sie dann nicht mehr ausreichend Gefühle und Zeit übrig. Es ist schwer, die eigenen Depressionen für einsame Stunden aufzusparen. Es ist noch schwerer, eine starke, positive und empathische Bezugsperson für sein Kind zu sein, wenn man sich gleichzeitig wie ein Häuflein Elend vorkommt.«

RL *»Eine Scheidung ist für viele Eltern eine kaum zu bewälti-*
gende Herausforderung. Dennoch sollten wir nicht vergessen:
Kinder brauchen nach der Trennung mehr denn je verlässliche
Bezugspersonen! *Wenn es die Eltern nicht mehr schaffen, müs-*
sen andere Erwachsene, Großeltern, Lehrer, Freunde und
Freundinnen vermehrt für die Kinder da sein. Leider geschieht
oft genau das Gegenteil: Die Angehörigen und Bekannten zie-
hen sich zurück, sie haben selbst Mühe, mit der Situation kon-
struktiv umzugehen. Dabei können Menschen, die schon vor der
Trennung eine tragfähige Beziehung zu der Familie aufgebaut
haben auch danach eine besonders große Hilfe sein. Auf diese
Weise könnten die Eltern der Scheidung mit mehr Zuversicht
entgegensehen.«

MC *»Da hast du allerdings Recht. Ich konnte mir vor der Tren-*
nung nicht vorstellen, was da alles auf mich zukommt. Es ist
wie mit der Ehe, der Schwangerschaft und der Geburt eines
Kindes. Im Voraus wissen wir nie wirklich, was uns erwartet.
Bei der Heirat kommen alle zusammen, bei der Geburt be-
kommen die Eltern Unterstützung, warum nicht auch bei der
Scheidung, wenn Eltern und Kinder es am nötigsten hätten? *
Es ist wirklich wichtig, dass alle, die können, den frisch ge-

Die drei Grundbedürfnisse des erwachsenen Menschen

Grundbedürfnisse und Lebensbedingungen
nach der Scheidung

	Positiv	Negativ
Geborgenheit	• Neue Partnerschaft • Tragfähige eigene Familie • Gesicherte, gute Lebensbedingungen	• Sich verlassen fühlen • Fehlende Unterstützung von der eigenen Familie • Unbefriedigende Lebensbedingungen (z. B. triste Wohnung) • Finanzielle Sorgen
Soziale Akzeptanz	• Beziehungen zu Freunden und Bekannten bleiben erhalten • Soziales Netz durch die Arbeit	• Soziale Isolation (z. B. durch Umzug) • Abstieg in der sozialen Stellung
Entwicklung, Leistung	• Befriedigung durch eigene Leistung • Entwicklung von Persönlichkeit und Fähigkeiten	• Keine eigenen Interessen und Tätigkeiten, die eine Befriedigung geben • Arbeitslosigkeit • Unbefriedigende Arbeit

schiedenen Eltern und ihren Kindern mit Zeit, emotionaler Wärme und allenfalls auch mit Geld beistehen.«

Erwachsene fühlen sich wie ihre Kinder nur dann wohl, wenn ihre drei Grundbedürfnisse befriedigt werden. Das Bedürfnis nach Geborgenheit, das Bedürfnis nach sozialer Akzeptanz und das Bedürfnis, etwas leisten zu können. Wie bei den Kindern haben diese drei Bereiche von Person zu Person eine unterschiedlich große Bedeutung. Manche Menschen brauchen viel Geborgenheit, anderen gibt der berufliche Erfolg am meisten Befriedigung. Es gibt Menschen, die ganz gut einige Zeit alleine leben können, andere wiederum haben das Gefühl, lebendig begraben zu sein, wenn sie nicht ständig von Freunden umgeben sind.

Der größte Einbruch im Wohlbefinden entsteht nach der Trennung im Bereich der Geborgenheit. Vor allem der verlassene Partner leidet oft unter massiven Defizitgefühlen. Sie können so gravierend sein, dass sie ohne therapeutische Hilfe in eine Depression führen. Verletzter Stolz, beschädigtes Selbstwertgefühl und gefühlsmäßige Vereinsamung können sich zu einer irrationalen Verzweiflung hochschaukeln. »Sie hat mir mein ganzes Leben genommen«, sagte ein Mann, nachdem ihn seine Frau verlassen hatte. Der erfolgreiche Manager hatte das Gefühl, die Trennung hätte seine Lebensader durchschnitten, hätte die Verbindung zu jener für ihn lebenswichtigen Quelle, der Geborgenheit, gekappt. Obwohl dieser Mann häufig auf Reisen war und sein Leben zeitlich gesehen viel mehr aus seinem Beruf als aus seiner Familie bestand, meinte er dennoch, nicht ohne jenes Nach-Hause-Kommen zu Frau und Kind leben zu können. Er hatte das Gefühl, nun mutterseelenallein zu sein. Da er diese Situation nicht länger ertragen konnte, heiratete er bald nach der Trennung erneut. Die zweite Frau ähnelte seiner Ex-Frau, und schon nach kürzester Zeit verlief sein Leben wieder wie eh und je. Er tankte zu Hause Geborgenheit und Zuwendung auf, um sich anschließend draußen in der Welt den beruflichen Herausforderungen stellen zu können.

MC »Viele Männer reagieren nach der Trennung genau so. Mehr als 50 Prozent von ihnen befinden sich, wie wir bereits gesehen haben, nach einem Jahr wieder in einer festen Partnerbeziehung (Decurtins et al. 2001). Was denkst du, Remo: Geht es ihnen um die Bestätigung, als Mann bei den Frauen weiterhin Erfolg zu haben?«

RL »Nein, um die erotische Ausstrahlung kann es alleine nicht gehen. Dafür müssten die Männer keine feste Beziehung eingehen. Die emotionale Sicherheit spielt für ihr Wohlbefinden eine weit größere Rolle. Männer können weniger gut allein sein als Frauen. Dabei geht es nicht ums Kochen und Hemdenbügeln. Verschiedene Studien haben gezeigt, wie wichtig es für Männer ist, sich aufgehoben und umsorgt zu fühlen. Ihre psychische und körperliche Gesundheit leidet, wenn dem nicht so ist (Rosengren et al. 1995).«*

Männer haben nach der Trennung vor allem unter dem Verlust der Familie als nicht näher definiertem Hort der Geborgenheit und ihres Status als Familienvater zu leiden. Für Frauen hingegen besteht der größte Geborgenheitsverlust oft darin, dass die Beziehung aufgelöst wird. Schon während der Ehe haben sie unter mangelnder Zuwendung gelitten und das Gefühl gehabt, allein auf der Welt zu sein. Doch wenn der Partner dann tatsächlich geht, können Frauen in einen seelischen Abgrund stürzen. Den Männern kann das Gleiche passieren, wenn sie keine neue Partnerin finden. Mit dem Alleinsein können sie auf die Dauer schlechter umgehen als Frauen. Die Angst vor einem endgültigen Verlassenwerden nimmt bei den Frauen mit dem Alter zu. Während ein älterer, grau melierter Mann für Frauen jedes Alters attraktiv sein kann, gehört immer noch sehr viel mehr Mut dazu, als Frau in mittleren Jahren noch an eine neue Partnerschaft zu glauben. »Ich habe meinen Mann mit Anfang 50 verlassen. Das war gewagt und ich hab auch nicht mehr damit gerechnet, jemals einen neuen Partner zu finden. Doch jetzt bin ich 64 und lebe mit meinem zehn Jahre jüngeren Freund glücklich zusammen.« Wer denkt schon daran, dass Krisen auch so ausgehen können, wenn er bis zum Hals in ihnen steckt.

MC »Das Gefühl des Verlassenseins hat oft etwas zutiefst Irrationales und Subjektives. Von Außenstehenden wird die Befindlichkeit eines Menschen, der alles nur noch schwarz sieht, oft *nicht richtig wahrgenommen. Ein Therapeut oder auch Freunde können versuchen, den Blick des Betroffenen wieder auf das Positive in seinem Leben zu lenken. Am wichtigsten aber sind Menschen, die einfach da sind. Einem depressiven Menschen das Gefühl zu geben, dass er nicht allein ist, ist anspruchsvoll. Es braucht Geduld und viel Zeit. Eine Freundin von mir hat vor Jahren Selbstmord begangen, weil sie so einsam und sich von der ganzen Welt verlassen vorgekommen war. Zu ihrem Begräbnis erschienen 150 Menschen. Die überwiegende Zahl von ihnen bestand aus jahrelangen Freundinnen und Freunden, die von ihrem Tod zutiefst bestürzt waren.«*

RL *»Diese Einengung der Wahrnehmung und der Gefühle erleben auch Eltern nach der Trennung, wenn auch verschieden stark. Es hängt unter anderem davon ab, wie sehr sie für ihr Wohlbefinden auf emotionale Sicherheit angewiesen sind. Menschen können unterschiedlich gut allein sein und fühlen sich daher auch unterschiedlich stark verlassen. Sie können unterschiedlich viel Leid ertragen und haben unterschiedliche Fähigkeiten, mit schwierigen Lebenssituationen umzugehen und sich Hilfe zu holen. Manche Menschen haben schon Existenzängste, wenn sie der Chef schief anschaut, andere lassen sich nicht einmal durch den Konkurs ihrer Firma aus der Ruhe bringen. Ebenso unterschiedlich gut können sie auch mit schwierigen familiären Situationen umgehen.«*

Legionen von Erwachsenen sind nach der Trennung auf der Suche nach einem neuen, womöglich dem »richtigen« Partner und einer verlässlichen Beziehung. Ein riesiges Angebot an Literatur gibt uns Ratschläge, wie wir dabei erfolgreich sein können. Wir sollen uns selbst verwirklichen, die richtigen Strategien anwenden und unser Beziehungsverhalten optimieren. Kurse und Seminare unterschiedlichster psychologischer Couleur bis hin zu esoterischen Zirkeln erfreuen sich größter Beliebtheit. Sie haben wohl kaum den großen Zulauf, weil sich ihre Versprechungen immer erfüllen. Vielmehr bieten sie den Ratsuchenden die Möglichkeit, in einer Gemeinschaft für einige Stunden oder Tage eine Art Geborgenheit und Zuwendung zu erfahren. Und sie geben einsamen Geschiedenen die Chance, Bekanntschaften mit Gleichgesinnten zu machen.

RL »*Wir alle wissen aus Erfahrung, dass Geborgenheit sich weder bestellen noch einfordern lässt. Selbst wenn die paartherapeutische Anleitung zur glücklichen Zweierbeziehung hilfreich ist, muss dennoch erst einmal ein Partner oder eine Partnerin für das langfristige und tragfähige Beziehungsprojekt gefunden werden. Er oder sie können ja nicht ›herbeitherapiert‹ werden. Wegen ihrer Isolation sind Geschiedene auf die emotionale Unterstützung der eigenen Eltern, Verwandten und Freunde angewiesen. Ich finde, es ist an der Zeit, einem tragfähigen sozialen Netz wieder den Platz einzuräumen, den es in der Vergangenheit besaß.*«

MC »*Wir haben uns angewöhnt, zu viel von der Paarbeziehung zu erwarten. Dabei war es früher auch schon die beste Freundin, die am besten zuhören konnte, immer für mich Zeit gehabt und mir unter die Arme gegriffen hat. Alte Freunde sind mit mir durch dick und dünn gegangen, als vom Partner noch keine Spur zu sehen war. Meine Eltern sind für mich nach der Scheidung wieder zu einer wichtigen Lebensstütze geworden.*«

RL »*Professionelle Hilfe wie Mediation, Einzel- oder Familientherapie wird leider häufig zu spät oder überhaupt nicht in Anspruch genommen. Dabei sollte es weniger um ein Aufarbeiten der Vergangenheit gehen als vielmehr um ein kritisches Hinterfragen des eigenen Verhaltens und um ein besseres Verständnis für die momentane Lebenssituation aller von der Scheidung Betroffenen.* Eine fachliche Unterstützung, die bereits vor der Scheidung einsetzt und die Familienmitglieder während und nach der Scheidung begleitet, kann sehr effektiv sein.«

Viktor hatte die Trennung von Beatrice tief getroffen. Nie wäre er auf die Idee gekommen, sich von seiner Frau scheiden zu lassen. Nie hätte er sich von seinen Kindern trennen wollen. Nie auch nur mit dem Gedanken gespielt, wie es wäre, sie nur noch an den Wochenenden zu sehen, mit ihnen nicht täglich – zumindest eine Stunde in der Früh und, wenn möglich, auch noch am Abend – zusammen zu sein. Seine Ehe mit Beatrice war nicht frei von Problemen gewesen, wie er heute zugibt. Aber Trennung! Beatrice warf ihm vor, dass er sich in seinem Narzissmus stets nur selbst wahrgenommen und gar nicht bemerkt habe, wie sie sich Stück für Stück aus der Ehe verabschiedet habe. Nach der Trennung zog sie mit den Kindern in die nächste Stadt; er nahm sie jedes zweite Wochenende und mittwochnachmittags zu sich. Als er eine neue Freundin gefunden hatte, ging es ihm seelisch viel besser. Er gewöhnte sich allmählich an die neuen Lebensumstände, freute sich jedes Mal auf die Kinder und machte die Erfahrung, dass er sie nicht verliert. Nur mit seiner Ex-Frau konnte er kein normales Wort wechseln. Sie machte ihm weiter Vorwürfe, etwa dass er die Kinder nicht rechtzeitig zurückbringen oder sie zu spät abholen würde – irgendetwas fand sie immer. Fast noch schlimmer war, dass ihre gesamte Familie nichts mehr mit ihm zu tun haben wollte. Die Ex-Schwiegereltern und die zahlreichen Schwestern seiner Frau waren an Feindseligkeit gar nicht mehr zu überbieten. Als ein gemeinsamer Freund der zerstrittenen Eltern auf ein Glas Wein bei Viktor vorbeischaute, kam es zum Eklat. Gleichzeitig brachte nämlich Beatrice die Kinder. Der Freund dachte sich nicht viel, begrüßte sie freundlich und lud sie ein, doch auch noch ein Gläschen mit ihnen zu trinken. Beatrice machte ein eisiges Gesicht und verschwand, kaum hatte sie den Kindern die Jacken und Stiefel ausgezogen. Am nächsten Tag erhielt der Freund einen Anruf von Beatrice' Mutter. Wie er einfach zu Viktor auf Besuch habe gehen können? So, als wäre nichts vorgefallen. Ob er denn gar nicht wüsste, wie sehr Beatrice leide? Wo sein Anstand geblieben sei? Der Freund verstand die Welt nicht mehr. Schließlich war es ja Beatrice gewesen, die ihren Mann verlassen hatte. Viktor indes war über den Vorfall verzweifelt. Die Art, wie seine ehemalige Schwiegerfamilie auf die Trennung und den Streit zwischen ihm und seiner Frau reagierte, schürte seine Angst. Was, wenn sie ihm auch noch die Kinder wegnehmen wollten, sie gegen ihn aufhetzten, ihn an den Rand drücken würden?

MC *»Viktor wird in die soziale Isolation getrieben. Er hat das Vertrauen in die Familie seiner Ex-Frau verloren und bekommt Angst. Statt sich darauf zu verlassen, dass sie es mit seinen Kindern nach wie vor gut meinen, ist ihm alles ein Dorn im Auge. Sein gestörtes Wohlbefinden kann ihn dazu verführen, mit einer Gegenattacke in psychologischer Kriegsführung zu reagieren.«*
RL *»Genau das ist das Problem. Die einseitige Parteinahme der Verwandten und Bekannten bewirkt leider das Gegenteil von dem, was angezeigt wäre. Anstelle von Solidarität für die betroffenen Erwachsenen und Kinder kommt es zu einer Polarisierung und Zerstörung des Beziehungsnetzes. In der Not rückt die Verwandtschaft zusammen, und der nicht zur Familie gehörende Elternteil wird ausgegrenzt und zum Sündenbock gemacht. Ein kollektiver Racheakt. Er dient letztlich niemandem und schadet den Kindern. Sie vereinsamen und geraten in Loyalitätskonflikte.«*
MC *»Bei mir war es eher umgekehrt. Beide Familien haben sofort beteuert, dass unsere Trennung an ihren Beziehungen zu jedem von uns nichts ändern werde. Das war sehr hilfreich und gut für unsere Tochter. Sie blieb in beiden Familien aufgehoben und wir, ihre Eltern, hatten nicht das Gefühl, dass einer dem anderen das Kind wegnehmen möchte.«*
RL *»Auch bei mir war es so. Das Verhältnis zu meinen Ex-Schwiegereltern und dem Rest der Familie wurde durch die Trennung nicht beeinträchtigt. Familienfeste wie Weihnachten oder Geburtstage haben wir auch Jahre nach der Scheidung noch gemeinsam gefeiert. Für die Kinder ist auf diese Weise die Familie intakt geblieben, auch wenn Mutter und Vater an verschiedenen Orten wohnten. Es waren glückliche Umstände, und ich bin bis heute dankbar dafür.«*
MC *»Etwas überspitzt könnte man sagen: Für das eigene Wohl und das Wohl der Kinder sollte man alles daransetzen, damit es*

dem Ex-Partner möglichst gut geht. Eine paradoxe, aber für alle vorteilhafte Art, mit der Scheidung umzugehen. Wem es gelingt, den kann man dazu nur beglückwünschen.«

Die meisten Menschen brauchen die Gemeinschaft anderer, um zufrieden leben zu können. Nur die wenigsten haben das Zeug zum Eremiten, können es aushalten, über Tage und Wochen von keinem Mitmenschen wahrgenommen und angesprochen zu werden. Im Wort »wahrnehmen« steckt schon, was die Menschen brauchen. Indem sie als Person wahrgenommen werden, fühlen sie sich existent. Wenn Eltern und Kinder nach der Trennung in eine soziale Isolation geraten, ist es besonders schlimm. Denn es geschieht zu einer Zeit, in der die Einsamkeit ohnehin als besonders groß und unerträglich empfunden wird. Häufig ist der Verlust des sozialen Netzes auch noch mit materiellen Sorgen verbunden. Eine allein erziehende Mutter mag einfach keine Zeit mehr für ihre Freunde haben. Da sind die Kinder, das Geldverdienen und dann wieder die Kinder. Von früh bis spät. Kein Geld für einen gelegentlichen Babysitter. Vielleicht nicht einmal genug Geld, um ab und zu ins Kino zu gehen. Und wenn die Kinder dann beim Vater sind und somit Zeit wäre, Freunde zu treffen, hat die Mutter das Gefühl, dass keine Freunde mehr da sind. Oder sie schämt sich. In den alten Kleidern. Kennt bloß den Weg zum Kindergarten und zum Billiggroßmarkt. Und die Wäscheberge, Hausaufgaben, das mühsam zusammengeschusterte bisschen an häuslicher Geborgenheit. Ein Teufelskreis entsteht. Soziale Isolation macht depressiv, und Depressionen verstärken wiederum die soziale Isolation. Den Graben zwischen sich und der Welt nicht mehr überbrücken können. Sich nicht mehr vorstellen können, mit jemandem zu reden. Gar nichts mehr tun. Sich aus allem und jedem zurückziehen. Immer weniger werden. Sich wie von der Welt verschluckt vorkommen. Wenn jemand so zu fühlen beginnt, sind alle gefordert, dem Erwachsenen und seinen Kindern beizustehen.

Der verlassene Mann wird durch die Trennung nicht nur verunsichert, weil er das Gefühl hat, als Familienoberhaupt versagt zu haben. Weil es ihm schlecht geht, ist er auch weniger leistungsfähig und weniger belastbar. Bei der Arbeit ist er mit seinen Gedanken oft nicht so ganz bei der Sache. Er läuft Gefahr, seine Stellung im Unternehmen nach und nach einzubüßen, schließlich vielleicht sogar die Stelle zu verlieren. Trotz aller Akzeptanz, die Geschiedene heutzutage in der Gesellschaft genießen, kann eine Scheidung die soziale und berufliche Stellung von Mann und Frau erheblich beeinträchtigen.

MC *»Um das angeschlagene Selbstwertgefühl zu stärken, stürzen sich Männer häufig in die Arbeit. Im Beruf soll gezeigt werden, dass man immer noch jemand ist und Erfolg haben kann. Berufliche Bestätigung gehört zu den effektivsten Mitteln, um gegen die Defizite im Bereich Geborgenheit und soziale Akzeptanz anzukämpfen. Manche kompensieren den Verlust der Familie mit einer erfolgreichen beruflichen Karriere oder engagieren sich in ihrer Gemeinde. Andere entdecken neue Interessensgebiete und beginnen, ein aktives, sozial vielfach eingebundenes Leben zu führen.«*

RL *»Ein neues Leben aufzubauen braucht Zeit und Kraft. Traurig ist nur, wie oft dabei die Beziehung zu den Kindern geopfert wird. Viele Väter realisieren nicht, dass sie, um den Kopf für die Arbeit frei zu haben, Niederlagen – und der Verlust der Familie ist eine der größten (!) – verdrängen müssen. Wochenenden und Ferien mit den Kindern fallen der persönlichen Karriere zum Opfer. Aus Zeitmangel angeblich. Für die Kinder bedeutet dies, dass sie den Vater verlieren. Der Vater hat sein Herz und seinen Kopf nicht mehr bei der Familie, sondern dort, wo er sich bestätigen kann und Anerkennung findet.«*

MC *»Ich verstehe dieses Verhalten. Die Väter sollen ihr Herz und ihren Kopf bei der Familie oder zumindest bei den Kindern haben, ohne dort zu leben. Ihr Lebensmittelpunkt hat sich aber verschoben, und das macht es schwierig, emotional präsent zu bleiben.«*

RL *»Das stimmt. Aber die Väter haben nur dann eine Chance,*

die Beziehung zu ihren Kindern aufrechtzuerhalten, wenn sie
ausreichend Zeit und Gefühle dafür aufwenden.«
MC *»Bei den geschiedenen Frauen hat die Arbeit zumeist nicht*
die Bedeutung für ihr Selbstwertgefühl wie bei den Männern.
Sie leiden hingegen sehr oft darunter, dass sie nach der Tren-
nung eine schlecht bezahlte, wenig befriedigende Arbeit anneh-
men müssen, weil sie in der Vergangenheit ihre berufliche Aus-
bildung zugunsten der Familie zurückgestellt haben.«

Hätte Mechthild damals nur ihr Studium fertig gemacht. Bloß
das praktische Jahr und die Ausbildung zum Facharzt hatten ihr
noch gefehlt. Erst dachte sie daran, nach der Hochzeit weiter-
zumachen. Nach der Geburt von Sascha trat sie sogar noch zu
einigen Prüfungen an. Doch dann kamen die Zwillinge und der
Hausbau. Sie hätte bei bestem Willen nicht auch noch arbeiten
und auf die Facharztprüfung lernen können. Oder doch?
Manchmal dachte sie, sie hätte sich eben noch mehr zusammenreißen sollen. Aber sie war so glücklich und ausgefüllt mit
den Kindern. Es wäre ihr so schwer gefallen, die Zwillinge zu
einer Tagesmutter und Sascha in den Ganztagskindergarten zu
geben, nur damit sie ihre Ausbildung hätte abschließen können.
Doch jetzt? Was sollte sie nach dem Ende ihrer Ehe tun? So
üppig waren die Unterhaltszahlungen ihres Mannes auch nicht.
Sie brauchte Geld. Nachts konnte sie nicht schlafen, so groß
waren ihre Existenzängste. Gott sei Dank hatte sie Freunde
und Eltern, die im Haus gegenüber von ihr wohnten. Die Eltern
übernahmen einen Teil der Kinderbetreuung, die Freunde halfen überall sonst. Der eine mit Geld, der andere beriet sie bei
ihrer Zusatzausbildung zur Heilpraktikerin. Sie war schon ein
Glückspilz, dachte sie an guten Tagen.

MC *»Nun wüsste ich aber gerne, wie sich die Probleme der*
Erwachsenen auf ihre Kinder auswirken. Wenn es den Eltern
längere Zeit nicht gut geht, kann es auch den Kindern nicht
gut gehen. Was aber genau tut den Kindern nicht gut? In den
Medien wird sehr viel und ausführlich darüber diskutiert, wie

sich Unfrieden und Streit zwischen den Eltern auf die Kinder auswirken.«

RL *»Streitigkeiten zwischen den Eltern kommen leider häufig vor und können für die psychische Entwicklung der Kinder sehr belastend sein. Mit dieser Thematik werden wir uns im nächsten Kapitel ausführlich befassen. Mindestens so wichtig wie die Auseinandersetzung zwischen den Eltern, aber weit weniger spektakulär ist die Art und Weise, wie sich das eingeschränkte Wohlbefinden der Eltern auf die Kinder nachteilig auswirkt.«*

Sophie hat sich angewöhnt, mäuschenstill zu sein. Zum Beispiel in der Früh, wenn ihre Mama noch schläft. Dann spielt sie Katze. Weil die keinen Lärm machen. Katzen hört man nicht, nicht mal wenn sie durch die Wohnung flitzen. Und außerdem sind die so kuschelig und lieb. Zu ihrem sechsten Geburtstag hat sich Sophie eine Katze gewünscht. Ein schneeweißes Kätzchen, so wie das von der Tante Burgl auf dem Bauernhof, wo sie und Papa die Ferien verbrachten. Das war letzten Sommer. Sie und Papa ganz allein. Da durfte sie laut sein. Schon in der Früh auf sein Bett hüpfen und ihn wachrütteln. Sie gingen zusammen in den Wald und spielten Indianer, bauten Staudämme und halfen bei der Heuernte. Und dann hat die Katze Junge bekommen. Doch Sophie hat kein Kätzchen zu ihrer Mama nach Hause mitnehmen dürfen. Obwohl ihr die Tante Burgl eines geschenkt hat. Die Mama muss dann niesen, haben alle gesagt. Dann war der schöne »Papa-Urlaub« wieder zu Ende. Jetzt muss sie so lange warten, bis er wiederkommt. Immer zweimal fünf Tage in die Schule gehen und dazwischen ein Wochenende zu Hause bleiben. Mit Papa ist es immer schön. Mit Mama nur manchmal. Sophie kann doch nicht den ganzen Tag »leise wie eine Katze« spielen. Auch am Nachmittag liegt Mama oft im Bett. »Muräne« oder so ähnlich. Das habe sie. Nein, nicht diesen dicken langen Fisch, der wie eine Schlange aussieht und seinen Mund so scheußlich aufreißt. »Muräne« ist was im Kopf. Ob im Kopf der Mutter eine Schlange wohnt? Warum Mama die Schlange dann nicht vertreibt, um endlich mit ihrer Sophie spielen zu können? So gerne würde sie mit ihr ein großes Bild malen. Vielleicht eines, wo die Schlange in Mamas Kopf vom guten Ritter mit dem Speer erstochen wird. Sophie hat schon viele Bilder mit Schlangen in Menschenköpfen gemalt. Immer hat sie die Bilder ihrer Mama gezeigt. Aber die Mutter hat sie kaum angeschaut. Die Bilder landeten alle auf einem Stapel im Kinderzimmer. Auch das macht Sophie so »katzentraurig«. Sie sagt »katzentraurig«, weil bestimmt ihr kleines Kätzchen, das sie auf dem Bauernhof zurücklassen mußte, auch so traurig war wie sie, weil Mama ihre Bilder nicht gefielen und ihre Spiele und Wünsche auch nicht. Auch dafür, dass sie immer »katzenstill« war, kriegte sie nichts. Manchmal gehen Mama und Sophie ein Eis essen. Meistens am Sonntag. Und dann gehen sie zu den Großeltern. Dort gibt es Kuchen, und die Oma steckt Sophie immer ein Geldstück zu. »Zum Sparen«, sagt sie. Sparen ist gut, heißt es. Sophie aber findet noch viel besser, dass sie nach dem Sparen immer nur noch fünf Tage schlafen muss, bis ihr Papa kommt.

RL »Sophies Mutter leidet unter Migräne und scheint auch sonst recht wenig Zeit und Kraft für ihre Tochter aufbringen zu können. Wenn sie mit Migräne den ganzen Nachmittag über im dunklen Zimmer liegt, fühlt sich Sophie verlassen, vielleicht sogar abgelehnt. Sie kann nicht verstehen, was die Mutter plagt. Kopfschmerzen hat sie noch nie gehabt und kann sie deshalb nicht nachempfinden. Sie versteht auch nicht, weshalb sich die Mutter so wenig um sie kümmert. Sophie spürt bloß, dass es der Mutter nicht gut geht und sie nicht für sie da ist. Dieses Gefühl versucht sie in ihren Zeichnungen auszudrücken. Eine Schlange hat sich zwischen sie und die Mutter gedrängt.«

MC »Als meine Tochter zwei Jahre alt war, lag ich einmal zwei Wochen krank im Bett. Sie war sehr beunruhigt und konnte absolut nicht verstehen, dass ihre Mami bloß etwas Ruhe benötigte und dann bald wieder mit ihr spielen werde. So packte sie all ihre Spielsachen in ihren Puppenwagen und übersiedelte in mein Zimmer, genauer gesagt, auf mein – Gott sei Dank – gro-

ßes Bett. Dadurch hatte sie das Gefühl, nicht ausgeschlossen zu sein. Sie spielte fröhlich mit sich selbst, während ich fiebernd vor mich hin döste, ihr manchmal ein Buch vorlas und – öfter – ihr zumindest mit ein paar Worten zu verstehen gab, dass ich, wenn auch überaus eingeschränkt, für sie da bin. Während meiner Krankheit hat mich meine Tochter gelehrt, wie man emotional anwesend sein kann, auch wenn es einem schlecht geht. Das war eine wichtige Erfahrung.«

RL »*Ihr beide habt in dieser Situation instinktiv genau das Richtige getan, und es hat eure Beziehung gestärkt! Die Bettsituation erinnert mich an die Sitten in arabischen oder afrikanischen Ländern. Dort rücken die Kranken ganz selbstverständlich samt ihren Familien ins Spital ein. Ein Prinzip, das wir in unserer Kultur wieder viel mehr beherzigen sollten: Zusammenrücken, wenn es einem von uns schlecht geht.*«

MC »*Wenn ich dich richtig verstanden habe, besteht das Hauptproblem darin, dass Eltern, denen es schlecht geht, nicht mehr ausreichend für ihre Kinder sorgen können. Kinder haben eine ganze Reihe von Bedürfnissen (siehe Seite 79). Das Wichtigste aber ist, nicht allein zu sein, einen vertrauten Menschen in der Nähe zu haben und Zuwendung zu bekommen. Diesem Bedürfnis zuverlässig nachzukommen ist selbst für Eltern, denen es gut geht, nicht immer leicht.*«

RL »*Wir haben bereits früher darüber gesprochen. Ein Kind kann selbst im Schulalter kaum begreifen, weshalb es der Mutter schlecht geht, wenn der Vater die Familie verlassen hat. Wie also erklärt sich das Kind dann die Trauer seiner Mutter? Es nimmt an, dass es mit seinem Verhalten dazu beigetragen hat. Jedes Mal, wenn es nicht gehorcht, wird es das Gefühl haben, der Mutter etwas anzutun. So leidet das Kind gleich mehrfach. Am Verlust des Vaters, an den Schuldgefühlen gegenüber der Mutter und an ihrer mangelnden Verfügbarkeit.*«

MC »*Wenn Kinder vernachlässigt werden, können sie auch Wut und Hass auf die Eltern entwickeln (Petri 1991). Weil sie aber von den Eltern geliebt werden wollen, ja auf Gedeih und Verderb auf diese Liebe angewiesen sind, können sie negative*

Gefühle kaum zulassen. Aus dieser emotionalen Abhängigkeit heraus bekommen sie ebenfalls Schuldgefühle. Statt aggressiv zu werden, versuchen sie, es den Eltern möglichst recht zu machen und hoffen, dass sich die Eltern dann wieder mehr um sie kümmern werden (Offe 1992, Fincham et al. 1993).«

Ein Nachmittag im Sommer. Max und seine Geschwister laufen vergnügt durch den Garten. Ihre Mutter hat das aufblasbare Plantschbecken mit warmem Wasser gefüllt und sich in eine Wasserschlacht verwickeln lassen. Durch das fröhliche Treiben angelockt, sind auch noch die Nachbarskinder über den Gartenzaun gehüpft, haben Schuhe und Strümpfe ausgezogen und sich unter die Geschwister gemischt. Da läutet das Telefon. »Max, komm, dein Vater will dich sprechen«, ruft die Mutter. Sie legt den Hörer auf das Telefontischchen und geht in die Küche, um Marmeladebrote zu schmieren. Sie hört, wie ihr neunjähriger Sohn mit nassen Füßen durch den Flur patscht, den Hörer nimmt und »nein, mir geht es auch nicht gut« sagt. Max wirkt plötzlich ganz verlegen, druckst herum, wirkt weinerlich und legt schließlich betrübt auf. Als die Mutter ihn am Abend ins Bett bringt, fragt sie, warum er gesagt habe, dass es ihm nicht gut ginge? Er habe doch den ganzen Tag gelacht und mit Maria, Mara und den Schneiders von nebenan gespielt? »Aber der Papa hat gesagt, dass er traurig ist und uns vermisst. Da habe ich besser auch gesagt, dass es mir nicht gut geht. Es kann mir doch nicht gut gehen, wenn es dem Papa schlecht geht?«

RL *»Kinder lassen sich von der Begeisterung wie auch von der Trauer ihrer Eltern anstecken. Auch Erwachsene, die sich nahe sind, können sich nur schwer abgrenzen. Bei Kindern ist die emotionale Abhängigkeit jedoch noch weit größer. Sie sind bedingungslos an ihre Bezugspersonen gebunden und leben deren Gefühle mit. Im Mittelpunkt ihres Weltbildes stehen sie selbst. Sie beziehen daher Haltungen und Gefühle ihrer sozialen Umwelt auf sich selbst.«*

MC »*Ist es nicht möglich, einem Kind zu erklären, dass es nicht schuld an der Trauer der Mutter oder des Vaters ist?*«

RL »*Es ist schwierig, bis zu einem gewissen Grad sogar unmöglich. Das Kind versteht nicht, dass diese starken Gefühle nichts mit ihm zu tun haben. Es kann keine ›Auszeit‹ nehmen und seine emotionalen Bedürfnisse auf unbestimmte Zeit aufschieben. Von ihm zu verlangen, dass es auch noch Rücksicht auf die schlechte psychische Verfassung der Eltern nehmen soll, ist eine Überforderung.*«

MC »*Ich nahm meine fast sechsjährige Tochter einmal zu einem Begräbnis mit. Den Verstorbenen hatte meine Tochter nicht gekannt. Ich hatte sie darauf vorbereitet, dass die Erwachsenen bei diesem nur für sie traurigen Ereignis sich eigenartig verhalten werden. Auch hatte ihr die Großmutter gesagt, dass sie den Großvater umarmen und trösten soll, weil er so traurig sei. Als dann aber auch ich, ihre Mutter, zu weinen anfing, überhäufte sie mich mit Küssen. Sie sah überhaupt nicht traurig aus, gleichwohl strömten ihr die Tränen nur so über die Wangen.*«

RL »*Gefühle gehen gewissermaßen ungebremst auf das Kind über, auch auf ältere Kinder und selbst Erwachsene. Deine Episode zeigt dies sehr schön. Wenn ein Schulkind und ein Jugendlicher hört, dass es der Mama und dem Papa nicht so gut geht, kann er sich emotional nur schwer abgrenzen. Deshalb sind andere Bezugspersonen für Kinder so wichtig, die helfen, das emotionale Gleichgewicht immer wieder herzustellen. Wir können es nicht genug betonen.* Eltern in Trennung und Scheidung brauchen Erwachsene, die sie zeitlich entlasten und mithelfen, die emotionalen Bedürfnisse der Kinder zu befriedigen. *Dann geht es den Eltern und damit auch den Kindern besser.*«

1. Den geschiedenen Eltern geht es nicht gut wegen:
   - psychischer Beeinträchtigung wie Verstimmungen und Depressionen
   - körperlicher Beeinträchtigung wie Müdigkeit bis Erschöpfung, psychosomatischen Beschwerden (z. B. Kopfschmerzen oder Schlafstörungen)

2. Das elterliche Wohlbefinden leidet, weil:
   - Geborgenheit und emotionale Sicherheit fehlen (Verlassenheitsgefühle, existenzielle Ängste)
   - soziale Akzeptanz und soziale Integration abgenommen haben (soziale Isolation)
   - sie sich überfordert fühlen durch die alleinige Verantwortung für die Kinder
   - ihre Beziehung zu den Kindern leidet

3. Wenn es den Eltern schlecht geht, werden die Bedürfnisse der Kinder nach Geborgenheit und Zuwendung nur noch ungenügend befriedigt:
   - die Kinder fühlen sich vernachlässigt, vielleicht sogar abgelehnt
   - sie bekommen Schuldgefühle, versuchen es den Eltern möglichst recht zu machen
   - sie reagieren mit Verstimmungen, Verhaltensauffälligkeiten (z. B. Rückzug, Aggression, Leistungsminderung) oder psychosomatischen Beschwerden (z. B. Bauchschmerzen)

4. Geschiedene Eltern brauchen:
   - die Unterstützung der Verwandten und Bekannten für sich selbst und die Betreuung der Kinder (Anteilnahme, Zeit und Geld)
   - professionelle Begleitung (z. B. Mediation, Einzel- und Familientherapie)

Weshalb ist der Streit der Eltern so negativ für das Kind?

Johanna ließ ihrem Hass auf Richard freien Lauf. Er hatte ihr Leben zerstört, jahrelang hatte sie auf alles verzichtet und ihm den Rücken freigehalten. Wer war es denn, der immerzu verreiste, sich selbst verwirklichte? Während sie zu Hause in Windelbergen, Karottenbrei und Kindergeschrei erstickte, wollte er partout in eine neue Stadt ziehen, redete nur von seinen Erfolgen, dem Aufbau seiner PR-Firma, der großen weiten Welt und seinen kreativen Ambitionen. Sie ließ ihn ziehen, stellte sich auf eine Wochenendbeziehung ein, kam sich noch allein gelassener vor. Ihre Kinder, Maria, Leo und Lola, sahen den Papa kaum, an der Mutter hingen sie dafür umso mehr. Wie kleine Kletten. Drei Kinder im Alter von eins, drei und sechs Jahren sind keine Kleinigkeit. Da hat man für gar nichts mehr Zeit. Er sagte, sie solle doch wieder ein bisschen arbeiten, das würde sie ausgeglichener, zufriedener machen. Er hatte ja keine Ahnung. Sah er nicht, wenn er einmal ausnahmsweise ein Wochenende mit den Kindern alleine war, wie viel Arbeit die Kinder ihr machten? Er gab zu, dass solche Tage ihn ermüden, dabei musste er ja nicht auch noch Wäsche waschen, putzen und aufräumen. Aber nein. Statt sich nur einmal in ihre Lage zu versetzen, betrog er sie auch noch. Wie oft und mit wem? Sie wusste es nicht, hatte schon lange vor dem Ende der Ehe jegliches Gefühl dafür verloren. Denn ihr Vertrauen war längst einem ausgeklügelten Kontrollsystem gewichen. Sie bekämpfte sein Leben, alle Bereiche, die nicht zu ihr und den Kindern gehörten. Seinen Beruf und alle Menschen, die damit verbunden waren. Seine alten Freunde und neue, falls er welche anschleppte. Seine Gedanken, die ständig von ihr wegschweiften. Seine Pläne, hinter denen sie bloß weitere Flucht- und

Befreiungsversuche witterte. Sie wusste, dass er die Familie nicht verlassen würde, und sie blieb, bis sie selbst stark und unabhängig genug war, um selbst zu gehen. Als sie einen Halbtagsjob bei der Zeitung bekam, war es endlich so weit.

Doch nach der Trennung begann sie, ihn erst recht zu hassen, ihm all die Vorwürfe zu machen, die sie ihm in den Ehejahren um des lieben Familienfriedens willen erspart hatte. Jetzt erpresste sie ihn mit den Kindern. »Komm besser gar nicht mehr, die Kinder leiden dann nur«, hatte sie ihm an einem Besuchswochenende gesagt. Einfach so. Das saß. Und sie hatte sich dann dafür eingesetzt, dass sie das alleinige Sorgerecht erhielt. Die Kinder, mittlerweile waren sie fünf, sieben und zehn Jahre alt, waren durch die Trennung schwer erschüttert. Auch das lastete sie ihm an. Er sei eben rücksichtslos. Am liebsten hätte sie es gehabt, wenn er einfach aus ihrem und der Kinder Leben verschwunden wäre. Zahlen sollte er natürlich schon, wozu machte er schon seit zwanzig Jahren nichts anderes als Karriere? Wieso sollte sie ausgerechnet jetzt, wo die Kinder sie mehr denn je brauchten, ganztags arbeiten gehen?

RL *»Warum glaubst du, ist Johanna so voll Hass auf ihren Mann?«*

MC *»Weil er ihr in der Vergangenheit oft wehgetan und sie nach Strich und Faden ausgenutzt hat.«*

RL *»Bist du dir da so sicher? Glaubst du wirklich, ihr geht es nur darum, alte Rechnungen zu begleichen?«*

MC *»Ich denke, sie steckt selbst in einer verzweifelten Lage. Noch vor nicht allzu langer Zeit hätte sie sich nicht zugetraut, ihr Leben auf eigenen Beinen zu meistern. Sie war immer von ihm abhängig. Bestimmt wird sie von Existenzängsten geplagt und ist durch ihre Entscheidung verunsichert. Erst wenn sie ganz konkret erlebt, dass sie ihr Leben in den Griff bekommt, wird sie gelassener reagieren können. Vielleicht hat sie auch Freundinnen und Freunde, die sie gegen ihren Ex-Mann aufhetzen, und auch noch keinen neuen Partner gefunden. Deshalb bleibt sie wohl tief in ihrem Hass an ihren Ex-Mann* *gebunden. Eine Hassbeziehung kann besser sein als gar keine Beziehung.«*

RL *»Man beobachtet das oft. Sozial und emotional isolierte Menschen können destruktive Beziehungen nicht aufgeben. Lässt der Hass auf den Ex-Partner endlich nach, findet man als häufigen Grund dafür eine neue Beziehung, die für Entspannung an der nachehelichen Front sorgt.«*

Wenn Partnerschaften auseinander gehen, kehrt oft noch lange kein Frieden in die Familie ein. Die Beziehung wird unter negativen Vorzeichen fortgesetzt. Die vielfältigen konfliktanfälligen Aspekte der Trennung und das Aushandeln der Scheidungsmodalitäten führen leider oft dazu, dass die Auseinandersetzungen, die zum Ende der Partnerschaft oder Ehe geführt haben, nun unter neuen und womöglich härteren Bedingungen fortgeführt werden. Nicht selten eskaliert dadurch der Streit erst recht, und die Kinder laufen Gefahr, als Waffen im Kampf eingesetzt und dabei psychisch beschädigt zu werden. Es gibt Paare, die eine mindestens ebenso intensive, möglicherweise über Jahre konfliktträchtige nacheheliche Partnerschaft führen wie ihre Ehe. Statistisch sind in Deutschland denn auch jene Partnerschaften am häufigsten, die nach der Scheidung ebenso zerrüttet bleiben wie zuvor (Napp-Peters 1995).

Maccoby und Mnookin haben die Elternbeziehung in den ersten Jahren nach der Scheidung untersucht. Eineinhalb und

Elternbeziehung 1 ½ bzw. 3 ½ Jahre nach der Scheidung (USA)

Elternbeziehung	1 ½ Jahre nach der Scheidung	3 ½ Jahre nach der Scheidung
kooperativ	26 %	29 %
konflikthaft	34 %	26 %
ohne Kontakt	29 %	41 %
gemischt	11 %	4 %

Maccoby and Mnookin 1999

Drei Bereiche, welche die Bewältigung einer Scheidung wesentlich mitbestimmen

Zerrüttung der Beziehung zwischen den Eltern ...

	... nimmt ab, wenn:	... bleibt bestehen oder nimmt zu, wenn:
Konflikt-bewältigung	• Trauerarbeit geleistet wird • Einsicht in das eigene Verschulden besteht • Verzeihen gelingt	• das eigene Scheitern verdrängt wird • keine Konfliktbewältigung stattfindet und Profit aus dem schwelenden Konflikt gezogen wird
Aktuelle Lebenssituation	• eine tragfähige Partnerschaft entsteht • eine gute soziale Integration entsteht • keine finanziellen Sorgen vorhanden sind • Befriedigung im Beruf gefunden wird	• die Vereinsamung zunimmt • das Beziehungsnetz verloren geht • Geldmangel besteht • unbefriedigende Arbeit geleistet werden muss • Arbeitslosigkeit besteht
Familiäres, gesellschaftliches und kulturelles Umfeld	• die Scheidung akzeptiert wird • keine Schuldzuweisungen gemacht werden • die Eltern und Kinder ausreichend unterstützt werden	• Wertvorstellungen bestehen, die Scheidung als ein Versagen oder etwas Verbotenes taxieren • es zu sozialer Ausgrenzung kommt • keine Unterstützung durch Verwandte und Bekannte besteht

dreieinhalb Jahre nach der Scheidung kooperierten knapp ein Drittel der Eltern gut miteinander; die Kooperationsbereitschaft nahm geringfügig zu. Konflikthaft war die Elternbeziehung bei einem weiteren Drittel der Eltern; dieser Anteil nahm in den folgenden Jahren ab. Deutlich größer wurde dafür der Prozentsatz der Eltern, die keine Beziehung mehr unterhielten, nämlich von 29 auf 41 Prozent.

Nur wenigen Eltern gelingt es, ihre zerrüttete eheliche Beziehung nach der Scheidung in harmonische oder mindestens neutrale Bahnen zu lenken. Am ehesten verläuft eine Scheidung dann »harmonisch«, wenn die Beziehung davor noch halbwegs intakt war und keine großen gegenseitigen Verletzungen vorgekommen sind. Wurden Werte wie Achtung und Respekt voreinander bereits in der Ehe mit Füßen getreten, so kommt es auch im Scheidungsprozess und danach häufig zu unverzeihlichen Verletzungen und zu einem Kampf unter der Gürtellinie.

MC *»Wenn ich mir diese Übersicht anschaue, bekomme ich den Eindruck, dass die Streitereien zwischen den Ex-Partnern mindestens so sehr von den Problemen der Gegenwart und Zukunft abhängen wie von den alten Rechnungen aus der gemeinsamen Vergangenheit.«*

RL *»Was die Vergangenheit betrifft, sollte jeder Partner versuchen, mit sich selbst ins Reine zu kommen. Die Scheidung bedeutet für viele einen tiefen Verlust und eigenes Versagen. Verluste aber verarbeiten wir, wenn wir um das Verlorene trauern. Versagensgefühle überwinden wir, indem wir unseren Anteil akzeptieren lernen und dem Ex-Partner seinen Anteil so weit wie möglich verzeihen. Der Streit geht dann weiter, wenn Trauer, Akzeptanz und Verzeihen ausbleiben.«*

MC *»Dann sind da aber auch die Probleme in der Gegenwart, wie Vereinsamung, Geldnöte, soziale Ausgrenzung und Überforderung, die eine Versöhnung mit der Vergangenheit verhindern. Stattdessen wird die Vergangenheit und damit der Ex-Partner für das gegenwärtige Unglück verantwortlich gemacht. Eine sehr verführerische Haltung. Es ist ja viel einfacher, dem*

anderen die Schuld zu geben, als vor der eigenen Türe zu keh-
ren. Und es ist eine komfortable Ausrede für Aggressionen,
Streit und die mangelnde Fürsorge für die Kinder. Selbst für
sehr bewusst handelnde Eltern ist es oft schwierig, nicht in
diese Falle zu tappen, die Schuld nicht an den Ex-Partner abzu-
schieben. Es braucht viel Selbstdisziplin, dass sich die Enttäu-
schung über die gescheiterte Partnerschaft nicht negativ auf die
Elternschaft auswirkt.«

Wenn Streit die Würde der Eltern verletzt, schadet er auch den
Kindern. Egal, ob sich die Auseinandersetzungen innerhalb der
Ehe oder nach der Trennung und Scheidung abspielen. Anders
ist es, wenn die Eltern es verstehen, »konstruktiv« zu streiten.
Gelingt es den Erwachsenen, Konflikte ohne die unterschwel-
ligen Gefühle der Ablehnung auszutragen, können diese Erfahrungen für Kinder sogar positiv sein. Sie lernen, wie man Konflikte bewältigen kann, ohne sich dem ängstigenden Gefühl der
Ablehnung aussetzen zu müssen. Konstruktives Streiten setzt
aber voraus, dass sich die Eltern grundsätzlich zugetan sind
und dies die Kinder auch spüren lassen.

Kinder können gar nicht anders, als die Gefühle der Erwachsenen, also auch deren Ablehnung und Hass, auf sich selbst zu
beziehen. Da die Streitereien durch die Scheidung oft eskalieren, sind konflikthafte nacheheliche Beziehungen für Kinder
meist noch belastender als die Auseinandersetzungen innerhalb
der »zerrütteten« Ehe. Zusätzliche Belastungen kommen hinzu.
Die Eltern beziehungsweise die Mutter muss meistens mehr
arbeiten. Die Zeit für die Kinder wird knapp. Die materielle
Basis beider Elternteile kann sich dramatisch verschlechtern.
Das nacheheliche familiäre Netz aus alten, nicht mehr beieinan-
der lebenden Familienteilen und neuen, hinzukommenden Partnern ist ein kompliziertes, krisenanfälliges Gebilde. Aber nur
wenn es den getrennten Partnern hinterher einigermaßen gut
geht und sie als Geschiedene besser miteinander auskommen
als in ihrer Ehe, kann es auch den Kindern besser gehen.

MC »Das klingt so absolut. Wenn nur eine ›harmonische‹ Scheidung Schaden von den Kindern abhält, ist das für manche Eltern bestimmt sehr entmutigend.«

RL »Es ist glücklicherweise nicht so, dass wegen einer längeren Krise alles verloren wäre. Streitereien sind bei Scheidungen fast unvermeidlich. Von diesen Krisen werden sich die Kinder erholen, vorausgesetzt, die Streitereien halten nicht unvermindert an.«

MC »Scheidungsanwälte machen oft die Erfahrung, dass ein Grund für die Konflikthaftigkeit von Scheidungen in der zugrunde liegenden rechtlichen Praxis zu suchen ist. Manche Anwälte gehen nicht vorrangig von einer Konfliktbeilegung, sondern dem Haben-Prinzip aus, das sie für ihren Mandanten verteidigen. Deswegen gilt ja auch als Königsweg für das Wohl der Kinder zur Zeit die Mediation. Wenn sich die Eltern entschließen, mit einem Mediator oder Anwalt die Scheidungsvereinbarung gemeinsam auzuhandeln, scheinen die Interessen und Bedürfnisse ihrer Kinder eine viel größere Bedeutung zu bekommen.«

RL »Das ist sicherlich eine große Hilfe, doch grundsätzlich glaube ich, dass eine Partnerschaft nur dann ›harmonisch‹, also weitgehend ohne Verlust- und Existenzängste, aufgelöst werden kann, wenn die beteiligten Erwachsenen bis zu einem gewissen Maß zu Autonomie fähig sind. Das heißt, sie sollten emotional und sozial möglichst unabhängig und in ihrem Leben möglichst selbstbestimmt sein. Über eine solche Autonomie verfügen die wenigsten Menschen, auch wenn Unabhängigkeit und Selbstbestimmtheit zu den großen Schlagwörtern der Ratgeberliteratur gehören.«

MC »Du meinst also, es wird so viel gestritten, weil die Streitparteien emotional zu wenig unabhängig sind und nicht ohne den anderen leben können?«

RL »Die wenigsten Menschen können für sich alleine leben und sich dabei wohl fühlen. Wir sind soziale Wesen und brauchen Beziehungen. Die meisten Menschen können sich erst dann aus einer Beziehung lösen, wenn ihnen andere Beziehun-

gen eine neue emotionale und soziale Sicherheit geben. Das muss nicht notwendigerweise eine Partnerbeziehung sein.«

Da Johanna mit den Unterhaltszahlungen von Richard nicht einverstanden war, er aber behauptete, nicht mehr zahlen zu können, zog er wieder zu Hause ein. Er wolle sich ohnehin nicht von ihr scheiden lassen. Wenn sie auf sein Angebot nicht eingehe, weigere er sich eben, die Scheidung zu akzeptieren, argumentierte er. Die Kinder freuten sich anfangs, doch glich sein Einzug eher der Belagerung einer feindlichen Stadt, die alles Leben erstickte. Die Atmosphäre war eisig. Darunter litten die Kinder nun erst recht. Sie wussten nicht, zu wem sie halten sollten, und fühlten sich hin und her gerissen.

Die arme Mama, dachte die zehnjährige Marie. Immer ist der Papa fortgefahren. Und gemein war er auch. Das habe sie, Marie, genau gespürt. Dann hat die Mama geweint, und Marie hat sie getröstet. Sie soll nicht weinen, bitte, bitte. Sie würde auch dem Papa sagen, dass er nicht so gemein sein soll. Seit der Papa wieder da ist, ist es auch nicht besser. Wie wenn das Haus gleich zerplatzen würde. So kommt es Marie vor. Zerplatzen vor lauter Weinen, das nicht aus den Augen herauswill. Man muss jetzt ganz brav sein, weiß Marie. Brav seine Hausaufgaben machen, obwohl das mit all den Gedanken im Kopf so schwer ist. Was passiert, wenn der Papa wieder auszieht? Früher ist er auch immer weggefahren. Aber jetzt ist es irgendwie anders. Früher war er immer fröhlich. Jetzt ist er so traurig. Weil er uns dann nicht mehr hat, hat er gesagt. Aber Marie hat ihm doch schon versprochen, ihn immer zu besuchen. Vielleicht waren wir nicht lieb genug, denkt sie. Aber was sollten sie noch alles tun? Leo macht sogar seine Hausaufgaben alleine, obwohl er erst in die zweite Klasse geht. Wenn er es nicht versteht, hilft Marie ihm. Sie hat ihm extra gesagt, dass er nicht zu Mama und Papa laufen soll, damit die einmal sehen, was für tolle Kinder sie haben.

Leo liebt Autos. Er weiß alles, sogar was PS sind. »Pferdestärken«, sagt er und schüttelt geringschätzig den Kopf über die fünfjährige Lola und ihre Freundin. Die lachen immer so blöd und sagen, dass Autos doch keine Pferde sind. Am tollsten findet Leo aber, wenn er mit Papas neuem BMW mitfahren darf. Er kann es gar nicht erwarten, bis sein Vater endlich kommt. Dann springt er gleich auf seinen Schoß, verwickelt ihn in ein Fachgespräch, etwa über den Airbag – wie hart ist ein Airbag, und bis wohin reicht er mir, wenn er aufgeht – und weg sind die beiden. Wenn die Mama ihn nicht mit Papa wegfahren lassen will, wird er ganz hysterisch und trotzig. Am Abend aber, nachdem er genug Auto gefahren ist, klebt er dann auf ihrem Schoß und kann gar nicht genug geherzt werden. Und das, obwohl er schon ein so großer Junge ist.

Lola, das Nesthäkchen, hat es gut. Marie hat sie gewissermaßen »adoptiert«, und Leo hat auch immer Zeit für seine kleine Schwester. Marie kann sogar Gutenachtgeschichten erzählen, besser als der Sandmann im Kinderfernsehen. Echt wahr! Und dann darf Lola unter ihre Decke schlüpfen. Marie ist die liebste Schwester auf der ganzen Welt. Fast so lieb wie Lolas Puppe. Die kommt auch immer mit ins Bett. Sie verscheucht die Albträume und die Hexen und die bösen Feen und auch die Angstkobolde. Marie hat einmal eine Geschichte davon erzählt. Echt gruselig war das! Aber Lola hat keine Angst. Lola ist so stark und frech wie der Pumuckl.

MC »Dies ist eine sehr schwierige Lebenssituation für die Kinder. Sie sind peinlichst bemüht, mit ihrem Verhalten die Spannungen nicht zusätzlich zu verschärfen.«

RL »Ja, weil ihre größte Angst ist, wenn sich die Eltern nicht mehr lieb haben, haben sie uns vielleicht auch nicht mehr lieb. Und dann wäre es ja auch kein Wunder, wenn der Papa wieder weggeht. Leo gerät in einen Loyalitätskonflikt. Wenn er Auto fahren möchte, muss er sich mit seinem Vater gut stellen, dann hat er aber am Abend ein schlechtes Gewissen seiner Mutter gegenüber und muss sich bei ihr einschmeicheln. Marie, die Älteste, macht sich am meisten Sorgen. Die Verantwortung ist umgedreht: Das Kind sorgt sich um die Eltern. Sie ist den Aus-

einandersetzungen der Eltern am schutzlosesten ausgeliefert.
Leo und Lola hingegen können Marie vorschicken, wenn es
unangenehm wird.«

Kinder erleben ihre Eltern anders, als die Erwachsenen es
annehmen. Sie nehmen Vater und Mutter bis weit ins Schulalter
hinein nur in Bezug auf sich selbst wahr. Für sie sind sie Menschen, die sich um sie, die Kinder, zu sorgen haben. Für alles
sind die Eltern zuständig, dafür, dass die Kinder nicht alleine,
nicht traurig, nicht hungrig, nicht verängstigt sind. Dafür, dass
sie rechtzeitig von der Schule abgeholt werden und ihr Freund
über Nacht bleiben darf. All das versteht sich von selbst. Gehen
Mutter und Vater liebevoll miteinander um, spürt das Kind, sie
lieben *mich,* das heißt, eigentlich spürt das Kind nur, dass alles
in Ordnung ist, denn kein Kind hinterfragt je die Liebe zwischen Mutter und Vater, und dass die Eltern das Kind lieben,
hält es für die selbstverständlichste Sache der Welt. Streiten
sich die Eltern, wird es verunsichert, vor allem dann, wenn der
Streit von destruktiven Gefühlen begleitet wird. Das Kind bezieht diese Gefühle auf sich: Die Eltern lehnen mich ab. Dabei
kann es durchaus sein, dass beide Eltern nur einander ablehnen,
aber beide ihr Kind lieben. Diese Unterscheidung kann das
Kind nicht machen. Ein Kind möchte eine harmonische und
Geborgenheit vermittelnde soziale Umgebung. Alles, was nicht
so ist, erlebt es als Ablehnung und emotionale Verunsicherung.
Auch Erwachsenen ist dieses Empfinden nicht fremd. Wir fühlen uns unwohl, wenn sich Freunde vor uns streiten. Wir werden selbst ganz glücklich, wenn wir den eigenen, mittlerweile
alten Eltern dabei zusehen, wie sie aufmerksam und liebevoll
miteinander umgehen. Erst den Erwachsenen gelingt es, sich
nicht zwangsläufig abgelehnt zu fühlen, wenn sich ihre Eltern
streiten. Zu dieser Abgrenzung sind die Kinder frühestens in
der Adoleszenz fähig (siehe Seite 122).

MC *»Häufig wird ja so getan, als wäre die Scheidung der*
eigentliche Bruch zwischen den Eheleuten, als wären die nega-

tiven Emotionen und der Streit der Eltern wie ein zürnender Schicksalsgott plötzlich über sie hereingebrochen. Dabei ist die Scheidung lediglich ein Öffentlichmachen der inneren Trennung.«

RL »Wenn es zu einer Trennung kommt, ist die Beziehung häufig schon eine ganze Weile, wenn nicht mehrere Jahre so mit Konflikten belastet, dass die Kinder bestimmt davon beeinträchtigt sind. Sie spüren, dass etwas nicht mehr in Ordnung ist, und leiden unter den Gefühlen der Gleichgültigkeit und Ablehnung zwischen den Eltern, lange bevor es zwischen den Eltern zu einer offenen Feindschaft und Trennung kommt. So leiden wohl auch viele Kinder in so genannten ›intakten‹ Familien unter Eltern, die sich nicht mehr verstehen.«

MC »Macht es also einen Unterschied, ob die Eltern geschieden sind oder nicht?«

RL »Für das Wohlbefinden des Kinder ist die Beziehung zu den Eltern entscheidend, nicht die Scheidung.«

Um die Frage zu beantworten, ob die Persönlichkeitsentwicklung der Kinder durch die Scheidung oder durch den elterlichen Konflikt in der zerrütteten, aber noch nicht aufgelösten Familie mehr beeinflusst wird, wurden in einer Studie Kinder elf Jahre lang untersucht (Block et al. 1986). Die Ergebnisse zeigen, dass die Kinder von sich später trennenden Eltern bereits viele Jahre vor der Scheidung mehr und stärkere Verhaltensauffälligkeiten zeigen als Kinder, die in Familien aufwachsen, deren Eltern sich nie trennen. Dies spricht für die Annahme, dass die konflikthafte Beziehung der Eltern die Kinder belastet und zu Verhaltensauffälligkeiten führt und weniger die Scheidung selbst. Diese Befunde werden durch andere Studien gestützt (Walper 1995, 1998, Walper und Gerhard 1999). Feindselige Konflikte zwischen den Eltern haben in Zweielternfamilien und Scheidungsfamilien einen schädlichen Einfluss auf das psychische Wohlbefinden der Kinder (Amato und Keith 1991). Die Auswirkungen haben einen langfristigen Charakter, indem sie zu einer vorzeitigen Ablösung der Kinder, einer erhöhten emotionalen Unsicherheit und verminderten Beziehungsbereitschaft im Erwachsenenalter führen können.

Als Frederike fünf und Konstantin acht Jahre alt waren, war die Ehe der Eltern in die erste ernsthafte Krise geraten. Die Streitereien waren verletzender geworden, Herbert hatte eine Geliebte, und Inge schlitterte in eine Depression. Sie musste Psychopharmaka schlucken und war als Mutter psychisch nicht mehr präsent. Sie bemerkte gar nicht, wie schlecht es ihren Kindern damals ging und welch destruktive, grabesmäßige Atmosphäre sich in der Familie ausgebreitet hatte. Auf Freunde machten Konstantin und Frederike einen desorientierten Eindruck. Sie wirkten entfremdet, entwurzelt, waren blass und durchscheinend. Immer wenn sie einen Streit der Eltern mitbekamen, liefen sie aus dem Zimmer und kauerten sich weinend in eine Ecke. »Schau, was du den Kindern antust«, sagte Herbert, wenn er sie entdeckte. Inge versuchte zu trösten. »Es wird schon wieder, wir vertragen uns schon wieder«, flüsterte sie Beschwörungsformeln in die Ohren der Kinder, ohne sie selbst wirklich zu glauben. Als Konstantin noch ein Jahr älter war, begann er zwischen den Eltern zu vermitteln. »Mama, der Papa wollte nur höflich fragen, wer heute die Milch beim Bauern abholt«, sagte er, wenn die Mutter zu einem generellen Vorwurf ansetzte, sobald ihr Gatte auch nur die Stimme erhob. Bei jedem Streit ergriffen er und seine jüngere Schwester automatisch für den Teil Partei, der ihnen als der Schwächere, der Verletzte, der Unterlegene erschien. Derjenige Elternteil jedoch, der den schärferen Ton anschlug, womöglich unter der Gürtellinie, wurde geächtet. Dann lagen die Kinder heulend in ihren Betten und schluchzten. »Der Papa ist so böse.« Selbst die beschwichtigenden Worte der Mutter, »Aber nein, er ist nicht böse, wir haben nur eine Meinungsverschiedenheit«, halfen nicht mehr. Sie waren jedes Mal ganz persönlich davon betroffen, obwohl die Eltern sich beispielsweise bloß darüber gestritten hatten, wer die Reparatur der Küchengeräte zahlen muss, sie von ihrem Haushaltsgeld oder er von seinem Einkommen als Versicherungsmakler. »Beide Eltern sind ja höhere Wesen für das Kind«, erklärte Konstantin rückblickend. »Mit höheren Wesen meine ich, dass sie über dem Kind stehen, die Menschen sind, an denen sich die Kinder orientieren. Man kann gar nicht anders, als Partei ergreifen, ob die Eltern einen in den Streit hineinziehen oder nicht. Selbst wenn die Eltern sich sehr bemühen, ihr Kind herauszuhalten, sie schaffen es nicht. Dieses Parteiergreifen ist wie ein Zermalmtwerden für das Kind. Es verliert einen Teil von sich selbst.«

RL »Das ist eine sehr treffende Beschreibung von dem, was mit Kindern passiert, was sie fühlen, wenn sie zwischen den Eltern vermitteln müssen und in Loyalitätskonflikte hineingezogen werden.«

MC »Gibt es denn wirklich keinen Weg, sie nicht in den Streit hineinzuziehen?«

RL »Manche Eltern versuchen, sich abzugrenzen. Sie erklären den Kindern, dass der Streit eine Sache zwischen Mama und Papa ist, dass die Kinder davon nicht betroffen sind und dass Mama und Papa bald wieder ganz für sie da sein werden. Sie bemühen sich, den Streit nach außen zu verlegen. Sie können mit viel Disziplin vereinbaren, dass sie in ein Restaurant oder im Park spazieren gehen, wenn Auseinandersetzungen drohen. Sie geben sich große Mühe, konstruktiver zu streiten und weniger verletzend zu sein. Sie suchen einen Paartherapeuten, Beziehungscoach oder einen Kommunikationstrainer auf. Manche Eltern lassen nichts unversucht, um Krisen auf ein für Kinder erträgliches Maß zu reduzieren.«

MC »Oft ist es aber selbst mit all diesen Bemühungen nicht zu schaffen, oder es gelingt trotz bester Absicht erst nach einigen Jahren. Die Kinder tun den Eltern dabei so Leid. Die Eltern fühlen sich schuldig und können doch nicht aus ihrer Haut heraus. Sie leiden mit den Kindern, die immer blässer werden und diese fragenden Gesichter bekommen. Es ist ganz schrecklich.«

RL »Weißt du, dennoch bedeuten schwierige Jahre in der Kindheit nicht unbedingt, dass ein Kind später kein glückliches und erfolgreiches Leben führen wird. Die Eltern sind für das Kind

und seine Entwicklung sehr wichtig. Sie sind aber nicht allein
für sein Glück verantwortlich und bestimmen auch nicht sein
Schicksal. Es gibt andere wesentliche Faktoren, die die Entwick-
lung eines Kindes beeinflussen, und viele Chancen, negative
Erfahrungen im Verlauf des Lebens auszugleichen. Beispiels-
weise können Geschwister und Großeltern viel zur emotionalen
Stabilität eines Kindes beitragen. Je älter das Kind wird, desto
weniger ist sein Wohlbefinden von den Eltern abhängig. Sein
Umfeld, die Schule, der Freundeskreis und andere Bezugsperso-
nen, wie die Lehrerin oder der Leiter einer Sportgruppe, werden
immer bedeutsamer.«

Gott sei Dank war da noch Konstantins Volksschullehrerin. Zu
ihr hatte der Bub seit langem Vertrauen gefasst, und die erfahrene Pädagogin hatte ihrerseits das Kind ins Herz geschlossen.
Schon länger hatte sie Konstantin voll Sorge beobachtet. Er war
ihr bester Schüler, mathematisch hochbegabt und sehr anhänglich. Seit zwei Jahren nahm sie ihn regelmäßig an zwei Nachmittagen pro Woche zu sich nach Hause. Auch ihre Kinder
konnten Konstantin gut leiden. Einmal ließ der Junge seiner
Mutter durch die Lehrerin Folgendes ausrichten: »Sie, die Kinder, seien überfordert. Sie seien kleine Kinder und wollten auch
kleine Kinder sein. Sie wollen nicht mehr den Vermittler spielen.« Damals hatte Konstantin noch das Gefühl, er könnte mit
seiner Mutter nicht reden. Als er ins Gymnasium kam, besserte
sich das Verhältnis zu ihr. Auch die Mutter hatte ihr Leben wieder in den Griff bekommen. Sie hatte eine Assistentenstelle an
der Universität angenommen und verreiste manchmal zu Vor-
trägen in eine andere Stadt. Konstantin hing nun sehr an ihr, er
liebte diese schöne und intellektuelle Frau und genoss die
gemeinsamen Gespräche. Manchmal, wenn Inge nicht da war,
wachte er in der Nacht angsterfüllt auf. »Ich habe so Angst,
dass du verloren gehst«, gestand er seiner Mutter. Als die Ehe-
krise erneut aufflammte, sagte er ganz resolut: »Am liebsten
wäre es mir, ihr würdet in zwei unterschiedlichen Wohnungen
leben, sodass ich jeden von euch haben kann, aber diese Span-

nungen nicht mehr aushalten muss.« Und als Inge dann tatsächlich eine Wohnung nebenan für sich fand, fragte Konstantin jeden Tag, ob der Vater endlich in das neue Arrangement eingewilligt habe. »Alle glauben, dass die Trennung der Eltern das Schlimme für die Kinder ist, aber es ist nicht so. Die ›innere‹ Trennung ist das Allerschlimmste«, erklärte der bald erwachsene Konstantin. »Als ich älter wurde, wurde mir klar, dass es bei uns zu Hause nicht so ist wie bei anderen, wo sich die Eltern wirklich lieben. Da war ich sehr traurig.«

Konstantin war dreizehn, als seine Mutter die neue Wohnung bezog. Tagsüber kam sie, um nach den Kindern zu schauen, abends war dann der Vater für sie da. Endlich würden die Spannungen aufhören, das fühlte Konstantin noch mehr als seine kleine Schwester Frederike mit ihren zehn Jahren und ihrer phänomenalen Gabe, stets im Windschatten des älteren Bruders zu segeln. Frederike war für ihr Alter emotional erstaunlich unabhängig. Ihr genügte es, möglichst nichts von den Streitereien der Eltern mitzubekommen, obwohl sie genau und vielleicht besser als ihr Bruder wusste, wie es um die beiden stand. Konstantin war derjenige, der den Auszug der Mutter aktiv anpackte. »Darf ich dich erinnern, dass du ausziehen wolltest«, sagte er zu Inge, als er merkte, wie zögerlich seine Mutter an den Aufbau ihres neuen Lebens heranging. »Jeden Tag nach dem Lateinlernen habe ich eine halbe Stunde Zeit. Dann komme ich, dir beim Kistenschleppen helfen. Okay?« Frederike hingegen legte der Mutter ein Herz aus Gummibärchen auf das Kopfkissen, weil sie spürte, dass Inge Liebeskummer hatte. Dass ihre Mutter bald ausziehen würde, fand sie hingegen »irgendwie komisch«. Doch Frederike wusste, dass die Mama trotzdem tagsüber da sein würde und nahm daher alles nicht so schwer.

MC *»Im Fall von Inge und Herbert scheint sich die Trennung der Eltern tatsächlich positiv auf die Kinder ausgewirkt zu haben. Das entspricht im Übrigen vielen Aussagen von Erwachsenen oder jungen Erwachsenen, deren Eltern lange Perioden zermürbender Auseinandersetzungen in Kauf nahmen,* *weil sie die Ehe retten und ihre Kinder schonen wollten. ›Sie haben sich zu spät scheiden lassen.‹ ›Ich wünschte, sie hätten sich scheiden lassen, so, wie die miteinander umgegangen sind!‹ ›Die Scheidung war schlimm, aber die Streitereien davor noch viel schlimmer.‹«*

RL *»Diese Aussagen sollten wir nicht als eine späte Rechtfertigung für Trennung und Scheidung ansehen. Es darf nicht darum gehen, irgendeinen Lebensstil zu favorisieren oder die bürgerliche Kleinfamilie anzugreifen. Im Zentrum sollten bei allen Überlegungen immer die Kinder mit ihren Bedürfnissen stehen: Für die einen Kinder ist es undenkbar, dass die Eltern, ihre Ernährer und Beschützer, auseinander gehen, und sie wollen die Eltern nach der Scheidung auch wieder zusammenbringen. Für andere Kinder kann die Scheidung der Eltern eine Erleichterung sein und zu einer Verbesserung ihrer Lebensumstände führen. Es gibt kein Rezept. Jedes Kind und jede Familie hat ihre eigenen Lebensbedingungen, die bestimmen, was für das Kind und die Eltern am besten ist.«*

MC *»Leider, wie wir alle wissen, kann der Streit zwischen den Eltern auch dazu führen, dass sie nach der Trennung versuchen, dem anderen die Kinder wegzunehmen, die Kinder als Waffe im Rosenkrieg einzusetzen. Das sind Eskalationen, die für Kinder schlimme Folgen haben können. Tragisch dabei ist, dass derjenige Elternteil, der nicht um die Kinder kämpfen will, weil er sie schonen möchte, rechtlich machtlos ist und fast ausnahmslos zum Verlierer wird.«*

RL *»Alle Schweregrade und Erscheinungsformen der Manipulation von Kindern kommen leider vor, von gelegentlichen Sticheleien zwischen den Eltern bis zum Vollbild des so genannten Eltern-Entfremdungs-Syndrom.«*

Beim Eltern-Entfremdungs-Syndrom (Synonym: Eltern-Feindbild-Syndrom; Parental Alienation Syndrom [PAS], Gardner 1992) beeinflusst der betreuende Elternteil das Kind, indem er den außen lebenden Elternteil in vielfältiger Weise schlecht macht. Dabei reicht die Manipulation des Kindes durch einen

Elternteil von gelegentlichen negativen Bemerkungen bis zur schwersten Manipulation. Man muss dann von einer Form von Kindesmisshandlung sprechen. Denken und Empfinden des Kindes machen ganz bestimmte Veränderungen durch und beginnen, charakteristische Merkmale aufzuweisen.

Merkmale des PAS (Parental Alienation Syndrom)

Für eine bessere Lesbarkeit des nachfolgenden Textes gehen wir davon aus, dass der betreuende Elternteil die Mutter und der außen lebende Elternteil der Vater ist. Selbstverständlich können die Rollen auch vertauscht sein.

- *Das Kind nimmt den außen lebenden Elternteil nur noch negativ wahr.* Frühere positive Erfahrungen mit dem Vater sind wie ausgelöscht. Es ist, als ob es eine gemeinsame Vergangenheit nie gegeben hätte. Das Kind wertet den Vater ohne große Verlegenheit und Schuldgefühle ab, beschreibt ihn als böse und gefährlich, macht ihn zur Unperson. Das Kind gerät bei der Schilderung in eine große innere Anspannung, kann aber bei näherem Befragen meist nichts konkretisieren. Es sagt dann etwa: »Es ist so, ich weiß es.« Oft entwickeln die Kinder ein erpresserisches Verhalten gegenüber dem Vater wie zum Beispiel: »Wenn du mir Geld gibst, dann ...«
- *Das Kind gebraucht absurde Begründungen.* Das Kind begründet seine feindselige Haltung dem Vater gegenüber mit irrationalen absurden Rechtfertigungen, die keinen realen Zusammenhang mit tatsächlichen Erfahrungen haben. Es zieht Banalitäten zur Begründung heran: »Er hat oft so laut gekaut« oder »Er hat mich nicht warm genug angezogen«. Das Kind ignoriert die Zuwendung und das Interesse des Vaters und lehnt ihn aktiv ab: »Der Papa will zum Schultheater kommen, aber er sollte das nicht.«
- *Das Kind nimmt reflexartig Partei für den betreuenden Elternteil.* Das Kind ergreift immer reflexartig, ohne zu zögern und zu zweifeln, für die Mutter Partei. Es kann jedoch die Vorwürfe, die es gegen den Vater richtet, bei entsprechenden

Nachfragen nicht konkretisieren. Wenn für das Kind einmal feststeht, dass der Vater ein Lügner ist, kann er berichtigen, so lange er will, er kann das Kind nicht überzeugen.

- *Ausweitung der Feindseligkeit auf die gesamte Familie und das Umfeld des zurückgewiesenen Elternteils.* Großeltern, Freunde und Verwandte väterlicherseits lehnt das Kind genauso ab wie den Vater selbst. Diese Ablehnung begründet das Kind mit absurden Argumenten. Gefühlsmäßig befindet es sich in einer tiefen inneren Spannung und Zerrissenheit. Die Familienangehörigen sind in einer ausweglosen Lage. Versuchen sie zu vermitteln, wird ihnen Einmischung vorgeworfen und sie werden abgelehnt. Halten sie sich zurück, wird ihnen dies zum Vorwurf gemacht und als Grund für die Zurückweisung benutzt.

- *Das Phänomen des unabhängigen Denkens.* Die Mutter ist stolz auf die selbständige Meinung ihres Kindes. Sein eigener Wille und seine »unabhängige« Meinung werden von ihr besonders hervorgehoben. Oft fordert sie das Kind auf, auf jeden Fall die Wahrheit zu sagen. Die erwartete Antwort kommt auch prompt: Das Kind will seine Mutter, von der es in vielfältiger Weise abhängig ist, keinesfalls enttäuschen.

- Das Kind zeigt keine Schuldgefühle gegenüber dem außen stehenden Elternteil. Das Kind will und kann sich nicht in den Vater einfühlen.

- Es lehnt jeden Kontakt ab, hat aber keine Skrupel, Ansprüche anzumelden. Es empfindet dies als sein gutes Recht; Dankbarkeit zeigt es nicht. Das Kind hat die Haltung der Mutter übernommen: Es geschieht dem Vater ganz recht, er hat es nicht anders verdient.

- *Das Kind übernimmt geborgte Szenarien.* Das Kind schildert groteske Szenarien und Vorwürfe, die es von den betreuenden Erwachsenen gehört und übernommen, aber nicht selbst erlebt hat. Oft weiß das Kind gar nicht, wovon es spricht. Es kann keine Beispiele aus seinem eigenen Erleben erzählen.

(Modifizierte Zusammenstellung nach Birchler-Hoop 2002)

RL »*Diese Darstellung beschreibt die wichtigsten Merkmale des Eltern-Entfremdungs-Syndroms. Treten mehrere oder alle Merkmale gleichzeitig und stark zutage, haben wir es mit einer extremen Form des Syndroms zu tun. Es handelt sich um eine Form psychischer Misshandlung des Kindes. Das Kind wird vom betreuenden Elternteil programmiert; es wird einer gelegentlichen Gehirnwäsche unterzogen. Es verliert dabei seine eigene Meinung und innere Unabhängigkeit, und es verliert auch die Beziehung zum außen lebenden Elternteil.*«

MC »*Ich kenne Mütter, die auf ähnliche Weise ihre Kinder manipulierten. Sie versuchen, unterschiedlich heftig, die Kinder dazu zu bringen, sich mit ihnen gegen die Väter zu verbünden. ›Wenn du übers Wochenende nicht zu deinem Vater gehen möchtest, musst du nicht. Wir könnten zum Beispiel ins Kino gehen‹. Nicht immer steckt die bewusste Absicht dahinter, die Kinder dem Vater zu entfremden. Um aber sicherzugehen, dass man als Mutter den Vater nicht schlecht macht, sollte man die Beziehung der Kinder zu ihm, wenn möglich, sogar aktiv fördern. Wenn man sich nicht ganz bewusst immer wieder sagt, dass es sich um den Vater – neben mir die wichtigste Bezugsperson für* mein *Kind – handelt und dass man ihn als Vater schätzt, läuft man immer wieder Gefahr, in eine leichte Form des PAS abzurutschen.*«

RL »*Es gibt auch Mütter, die die Väter mit rigiden Besuchsregelungen schikanieren, um den Ex-Partner zu strafen. Oder sie geben ihm keine oder nur ungenügende Informationen über sein Kind, um ihn spüren zu lassen, dass* das Kind ihn *nicht mehr liebt und braucht. Oder sie geben die Schuld dem Vater und seinen Besuchswochenenden, wenn das Kind erkältet und verstimmt ist oder schlechte Schulnoten nach Hause bringt. Wenn es dazu kommt, dass die Mutter den Vater gegenüber den Kindern ständig abwertet, hat sie nicht nur ihn gestraft, sondern vor allem* das Kind missbraucht.«

Es war ein unsäglicher Scheidungskrieg. Am Ende nach jahrelangen Gerichtsverhandlungen, Vorwürfen wegen sexuellen

Missbrauchs, psychiatrischen Gutachten und langen Analysen der Kinderpsychologen, waren die Schäden unübersehbar. Die Kinder, die mittlerweile achtjährige Anja und der siebenjährige Stefan, lebten mit ihrer Mutter in einer neuen Stadt. Sie hatte das alleinige Sorgerecht erhalten, und der Vater, der seine Kinder zwei Jahre lang nicht hatte sehen dürfen, weil der Vorwurf des sexuellen Missbrauchs in der Luft lag, war für sie zu jemandem geworden, vor dem sie nun tatsächlich Angst hatten. Nachdem alles ausgestanden war, durfte er seine Kinder alle 14 Tage unter Aufsicht des Jugendamtes besuchen, mit ihnen in der für ihn fremden Stadt etwas unternehmen. Seine Kontaktversuche verkamen immer mehr zu hilflosen, peinlichen und atmosphärisch gedrückten Besuchen bei McDonald's oder im Kino. Da der Vater es auf diese Weise nicht schaffte, wieder eine echte, tragfähige Beziehung zu seinen Kindern aufzubauen, schränkte er seine Besuche unter der schmerzlichen Einsicht, dass sie ohnedies für alle bloß quälend seien, immer mehr ein. Er zahlte für den Unterhalt seiner Kinder und gründete eine neue Familie.

Die Kinder waren beide jahrelang in psychotherapeutischer Behandlung. Die Mutter war überzeugt, es sei wegen der Traumata, die ihnen der Vater zugefügt habe, jener Mann, vor dem sie ihre Kinder erfolgreich hatte retten können. Sie waren auch tatsächlich in verschiedener Hinsicht auffällig. Die Kinder hatten Schlafstörungen, Stefan hatte zu stottern begonnen und Anja musste in der Schule zurückgestellt werden, obwohl sie eigentlich ein intelligentes Kind war. Beide weigerten sich, mit anderen Kindern zu spielen und schlossen in ihrer neuen Umgebung keine Freundschaften. In der Therapie verarbeiteten sie ihre Ängste, ihre Aggressionen, ihren Schmerz. Nach einiger Zeit hatte die Therapeutin das Gefühl, das »Scheidungssyndrom« dieser Kinder in den Griff bekommen zu haben. Als beide aufs Gymnasium kamen, schienen die vielfältigen Sozialisationsversuche der Mutter und ihres gesellschaftlich wohl situierten Milieus schließlich zum Erfolg geführt zu haben. Anja und Stefan erlernten gute Berufe und waren für ihre Mutter der lebendige Beweis dafür, dass sie ihr Leben und das ihrer Kinder damals in die richtigen Bahnen gelenkt hatte.

Wenn da nicht dieser Hauch von Traurigkeit gewesen wäre. Ob ihre Kinder wirklich glücklich waren, wusste die Mutter nicht. Dazu war das Verhältnis zwischen ihnen viel zu formell. Sie erzählten ihr fast nichts. Mit welchen Gefühlen blickten sie auf dieses Leben zurück, das fragte sie sich manchmal und schob den Gedanken ebenso schnell wieder weg, wie er plötzlich in ihrem Kopf aufgetaucht war. Im Grunde war alles in Ordnung, sagte sie sich. Stefan hatte sogar eine Freundin, aus gutem Haus, nett, passend. Bei Anja war das anders. Sie war ein ernstes Mädchen, arbeitete bis zum Umfallen als Ärztin und schien es sich im Leben nicht gerade leicht zu machen.

MC *»In dieser Scheidungsfamilie sind negative Langzeitfolgen für die Kinder wohl wahrscheinlich?«*

RL *»Das ist leider zu befürchten. Der Verlauf der Scheidung und das Leben danach waren für Anja und Stefan auch sehr anders als für die Kinder von Inge und Herbert. Inge und Herbert haben wahrzunehmen gelernt, was ihre Kinder bedrückt. Sie haben sich gegenseitig ausgesprochen und haben schließlich eine für alle befriedigende Lebensform gefunden. Und das Wichtigste: Die Würde jedes Familienmitgliedes blieb gewahrt. Das war bei Anja und Stefan leider nicht der Fall. Die Kinder waren und blieben eine Waffe der Mutter gegen den Vater.«*

MC *»Man kann diese Mütter nur bedauern, dass sie nicht weiter gedacht hat. Irgendwann, spätestens im Erwachsenenalter, werden ihnen die Kinder den Missbrauch allenfalls vergelten.«*

RL *»Ja, denn jedes Kind muss sich von seinen Eltern emotional ablösen, um selbständig zu werden und eigenständige Partnerschaften eingehen zu können. Eine einseitige Vereinnahmung erschwert oder verhindert die Ablösung und schränkt die spätere Beziehungsfähigkeit des Kindes ein. Es passiert gar nicht so selten, dass sich das Kind von der vereinnahmenden Mutter oder dem vereinnahmenden Vater nur lösen kann, indem es den Kontakt zu ihr oder ihm ganz abbricht. So bewirkt* die Vereinnahmung das Gegenteil von dem, was die Mutter beziehungsweise der Vater ursprünglich angestrebt hat. Sie werden von ihren Kindern verlassen.«

MC »Es kann also, wenn ein Elternteil den anderen Elternteil bei den Kindern schlecht macht, nur Verlierer geben: Die Eltern-Kind-Beziehungen gehen in die Brüche, und die Beziehungsfähigkeit des Kindes wird dauerhaft beeinträchtigt.«

1. Der Schweregrad des Scheidungskonfliktes ist abhängig von:
   - der Bereitschaft der Eltern zur Konfliktbewältigung (Trauerarbeit, Akzeptanz und Verzeihen)
   - der emotionalen Sicherheit (neue Partnerschaft, Familie)
   - der aktuellen Lebenssituation der Eltern (soziale, berufliche, finanzielle Situation)
   - dem familiären, gesellschaftlichen und kulturellen Umfeld (u. a. Wertvorstellungen bezüglich der Scheidung)

2. Worunter leiden die Kinder, wenn sich die Eltern streiten?
   - Negative Gefühle zwischen den Eltern erleben sie als Ablehnung
   - Sie geraten in Loyalitätskonflikte
   - Sie leiden unter der mangelnden organisatorischen Abstimmung zwischen den Eltern

3. Streitende Eltern neigen dazu, ihre Kinder negativ zu beeinflussen:
   - Der andere Elternteil wird schlecht gemacht, kann nichts mehr richtig machen
   - Banalitäten werden zu Missetaten aufgebauscht
   - Die Feindseligkeiten werden auf die ganze Familie des anderen Elternteils ausgeweitet
   - Von den Kindern wird erwartet, dass sie bedingungslos die Gedanken und Gefühle des betreuenden Elternteils übernehmen
   - Die Kinder dürfen kein Verständnis und Interesse für den anderen Elternteil zeigen
   - Die Kinder werden dazu gedrängt, die Beziehung zum außen lebenden Elternteil aufzugeben

4. Das Eltern-Entfremdungs-Syndrom (Parental Alienation Syndrom; PAS) stellt die Extremform der Entfremdung des Kindes vom anderen Elternteil dar.

Wie wirken sich überlieferte Familienmuster und sittliche Werte auf Eltern und Kinder aus?

Zu begreifen, dass ihr Familienmodell gescheitert ist, das sei das Schlimmste gewesen, sagte Emma. Die Familie, die die Eltern ihr mehr oder weniger erfolgreich vorgelebt hatten. Emmas Mutter hatte jeden Tag ihrer Ehe den Satz des Priesters »bis dass der Tod euch scheidet« zu leben verstanden. In guten wie in schlechten Zeiten. Schlechte Zeiten gab es genug, und dennoch hatten ihre Eltern nie daran gedacht, sich zu trennen. Emmas Mutter hatte ihre Durchhalteparolen oft wiederholt, und ihre Überzeugung bekräftigt, dass die Liebe eben ein seltener Glücksfall sei.

Auch Emma wollte mit ihrem Mann alt werden. Wie ihre Mutter versuchte sie, über die schlechten Zeiten hinwegzukommen, zu warten, bis ein warmer Wind ihrer Ehe wieder ein günstigeres Klima bringen würde. Es gelang ihr nicht. Nach zehn Jahren war Schluss. Nichts mehr zu machen. Man musste nicht einmal streiten. Nur noch auseinander gehen. Die Scheidung einreichen. Dann die Trauer aushalten. Emma erholte sich lange nicht von ihrem Schmerz. Sie hatte das Gefühl, ihr Leben sei gescheitert, sie hätte versagt, alles sei zerbrochen. Wenn sie mittags vom Büro zur Volksschule von Lore, wie ihre siebenjährige Tochter Eleonore genannt wurde, eilte und anschließend mit ihr nach Hause in das kleine Einfamilienhäuschen, aus dem ihr Mann vor einem halben Jahr ausgezogen war, fühlte sie sich weidwund. Wie in einem zersprungenen Spiegel sah sie ihre Wohnung, ihr Leben, sich selbst. Durch alles gingen die Risse, so viele, dass keine Hoffnung mehr bestand, sie könnten je wieder verschwinden. Nicht einmal die alten Fotorahmen konnte sie wegräumen. Dahinter würde sie die Leere anstarren. Alles, was sie in dieser Wohnung anfasste, tat weh.

Als wärs ein Stück ihres alten Lebens, abgebrochen, zerschellt. Dann, nach einigen Monaten und vielen Gesprächen mit Freunden, ihrem Therapeuten und einer Freundin ihrer Mutter, wurde Emmas Blick in den zerbrochenen Spiegel immer seltener. Sie pflanzte Blumen, richtete Lores Kinderzimmer und ihr Schlafzimmer neu ein und ließ immer öfter Lores fröhliches Kinderlachen aus dem Garten an ihr Herz dringen. Hier war Lores Zuhause, ihr Kinderreich, ein Ort voller Geheimnisse, Geschichten und dem Duft der Geborgenheit. Sie, Emma, hatte kein Recht, sich diesem Ort zu entfremden, sich hier nicht zu Hause zu fühlen. Es war unfair von ihr, ständig das Bild von der zerstörten Familie vor Augen zu haben, wo es doch einfach Lores Familie war. Und Lore war ein glückliches Mädchen. Jeder konnte sehen, wie strahlend sie sich in ihrer Welt bewegte, wie gut ihr die geflochtenen Zöpfe standen, der Schulranzen, wie gerne sie nach Hause kam, in ihr Zauberreich, zu den Kuscheltieren, dem Puppenhaus, der großen Bastel- und Malkiste.

RL *»Warum glaubst du, ging es Emma nach der Scheidung so schlecht?«*

MC *»Schwer zu sagen. Sie hatte keine offensichtlichen Probleme. Kein Rosenkrieg. Sie musste nicht in eine kleinere Wohnung umziehen, hat genug Geld und offenbar hat sie auch eingesehen, dass die Ehe mit ihrem Mann gescheitert war. Sie litt wahrscheinlich, weil der Traum eines traditionellen Familienlebens zerbrochen ist. Vater, Mutter, Kind in einem kleinen Häuschen mit Garten und gemeinsamen Urlauben. Dieses Bild existierte nicht mehr. Doch dann beginnt sie, ihre Tochter zu beobachten, und leitet aus dem, was sie wahrnimmt, einen neuen Familienbegriff für sich und Lore ab.«*

RL *»Sie hat den alten Traum, den ihr die Eltern vorgelebt haben, durch eine Erfahrung ersetzt, die ihr eine neue innere Sicherheit gibt: Ihre Tochter fühlt sich bei ihr zu Hause und geborgen. Emma schafft es, von ihrem kleinen Mädchen zu lernen. Das finde ich wunderbar. Dass Emma sich durch ihre*

Tochter verändern lässt, bringt den zerbrochenen Spiegel zum Verschwinden und setzt die anerzogenen Vorstellungen von der heilen Familie außer Kraft.«

MC »Die Mehrheit der jungen Menschen gibt in Studien nach wie vor an, dass sie eine traditionelle Familie gründen, heiraten und Kinder kriegen wollen. Sie lassen sich offensichtlich nicht von der Tatsache abschrecken, dass über 40 Prozent der Ehen wieder auseinander gehen. Glaubst du, der traditionelle Familienbegriff spielt immer noch eine zentrale Rolle in unserer Gesellschaft?«

RL »Ja, das glaube ich schon. Die Realität der hohen Scheidungszahlen kommt gegen unsere kulturelle Prägung (noch) nicht an. Die Familie als Lebensform wird uns nach wie vor anerzogen. In unseren religiösen und gesellschaftlichen Vorstellungen stellt die Familie immer noch die Urzelle der Gemeinschaft dar. Welche verpflichtenden Worte richten doch Priester und Pfarrer an die Brautleute? Sie warnen eindringlich vor einem Scheitern der Ehe, auch wenn die Kirche in keiner Weise in der Lage ist, die ständig ansteigende Scheidungswelle einzudämmen. Unsere Gesellschaft war und ist immer noch in einem hohen Maße an den Pflichten und Rechten der vollständigen Familie ausgerichtet. In Deutschland und in der Schweiz werden Gesetzgebung und Sozialpolitik nur sehr langsam den neuen Verhältnissen angepasst. Dass es immer mehr allein erziehende Eltern gibt, nehmen Gesellschaft und Politiker nur ungern und zögerlich zur Kenntnis. Am entscheidendsten für das Familienbild ist aber, was die Eltern uns, als wir Kinder waren, vorlebten und welche Werte sie an uns weitergaben. Was für ein Bild haben dir deine Eltern vermittelt, Monika?«

MC »Die Eltern lieben einander. Dieser Zustand wird Ehe genannt, und er dauert unverbrüchlich bis zum Tod, manchmal auch noch darüber hinaus. Für Mädchen ist die Hochzeit das wichtigste Fest des Lebens, weil es das Versprechen birgt, dass sie nun ihr Leben als Mütter und Ehefrauen weiterführen dürfen.«

RL »Ich bin auch mit sehr hohen Wertvorstellungen über die

Ehe und Familie erzogen worden. Für meine Eltern war eine Scheidung während ihrer 35-jährigen Ehe schlicht undenkbar. Außerdem waren sie einander zeitlebens echt zugetan. Mein Vater hatte überhöhte Ansprüche an die Ehe und Familie, deren Wurzeln in seine Kindheit zurückreichen. Er wuchs als Vollwaise auf. Er hat seine Eltern nie gekannt und ist von seinen Geschwistern großgezogen worden. Ehe und Familie waren daher ein Ideal für ihn, wurden zu dem Lebensinhalt. Ich vermute, seine Ansprüche haben zeitweise ihn selbst, ganz sicher aber mich überfordert.«

MC *»Sich scheiden zu lassen, muss für dich mit dieser Kindheitserfahrung sehr schwierig gewesen sein, nicht wahr?«*

RL *»Als sich unsere Ehe verschlechterte, war eine Scheidung während einiger Jahre für mich undenkbar. Ich stand mir dabei selber mehr im Weg, als es meine Eltern taten. Ich hatte die idealistischen Wertvorstellungen meines Vaters so verinnerlicht, dass ich eine Scheidung prinzipiell nicht in Betracht zog. Als es schließlich doch zur Scheidung kam, stellte sich heraus, dass meine Eltern für unsere Familiensituation mehr Verständnis zeigten als ich selbst. Sie haben mich weder von der Scheidung abgehalten noch mir vorgeworfen, versagt zu haben. Meine Eltern haben mich, meine Ex-Frau und die Kinder während der Scheidung und noch viele Jahre danach immer liebevoll unterstützt.«*

MC *»Stellen wir uns vor, wir würden in einer Zeit leben, in der alle religiösen und gesellschaftlichen Vorstellungen, die ein traditionelles Familienbild favorisieren, nicht mehr bestehen und die Kinder von allein stehenden Eltern erzogen würden. Hätten dann die jungen Erwachsenen diese Sehnsucht nach der Familie, in der Mutter, Vater und Kinder zusammenleben, nicht mehr?«*

RL *»Ein schönes Gedankenexperiment! Ich vermute, dass angehende Eltern eine biologisch begründete Sehnsucht nach einer Gemeinschaft haben, weil während Hunderttausenden von Jahren nur die erweiterte Familie, die Sippe das Überleben der Kinder gewährleisten konnte. Kinder wurden während der* *ganzen Menschheitsgeschichte immer in Gemeinschaften, wenn auch unterschiedlichster Art, großgezogen. Mein Vater ist ein gutes Beispiel dafür, wie sich auch ohne Vorbild eine überhöhte Erwartung an Ehe und Familie entwickeln kann.«*

MC *»Zurück zu den tradierten Familienwerten. Das Schlimmste an ihnen ist wohl, dass sie uns Versagens- und Schuldgefühle machen. Wenn es uns nicht gelingt, als vollständige Familie zu leben, haben wir das Gefühl, versagt zu haben. Wenn wir uns scheiden lassen, haben wir das Gefühl, gegen die Sittengesetze dieser Gesellschaft zu verstoßen. Schuldgefühle haben wir den eigenen Eltern, aber vor allem unseren Kindern gegenüber. Es wird kaum mehr offen so gesagt, aber immer noch gedacht: Nur eine Zwei-Eltern-Familie kann dem Kind eine normale Persönlichkeitsentwicklung gewährleisten. Eine Scheidung muss den Kindern schaden. In diese ›Schuldenfalle‹ bin ich in den vergangenen zwei Jahren immer wieder geraten: Jedes Mal, wenn es meiner Tochter nicht so gut ging, war für mich klar: Sie leidet unter der Scheidung.«*

Ein bisschen komisch kam sich Maya zuerst schon vor. Die Situation hatte ja auch etwas leicht Absurdes. Was hatte Laura nur? Bisher klappten die Besuchswochenenden bei ihrem Vater problemlos. Sie ging gerne zu ihm, fuhr mit ihm zum Skifahren, oder sie besuchten zusammen den Zoo. Wieso wollte sie plötzlich nicht mitgehen, ausgerechnet an jenem Wochenende, wo er mit ihr seine Schwester und deren Kinder besuchen wollte. Maya hatte nichts für das Wochenende geplant, wollte bloß ausspannen, ins Fitnesscenter gehen, Freunde treffen. Die Vorstellung, dass ihre Tochter die Wochenenden mit ihrem Vater nicht mehr genießt, war ihr unangenehm. Einerseits brauchte sie die Entlastung und andererseits spürte sie, dass das gute Verhältnis zwischen Laura und ihrem Vater ihrem Mädchen gut tat. Sie wollte nicht, dass sich Laura zwischen beiden Eltern hin und her gerissen fühlte. Sie wollte nicht mehr und nicht weniger, als dass ihre Tochter mit jedem von ihnen gerne zusammen ist und zusammen sein darf. Doch jetzt sagte Laura, sie wolle lieber bei ihrer Mama bleiben und der Papa könne seine Schwester selber besuchen. »Und wenn ich mit euch mitkomme?«, fragte Maya. »Dann komme ich auch mit«, sagte Laura bestimmt und sofort bester Laune. Die Mutter fürchtete zuerst, dass Laura das gemeinsam verbrachte Wochenende als Indiz ansehen würde, dass ihre Eltern nun doch wieder zusammenziehen würden, dass sie anschließend dann nur traurig und verwirrt sein würde, weil ihre Hoffnungen enttäuscht worden wären. Sie wartete darauf, dass Laura, wie Maya es in diversen Scheidungsratgebern gelesen hatte, nun ständig mit wehmütigem Blick die Hände ihrer Eltern fassen und zueinander führen würde. Dass es ihrer Tochter mit einem Wort um die Rettung der Ehe gehen müsste. Doch nichts von all dem geschah. Laura schien froh zu sein, im Haus ihrer Tante ihre Mutter zur Seite zu haben. Sie, das Einzelkind, war von den vielen Kindern etwas eingeschüchtert.

Es sei eben etwas anderes, mit dem Papa alleine ein Wochenende zu verbringen als bei den doofen Kindern von Tante Christina, sagte die Fünfjährige hinterher zu ihrer Mutter. Sie war schon sehr selbständig und konnte alleine über die Straße gehen – nur bei Grün, versteht sich, und nachdem sie sich in alle Richtungen nach einem Auto umgesehen hatte. Sie wusste auch die Telefonnummer von zu Hause auswendig und die Adresse. Bald würde sie ganz alleine zu ihrem Papa laufen dürfen. Den Weg von Mamas Wohnung zu ihm kannte sie schon total gut. Aber diese grässlichen Besuche! Und immer müsse sie mit allen Kindern spielen. Sie müsse, sagte der Papa. Echt blöd von ihm! Und dass sie immer sofort zu heulen aufhören sollte. Das sagte er auch. Man kann aber doch nicht einfach so – auf Befehl – zu weinen aufhören, wenn man gerade erst damit angefangen hat, oder? So war das also, dachte sich Maya und nahm die Gelegenheit wahr, die kleinen Kommunikationsprobleme mit Lauras Vater zu besprechen. Auch er war froh über das Feedback. Das mit dem »auf Befehl zu weinen aufhören« müsse er sich überlegen. Vielleicht sei da ja wirklich etwas dran. Dabei wolle er Laura ja gar nicht unter Druck setzen.

Am darauf folgenden Wochenende fiel kein Wort darüber, dass Maya wieder mitkommen sollte. Wie gewohnt flog Laura ihrem Papa in die Arme, und weg waren die beiden.

RL »Viele Eltern glauben, dass sie nach der Trennung nichts mehr gemeinsam unternehmen dürfen, damit die Kinder nicht auf Versöhnungsgedanken kommen. Das wird von Ratgebern auch immer wieder empfohlen. Ich glaube nicht, dass dies in jedem Fall zutrifft. In erster Linie wollen die Kinder, dass ihre Bedürfnisse so gut wie nur irgend möglich befriedigt werden. Oft kann der Vater etwas besser und die Mutter etwas anderes. Wenn die Eltern gemeinsam verfügbar sind, kann das Kind von beiden profitieren.«

MC »Manchmal sieht der eine auch etwas, was der andere nicht wahrnimmt. Wenn die Eltern weiterhin als Eltern für ihr Kind da sind, Erfahrungen austauschen und miteinander über seine Entwicklung nachdenken, ist es auch für sie, die Eltern, leichter. Meine Tochter freut sich immer, wenn wir etwas mit ihr unternehmen. Dann aber ist sie wieder froh, mich für sich zu haben oder bei ihrem Vater zu sein. Immer aber haben wir Informationen über alle Dinge, die sie betreffen, ausgetauscht.«

RL »Es gibt schon Kinder, die jede Gelegenheit nützen, ihre Eltern wieder zusammenzubringen, die wie kleine Paartherapeuten die Eltern immer wieder zusammenführen oder ihnen die Bilder des anderen unter die Nase halten und dazu Sätze sagen wie ›Weißt du noch, als wir damals alle zusammen in den Urlaub gefahren sind?‹ So ein Verhalten ist oft ein Ausdruck dafür, dass den Kindern etwas fehlt, dass sie ein Geborgenheitsdefizit im Hier und Jetzt haben. Sie erinnern sich daran, wie es früher einmal war, und vergleichen es mit ihrer heutigen Situation. Das Bedürfnis nach emotionaler Sicherheit und Zuwendung kann aber auch befriedigt werden, ohne dass die Eltern wieder zusammenfinden.«

Gilberts Tochter litt unter der Trennung der Eltern. Das war offensichtlich. Manchmal wollte die Achtjährige ihren Vater gar nicht sehen, manchmal heulte sie sich bei ihm und seiner neuen Freundin über das Leben bei der Mutter aus. Etwa, weil sie sich einen kleinen Hund wünschte, »damit ich nicht so alleine bin«, aber damit bei ihrer Mama nicht durchkam, oder weil sie auf das neue Baby aus Vaters jetziger Beziehung eifersüchtig war. Bitterlich schluchzend sagte sie dann Sätze wie »Das Baby braucht immer so viel Platz und ist so laut. Das macht mich wütend.« Maries Heulen entsprach in solchen Fällen nicht dem Anlass. Es war nicht wütend, nicht insistierend, nicht energiegeladen wie bei Kindern, die mit ihrem Weinen einem unmittelbaren Gefühl, einem Schmerz oder einer Aggression Ausdruck verleihen. Diese Kinder wehren sich und signalisieren mit ihrem Tonfall, dass sie erwarten, dass ihr Schreien die Lage verbessern werde. Maries Heulen war nicht so, es hatte vielmehr etwas zutiefst Verzweifeltes und Hoffnungsloses, ihr Schluchzen glich einem Wimmern, war Ausdruck einer tiefen Not. Das fiel auch Gilbert auf. Oft beklagte Marie, dass ihr Vater und ihre Mutter nicht mehr zusammenleben würden, dass sie nun keine Familie mehr seien und schluchzte, weil der Papa die Mama nicht mehr lieb habe. Gilbert konnte seine Marie nur allzu gut verstehen. Die Familie war für ihn stets das Höchste gewesen. Er verband damit ein Bild, in dem Vater und Mutter zusammen mit den Kindern an einem Ort leben. Auch tat er in seiner neuen Familie alles, um dieses Bild, die Sehnsucht und Geborgenheit, die er damit verband, wieder auferstehen zu lassen. Dass Marie unter dem Zusammenbruch der Familie litt, war für ihn die einzig einleuchtende Erklärung für ihre Schwierigkeiten und Verhaltensauffälligkeiten. Und deshalb hatte er auch das Gefühl, nichts dagegen tun zu können. Der Zusammenbruch der Familie war nun einmal ein Faktum und seine Tochter der Beweis dafür, wie schrecklich das ist. Weil er aber so dachte, fragte er sich nie, was denn seinem Kind ganz konkret fehlte. Immer wenn Marie verzweifelt war, litt sie für Gilbert unter der zerbrochenen Familie. Das war eine machtvolle Erklärung, die keiner weiteren Differenzierung bedurfte.

RL »*Marie fehlt etwas. Das ist gewiss. Sie leidet unter einem Geborgenheitsdefizit und nur vordergründig darunter, dass Mama und Papa nicht mehr zusammenleben. Ihr Klagen über die Trennung der Eltern drückt ihr Verlorensein aus. Sie fühlt sich weder von ihrer Mutter noch ihrem Vater ausreichend geliebt. Deshalb trauert sie dem vergangenen gemeinsamen Leben nach.*«

MC »*Glaubst du, dass sich Marie über die Scheidung der Eltern nicht mehr negativ äußern würde, wenn sie sich bei ihrer Mutter, wo sie die meiste Zeit lebt, und bei ihrem Vater wirklich geborgen fühlte?*«

RL »*Ja. Sie würde mit zunehmendem Alter die Eltern nach den Gründen für die Trennung fragen. Auch wenn sie kein Geborgenheitsdefizit hätte, würde sie vielleicht den Wunsch äußern, dass ihre Eltern wieder zusammenkommen, aber – und das ist das Wesentliche – sie würde nicht unter der Trennung leiden.*«

MC »*Was könnten denn die Gründe sein, warum sich Marie nicht wohl fühlt?*«

RL »*Da gibt es viele Ursachen (siehe auch Seite 79). Die Mutter mag aus beruflichen Gründen zu viel weg sein, und die Betreuungssituation während ihrer Abwesenheit ist für Marie ungenügend. Die Mutter mag selbst so verzweifelt über die Trennung sein, dass sie zwar physisch anwesend, aber psychisch für Marie nicht verfügbar ist. Sie sagt vielleicht Sätze wie ›Dein Vater hat unsere Familie zerstört‹ oder ›Dein Vater hat uns nicht mehr lieb‹, um einen Sündenbock für das Scheitern der Ehe und die desolate Situation zu haben. Es kann auch sein, dass sie ihre ganze Energie und Zeit darauf verwendet, das zerstörte Bild der Familie wieder zu reparieren, indem sie ständig nach einem neuen Partner Ausschau hält und die Bedürfnisse ihrer Tochter mehr schlecht als recht mit Babysitter, Kindergarten und einem luxuriös ausgestatteten Kinderzimmer zu befriedigen sucht.*«

MC »*Und der Vater?*«

RL »*Der Vater scheint eine sehr formelle Beziehung zu seiner Tochter zu haben. Er mag erneut eine repräsentative Rolle in* *seiner zweiten Familie spielen, indem er glaubt, allein durch seine Anwesenheit und Autorität seinen Beitrag als Vater geleistet zu haben. Vielleicht scheut er auch davor zurück, sich allzu sehr mit Marie einzulassen, weil er befürchtet, dass er für die Mutter zu einem Konkurrenten werden könnte. Wenn er Marie jedoch nicht verlieren will, muss er eine eigenständige, tragfähige Beziehung zu seiner Tochter aufbauen, die so gut ist, dass sie durch seine neue Familie, das kleine Baby und die zweite Frau nicht ins Wanken gerät. Marie ist eifersüchtig auf das Baby. Sie möchte die Zuwendung bekommen, die das Baby erhält. Wenn der Vater ihre Erwartungen erfüllen will, muss er mehr Zeit mit Marie verbringen, mit ihr alleine etwas unternehmen, auf sie und ihre speziellen Bedürfnisse eingehen. Er sollte mit ihr eine eigene ›Beziehungsgeschichte‹ anfangen. Und Marie sollte die Erfahrung machen können, dass sie in der neuen Familie willkommen ist und dass sie ein Teil dieser Familie ist. Eine Schlüsselrolle spielt dabei die Stiefmutter (siehe Seite 265).«*

Wer eine traditionelle Vorstellung von der Familie vermittelt bekommen hat, tut sich oft schwer, dieses Bild zu hinterfragen. Das Negative daran und an den daraus resultierenden Versagens- und Schuldgefühlen ist, dass alle Schwierigkeiten mit den Kindern auf eine Ursache zurückgeführt werden: die Scheidung. Die Medien verstärken zusätzlich diese einseitige Sicht und schüren die Ratlosigkeit. So wird gebetsmühlenartig wiederholt, dass der Streit der Eltern und die Scheidung schädlich für die Kinder seien. Für die Medien ist das attraktivste Bild geschiedener Eltern dasjenige der Rosenkrieger und ihrer Opfer, der »armen Scheidungskinder«. Viele geschiedene Eltern streiten aber nicht. Trotzdem sind ihre Kinder in ihrer emotionalen Befindlichkeit beeinträchtigt. Die zentrale Frage ist, ob die Bedürfnisse der Kinder befriedigt werden oder nicht.

Unsere Gesellschaft betrachtet die Scheidung als ein legitimes und sinnvolles Instrument, um eine unglückliche Ehe oder Partnerschaft zu beenden. Sie findet es dabei auch richtig, den geschiedenen Eltern die ganze Verantwortung, wie die Kinder die Scheidung unbeschadet überstehen sollen, aufzubürden. Nach dem Tenor, schließlich haben die Eltern die Scheidung auch gewollt! Tatsache ist aber, dass die meisten geschiedenen Eltern sich überfordert und allein gelassen fühlen, und das wirkt sich wiederum nachteilig auf die Kinder aus.

MC »*Ich habe versucht, den Begriff Familie und die Qualitäten, die ich damit verbinde, für mich neu zu definieren. Welche Gefühle, Werte und positiven Bilder fallen mir dazu ein? Dann habe ich mich gefragt, ob diese Qualitäten nicht auch für andere Formen des Zusammenlebens gelten. Anders gesagt: Sind Alleinerziehende keine Familie? Haben Geborgenheit, emotionale Sicherheit, Zuwendung und eine alltägliche Selbstverständlichkeit des Zusammenlebens, sich Vertrauens und Helfens nicht eine genauso große Bedeutung für Alleinerziehende, Patchworkfamilien, Wohngemeinschaften und soziale Nachbarschaftsnetze?*«

RL »*Ich kann dir nur zustimmen. Eine solche Sichtweise hilft, neue Formen des Zusammenlebens zu akzeptieren. Die Qualitäten, die das körperliche und psychische Wohlbefinden der Kinder ausmachen, sind nur sehr bedingt von der Form des Zusammenlebens abhängig.*«

MC »*Es ist merkwürdig. Obwohl eine Scheidung für Erwachsene, vor allem für Frauen, nicht mehr mit sozialer Ausgrenzung verbunden ist, bleibt dennoch der Begriff ›Scheidungskinder‹ stark negativ besetzt.*«

In Kindergärten, in der Schule oder in anderen Teilen der Gesellschaft hört man immer wieder Sätze wie »Kein Wunder, die Eltern sind geschieden«, »Die Mutter ist eben allein erziehend«, »Er ist eben ein Scheidungskind«. Dabei steckt wohl kein soziales Stigma mehr hinter solchen Aussagen, würden doch die wenigsten Menschen noch ein moralisch abfälliges Urteil über Geschiedene und ihre Familiensituation fällen. Das ist für die Kinder bestimmt positiv. Dass ein Meinungswandel stattgefunden hat, bestätigen auch Vergleiche zwischen älteren und neueren Scheidungsstudien (Napp-Peters 1995). Dennoch hält sich hartnäckig das Vorurteil, dass Kinder aus geschiedenen Ehen oder getrennten Partnerschaften an Verhaltensauffälligkeiten und psychosomatischen Störungen leiden. Dass es auch glückliche Scheidungskinder gibt, klingt in den Ohren der meisten fast wie eine Häresie.

RL »Die glücklichen Scheidungskinder sind leider eine Minderheit. Es gibt viel zu wenige davon, und deshalb ist es verständlich, dass Kindergärtnerinnen, Lehrer und Ärzte sofort an eine Palette von Problemen denken, wenn sie es mit einem Scheidungskind zu tun haben.«

MC »Das stimmt natürlich, aber trotzdem muss man die Kinder oft gegen vorschnelle Urteile in Schutz nehmen. Eine Freundin erzählte mir, dass sie sich etwas überrumpelt vorkam, als die Kindergärtnerin ihres Sohnes sofort eine ganze Reihe von Schwierigkeiten auflistete, die nach der Trennung bei ihrem Sohn zu erwarten wären. Er würde entweder aggressiv reagieren oder sich zurückziehen, um dann auf irgendeine Weise mit seiner Wut und Trauer über die Trennung fertig zu werden. Oft könnten die Kindergärtnerinnen besser mit den Kindern über ihre Schmerzen sprechen und so weiter. Doch bei diesem Jungen stellten sich auch nach längerer Zeit keine ›typischen‹ Scheidungssymptome‹ ein, und seine Kindergärtnerin war mehr als verwundert.«

RL »Wir sollten uns im Umgang mit den Kindern geschiedener Eltern eine andere Vorgehensweise angewöhnen. Anstatt ängstlich darauf zu warten, ob DIE Scheidung zu irgendwelchen Verunsicherungen oder Verhaltensauffälligkeiten bei den Kindern führt, sollten wir bei verhaltensauffälligen Kindern, egal, aus welcher familiären Situation sie stammen, darauf achten, welche Bedürfnisse nicht befriedigt werden.«

Für Valerie war die Suche nach »Scheidungssymptomen« zu einer regelrechten Jagd geworden. Im Gedächtnis hatte sie sich eine Checkliste angelegt, auf der alles, was Anna tat und sagte, vermerkt wurde. Lange Zeit wollte sie den Filter aus Schuldgefühlen gar nicht wahrhaben, der sich vor ihre Augen geschoben hatte und ihre Wahrnehmung entsprechend trübte. Schlimmer noch: Die Schuldgefühle hinderten sie, zu handeln, aktiv zu werden und Probleme zu lösen, statt sich Asche aufs Haupt zu streuen. Schuldgefühle wollen immer mit Indizien gefüttert werden, sind insistierende, pochende Nimmersatts, die durch Bestätigung Lebensberechtigung erlangen, was neuerliche Bestätigungen verlangt.

Ein Jahr nach der Trennung wurde Anna plötzlich sehr anhänglich. Sie ließ ihre Mutter überhaupt nicht mehr los. Sie war nun bald vier, ein großes Mädchen, dachte Valerie manchmal. Warum wollte sie dann am Morgen nicht im Kindergarten bleiben? Wieso weigerte sie sich plötzlich, mit ihrer Freundin und deren Mutter zum Ballett zu gehen? Etwas, das sie stets gerne getan hatte. Warum klebte Anna so an ihr, wie ein Äffchen? Valerie wusste nicht, was sie tun sollte. Sie glaubte, nun doch ein Scheidungssymptom bei ihrer kleinen Tochter festgestellt zu haben und litt darunter. Die Schuldgefühle paralysierten sie und machten Annas Verhalten zur Mühsal. Anstatt ihr kleines Mädchen, das vielleicht gerade einen Entwicklungsschritt durchmachte, im Kindergarten Probleme hatte oder sonst konkret an etwas litt, einfach in den Arm zu nehmen, stieß sie es weg. »Sei doch nicht so anhänglich, Anna. Du bist doch ein großes Mädchen«, sagte sie. Sie zwang Anna, zum Ballett zu gehen, und zwar so wie immer, mit ihrer Freundin und deren Mutter. Wenn Anna durch die Scheidung so anhänglich geworden ist, wäre das wie ein schwarzes Loch, dachte Valerie. Da sie sich nicht in der Lage fühlte, die Trennung von ihrem Mann ungeschehen zu machen, also die Ursache für die Anhänglichkeit ihrer Tochter zu beseitigen, würden die Symptome auch nicht verschwinden. Egal, wie viel Liebe sie investierte. Doch dann erinnerte sie sich, dass sie früher viel unbefangener wahrgenommen hatte, was Anna fehlt und sich stets gefragt hatte, was ihrem Kind ganz konkret abgeht und dann danach handelte. Also ließ sie auch jetzt Anna all die nötige Sicherheit und Geborgenheit auftanken, die ihr offenbar abging. Sie ging für eine Weile abends nicht weg, holte das kleine Mädchen früher vom Kindergarten ab, verschob die liegen gebliebene Arbeit auf den Abend, wenn Anna bereits schlief. Schon bald ließ Annas Anhänglichkeit nach. Valerie hatte wieder gelernt, ihr Kind »zu lesen«, anstatt misstrauisch nach Scheidungssymptomen zu fahnden.

RL   »*Valerie machte es richtig. Sie hat es aber auch gut. Sie kann sich ihre Arbeit flexibel einteilen und damit besser auf Annas Bedürfnisse reagieren. So kann sie die Erfahrung machen, dass ihre Schuldgefühle wegen der Scheidung unberechtigt waren. Oft müssen Mütter oder auch Väter nach der Scheidung aber vermehrt arbeiten und haben zu wenig Zeit für ihre Kinder.*«

MC   »*Das erzeugt dann zusätzliche Schuldgefühle, nicht wahr? Dadurch addieren sich die durch die Scheidung ausgelösten Schuldgefühle zu denen, zu wenig für die Kinder da zu sein.*«

RL   »Hier, meine ich, liegt die Verantwortung der Verwandten und Bekannten der Familie, aber auch der Gesellschaft und ihrer sozialen Institutionen. Denn die meisten Eltern sind auf eine gute außerfamiliäre Betreuung ihrer Kinder angewiesen.«

Als Mutter nicht zu genügen, auch das kannte Valerie. In einer Mischung aus Melancholie und Sehnsucht blickte sie auf Annas Puppenhaus, das Regal mit den bunten Kinderbüchern, Annas Kinderzeichnungen. Überall in der Wohnung hatte sie die Kunstwerke ihrer Tochter aufgehängt. Sie waren wie Annas Geschichten mit den vielen »Und-dann-Sätzen«. Ganz atemlos und aufgeregt, weil Kindergeschichten eine ganz eigene Dringlichkeit haben und nie aufgeschoben werden können. Sie müssen dem Gegenüber direkt ins Gesicht gesprochen werden. Die Augen müssen sich ineinander versenken. Ausschließlich muss die Aufmerksamkeit für solche Geschichten sein. Auch gemeinsames Spielen duldet kein Wegdriften, weder in Gedanken noch Taten. »Mama, was machst du schon wieder?« »Du kochst ja gar nicht richtig für die Puppen.« »Du hast aber gesagt, du spielst mit mir.« Wie lange hatte sie schon keines von Annas Spielzeugen mehr in der Hand gehabt? Nicht einmal ein Vorlesebuch. Ausziehen, Zähneputzen, ein Gutenachtkuss und den Kassettenrekorder anstellen. Das war's. Gehetzt, ohne viel Worte, ein paar Ermahnungen. Am Nachmittag musste Anna oft viel zu lang im Kindergarten bleiben, ja sogar am Wochenende war Valerie oft angespannt. Sie wäre so gerne mehr Mutter gewesen. Manchmal, wenn dann Anna bei ihrem Vater war, ertappte sie sich dabei, wie sie Annas Puppen liebevoll in ihre Bettchen steckte. Dann nahm sie sich vor, sich bei aller Belastung trotzdem mehr Zeit für Anna zu nehmen.

RL *»In diesem Zwiespalt stecken sehr viele Frauen. Sie möchten sowohl eine gute Mutter sein als auch in ihrem Beruf vorankommen (Beck-Gernsheim 1989). Häufig müssen sie auch aus finanziellen Gründen arbeiten. Die Befriedigung, welche die Fürsorge um Kinder einer Frau geben kann, ist allerdings von Frau zu Frau sehr unterschiedlich ausgeprägt. Es gibt Frauen, für die die Betreuung der Kinder so wichtig und befriedigend ist, dass sie zu ihrem eigentlichen Lebensinhalt wird. Wenn diese Frauen ihrem Bedürfnis nach Fürsorglichkeit nicht ausreichend nachkommen, fühlen sie sich unglücklich und bekommen Schuldgefühle. Anderen Frauen bedeutet die Vorstellung, sich um Kinder kümmern zu müssen, wirklich so wenig, dass sie von vornherein aufs Kinderkriegen verzichten. Zwischen diesen beiden Extremhaltungen gibt es sämtliche Abstufungen an mütterlicher Fürsorglichkeit. Genauso hat die berufliche Anerkennung eine unterschiedlich große Bedeutung für die einzelne Frau. Es gibt Frauen, die auf die eigene Leistung und die soziale Anerkennung für ihr Selbstwertgefühl unbedingt angewiesen sind. Für andere ist die Arbeit nichts weiter als ein notwendiger Beitrag zum Lebensunterhalt, und falls sie es sich leisten können, verzichten sie darauf, zu arbeiten. Diese Unter-*

schiede bezüglich Fürsorglichkeit und beruflicher Erfüllung findet man genauso bei den Männern.«

MC *»Die meisten Frauen möchten heute wohl am liebsten beides unter einen Hut bekommen, Kinder und Beruf. Dabei die richtige Balance zu finden, ist eine tagtägliche Herausforderung. Nicht nur für geschiedene, sondern auch für Eltern in vollständigen Familien. Ein allgemein gültiges Rezept gibt es dafür nicht. Jedes Elternpaar muss versuchen, diejenige Form des Zusammenlebens zu finden, die den Erwachsenen, aber auch den Kindern möglichst gerecht wird.«*

Das Wichtigste in Kürze!

1. Die Idealvorstellung der vollständigen Familie wird vermittelt durch:
   - die Religion (Moral, Sittenlehre)
   - die Gesellschaft (Gesetze, Sozialpolitik)
   - das Vorbild der Eltern

2. Diese Idealvorstellung kann bewirken, dass sich getrennt lebende Eltern
   - als Versager fühlen
   - Schuldgefühle haben
   - unter dem Eindruck stehen, dass die Scheidung den Kindern Schaden zufügen muss

3. Die Versagensgefühle, Schuldgefühle und Vorstellungen über die vermeintlich negativen Auswirkungen der Scheidung auf die Kinder können die Eltern daran hindern, die Bedürfnisse der Kinder wahrzunehmen.

4. Wenn es den Kindern schlecht geht, ist daran nicht die Scheidung »an sich« schuld, sondern die unzureichende Befriedigung ihrer Bedürfnisse.

Die Vielfalt
der Familienformen

Was passiert mit den Kindern, wenn sich die Eltern neu verlieben?

Ein älterer Herr saß im Flugzeug von Madrid nach Frankfurt. Soeben hatte er es sich bequem gemacht, sein Handgepäck verstaut, die Zeitung aufgeschlagen, da setzten sich zwei Mädchen neben ihn. Sie waren ihm bereits am Gate aufgefallen, als sie sich von einem netten Paar, ganz offensichtlich ihren Eltern, verabschiedet hatten. »Ihr seid aber tüchtig, so alleine zu reisen«, begann er anerkennend die Kinder in ein Gespräch zu verwickeln. Die beiden mussten etwa sechs und acht Jahre alt sein. Wie selbständig die Kinder heutzutage sind, dachte er bei sich und sagte: »Ihr fahrt bestimmt zu euren Großeltern.« »Nein«, sagten die Mädchen, und die Ältere der beiden setzte erklärend hinzu: »Wir fahren zu unseren Eltern.« »Aber von denen habt ihr euch doch gerade am Flughafen verabschiedet?« »Ja, das stimmt. Aber wir haben eben vier Eltern«, sagten die Kleinen lachend und selbstbewusst. Donnerwetter, dachte der ältere Herr. Vier Eltern. Nein, das war es natürlich nicht, was ihn erstaunte, das mit der Anzahl der Eltern. Er war ja nicht von gestern. Vielmehr erstaunte ihn, dass diese Kinder sich in ihrem familiären System zwischen Madrid und Frankfurt offensichtlich wohl fühlten. Da war kein Bedauern, keine leise Trauer im Tonfall ihrer Stimmen zu entdecken. Das konnte er gut beurteilen. Auch er hatte schließlich Kinder, und eine Tochter war ebenfalls geschieden, hatte vor kurzem sogar wieder geheiratet. Den ganzen Flug über beobachtete er die beiden kleinen Fluggäste, kam nicht von ihnen los. Wird sich seine Enkeltochter in ihrer neuen Familienkonstellation ähnlich wohl fühlen wie diese beiden Mädchen? Er war sich im Klaren, dass seine Beobachtungen nur einen oberflächlichen Eindruck vermitteln konnten, dass selbst die schöne Ankunftsszene, in der die Kinder ebenso herzlich von den Frankfurter Eltern begrüßt wurden, wie sie nur wenige Stunden zuvor von den Madrider Eltern verabschiedet worden waren, kein Beweis für das war, was er sich erhoffte. Glück für seine Tochter und sein Enkelkind.

RL *»Ein ungewöhnliches Geschwisterpaar. Diese Art von Kindheit möchte man allen Kindern geschiedener Eltern wünschen. Alle guten Voraussetzungen sind offensichtlich vorhanden. Lebensfreude, Toleranz zwischen Eltern und Stiefeltern, eine gute Betreuung der Kinder, das Gefühl, von allen geliebt zu werden, aber wahrscheinlich auch Wohlstand, beruflicher Erfolg, Weltoffenheit.«*

MC »Wenn Eltern neue Partnerschaften eingehen und wieder heiraten, ist das für die meisten Kinder wohl bedeutend schwieriger.«

RL *»In der so genannten zweiten Runde herrschen andere Vorzeichen als bei der ersten Eheschließung. Schon die Liebesgeschichten verlaufen anders. Mit einer ersten Familie im Rücken nämlich. Das ist vor allem für allein erziehende Mütter oft ein Problem. Wenn dann die neuen Partner auch noch zusammenziehen und eine so genannte Patchworkfamilie oder Stieffamilie sich bildet, entstehen komplexe Gebilde aus unterschiedlichen Beziehungskonstellationen. Diese machen das Leben der Kinder nicht einfacher.«*

MC *»Der Begriff Patchworkfamilie gefällt mir besser als der Begriff Stieffamilie. Diese ›Stief‹-Wortkombinationen erinnern mich immer an Grimms Märchen. Eine Stiefmutter ist für mich jemand, der die leibliche Mutter ersetzt, und das oft auch noch schlecht. Der bösen Stiefmutter entkommt man nicht. Sie ist eine Art Schicksalsschlag.«*

RL *»Das war sie früher häufig auch. Bis vor hundert Jahren sind viele Mütter im Kindbett oder an einer Krankheit verstorben, allein konnten die Väter die Kinder nicht aufziehen, also haben sie wieder geheiratet, und die Kinder hatten gar keine andere Wahl, als sich zu fügen. Der Begriff Patchworkfamilie* *ist zeitgemäßer und mittlerweile wohl auch geläufiger. Er deutet an, worum es geht, um ein aus unterschiedlichen Teilen zusammengesetztes Ganzes. Statt Stiefmutter und -vater könnten wir auch Zweitmutter und Zweitvater sagen.«*

MC *»Das gefällt mir, weil es suggeriert, dass da jemand als zweite oder womöglich dritte Bezugsperson hinzukommt, niemand hingegen ersetzt wird. Gerade für ältere Kinder wird aber der Ausdruck mütterliche Freundin und väterlicher Freund am ehesten an die tatsächlichen Verhältnisse herankommen.«*

RL *»Ja. Diese Formulierung unterstreicht wiederum, dass sich die Erwachsenen bewusst sind, dass sie nicht von vornherein über die nötige Beziehung zu den Kindern ihrer Partner verfügen, um eine erzieherische Autorität sein zu können.«*

MC *»Der Terminologie- und Begriffssalat spiegelt für mich recht gut wider, wie schwer wir uns mit diesem Beziehungschaos tun. Wir haben große Mühe, mit der Vielfalt der neuen Beziehungskonstellationen zurechtzukommen und damit eben auch – sie zu benennen.«*

RL *»Aber weißt du, Monika, mit den Augen des Kindes sieht das alles viel einfacher aus. Es gibt Mutter und Vater, Großmutter und Großvater und dann Erwachsene wie Thomas, Eva oder Jan. Für das Kind gibt es keine Stief-, Zweit- oder Halbgeschwister, sondern den Karl und die Trine. Wie viel all diese Menschen dem Kind bedeuten, wird nicht durch irgendeine Terminologie bestimmt, sondern durch die Art der Beziehungen, die das Kind mit diesen Menschen eingeht.«*

MC *»Bevor wir zu all diesen Beziehungskonstellationen kommen, interessiert mich der Anfang. Die Liebesgeschichte. Was bedeutet es für das Kind, wenn seine Mutter einen neuen Partner findet?«*

Bettina hatte sich verliebt. Seit zwei Monaten war sie geschieden und glaubte, nun reif für eine neue Beziehung zu sein. Die Trennung war schon eineinhalb Jahre her. Sie sei, wie Bettina zu betonen nicht müde wurde, »gesittet, wie es sich für erwachsene Menschen gehört«, über die Bühne gegangen. Sie und ihr Ex-Mann hatten sich auf ein gemeinsames Sorgerecht für den vierjährigen Max geeinigt. Bettina hatte wieder zu arbeiten angefangen und dort Otto kennen gelernt. Sie war überglücklich. Auch Otto war geschieden, schon seit drei Jahren. Er hatte zwei Mädchen im Alter von zehn und zwölf Jahren. Auch das freute Bettina, sie schätzte väterliche Qualitäten an Männern.

»Die können sich besser auf dein Kind einstellen«, hatte ihre beste Freundin gesagt. »Wenn sie bis 40 nie mit einem Kind zusammengelebt haben, kannst du es vergessen.« Anika war selbst seit Jahren geschieden, hatte diverse Beziehungen hinter sich und war zu dem Schluss gekommen, dass Männer und allein erziehende Mütter schlicht inkompatibel sind. Sie hatte einen achtjährigen Sohn und schwor mittlerweile auf Joga statt Männer. Doch für eine derart nüchterne Betrachtung der weiblichen Biographie war Bettina derzeit nicht zu haben. Sie schwebte im berühmten siebten Himmel, hatte strahlende Augen und war auf ihrem Alles-wird-gut-Trip. Auch Otto der Schwierige wanderte auf rosa Wolken. Das behaupteten zumindest seine Arbeitskollegen. Er sah Bettina häufig, sie gingen essen oder ins Kino, und Bettina kam meist erst in den frühen Morgenstunden nach Hause.

Sie war am Rande ihrer Kräfte, schließlich war sie nicht mehr zwanzig. Die Arbeit, Max, der Haushalt. Schon das Leben ohne Otto war überaus anstrengend. Es war also an der Zeit, zu einem geregelteren Leben zurückzukehren, dachte Bettina und lud Otto zum Abendessen nach Hause ein. Max und er hatten sich ja schon ein paarmal gesehen. »Was für ein süßes Kind«, hatte Otto damals gesagt.

Der kleine Max war alarmiert. Er wusste genau, dass dieser Otto nicht so jemand wie der Oliver war, Mamas Bruder. Oder so jemand wie der Untermieter, der manchmal auch etwas von Max Lieblingsspeisen essen durfte. Nein, nein! Dieser Otto hatte irgendetwas mit der Mama vor. Soviel war gewiss. Vielleicht wollte er die Mama wegholen, sie in eine Höhle einsperren, wie die Hexe Verstexe den Ritter Rost. Max wollte, mutig und selbstsicher wie er nun einmal war, um seine Mama kämpfen. Anfänglich war Max mit Otto ganz zufrieden. Er hatte ihm ein Spielzeugauto mitgebracht. Doch dann, als sie bei Tisch saßen, war er einfach blöd, dieser Otto. Echt. Er redete nur mit der Mama, schaute nur sie an, als ob er, Max, gar nicht da sei. Deshalb hüpfte Max auf den Schoß seiner Mutter, unterbrach die Erwachsenen und lenkte die Aufmerksamkeit auf sich, indem er das Salzfass über den Nudeln ausleerte, den Orangensaft nicht trank, sondern Blubbergeräusche machte und für seine Kunst auch noch gelobt werden wollte.

Bettina hatte Verständnis, sie wusste, dass Max in dieser speziellen Situation einfach im Mittelpunkt stehen musste. Würden sie und Otto ihm das Gefühl geben, dass sein Platz im Leben seiner Mutter nicht gefährdet ist, dann würde Max schon wieder das unkomplizierte Kind werden, das er normalerweise war. Otto hingegen sah die Sache anders. Er war gänzlich entnervt. Wenn man Max nicht von vornherein in seine Schranken verweise, so sagte er, würde das Kind seiner Mutter ewig auf der Nase herumtanzen. (Und ihm auch, was er natürlich verschwieg.)

MC »Bei einer Freundin von mir hat das zweieinhalbjährige Mädchen einmal aus Protest gegen den neuen Freund der Mutter die volle Windel ausgezogen und damit den Flurboden angemalt.«

RL »Vielleicht war das gar keine Protestaktion, sondern ein für das Alter höchst interessantes Experiment. Wie auch immer. Bestimmt kann jede Mutter, ob geschieden oder glücklich verheiratet, sich an den einen oder anderen Wutausbruch ihres Kindes, an eine Protestaktion oder etwas Ähnliches erinnern. Kinder, die um Aufmerksamkeit ringen, sollten jedoch nicht durch ›Grenzensetzen‹ oder ›In-die-Schranken-Verweisen‹ beruhigt werden. Das funktioniert, wenn überhaupt, nur um den Preis der Demütigung.«

MC »Diese Erziehungsform war in der Vergangenheit aber gang und gäbe. Die Kinder durften bei Tisch nicht reden, es *sei denn, sie wurden dazu aufgefordert, hatten mit geradem Rücken dazusitzen und die Ellbogen beim Essen nicht aufzustützen. Aber was ist denn nun eine sinnvolle elterliche Reaktion, wenn das Kind ausflippt, um Aufmerksamkeit zu bekommen?«*

RL *»Es funkt zwischen der Mutter und Otto, das spürt Max und wird eifersüchtig. Es kommt aber die folgende Schwierigkeit hinzu. Wenn das Kind sich unflätig benimmt, ist bereits einiges schief gelaufen, wofür das Kind aber nichts kann. Es soll am Tisch sitzen und sich möglichst ruhig verhalten, während die Erwachsenen miteinander reden. Warum eigentlich? Warum wird das Kind nicht in das Gespräch mit einbezogen, gleichberechtigt mit den Erwachsenen? Weil es jünger ist? Weil es bei Tisch diszipliniert werden soll?«*

MC *»Die Erwachsenen sollten das Kind also nur dann mit am Tisch sitzen lassen, wenn sie auch bereit sind, adäquat auf es einzugehen.«*

Otto ignorierte Max. Er erzählte Bettina mit angespannter Miene von den Problemen mit seinen Arbeitskollegen und erwartete *ihre* volle Aufmerksamkeit. Bettina verstand nicht, dass Otto ausgerechnet bei diesem ersten gemeinsamen Essen ein so kompliziertes Gespräch anfangen und Max damit ausschließen musste. Sie versuchte, ihm zuzuhören und gleichzeitig Max zu beruhigen. Schließlich brachte sie ihr Kind zu Bett, las ihm noch eine lange Geschichte vor und nützte die Gelegenheit, ihm zu versichern, dass zwischen ihr und ihm alles in Ordnung sei. Doch als sie ins Wohnzimmer zurückkam, war Otto nach Hause gegangen.

MC *»Dieser Mann erträgt es offenbar nicht, einmal nicht im Mittelpunkt zu stehen.«*

RL *»Vielleicht war Otto aber auch unsicher und überfordert. Er wollte Eindruck machen. Es ist ihm nicht gelungen. So ist er frustriert nach Hause gegangen. Bettina vermittelt zwischen Otto und ihrem Sohn, so wie sie womöglich schon in ihrer Ehe*

zwischen Max und seinem Vater Verständnisbrücken zu bauen
versucht hat. Sie versucht, es allen recht zu machen. Das miss-
lingt auch ihr gründlich.«

MC *»Wie hätte sie denn reagieren können?«*

RL *»Ratschläge zu erteilen ist natürlich immer einfach. Trotz-*
dem; sie hätte Otto vorher klar machen können, dass er sich auf
ihr Kind einstellen müsse, wenn er bei ihnen zu Abend isst.
Aber wahrscheinlich hat sie das ohnedies getan. Ich glaube, in
diesem Fall laufen die Dinge auf zwei Ebenen schief. Erstens
haben Bettina und Otto unterschiedliche Vorstellungen von
Erziehung. Zweitens scheint beiden nicht klar zu sein, auf was
es ankommt, damit für Max Mamas neuer Partner keine Bedro-
hung, sondern ein zusätzlicher Pluspunkt im Leben werden
kann.«

Erziehung wird heutzutage nicht mehr von Generation zu
Generation weitergegeben. Jedes Elternpaar muss sich selber
seine Erziehungsvorstellungen zurechtzimmern. Viele Erzie-
hungsbücher, Elternkurse und Seminare preisen unterschied-
lichste Erziehungskonzepte an. Dabei wird der Anschein erweckt, die Probleme mit Kindern in den Griff zu bekommen
sei lediglich eine Frage der richtigen Strategie. Es werden Päd-
agogikstile miteinander verglichen, mit empirischem Datenma-
terial angereichert und daraus dann Verhaltensmodelle abgelei-
tet. Eltern müssten bloß auf eine bestimmte, in Seminaren
erlernbare Art mit ihren Kindern umgehen und schon würde
sich das erwünschte Ergebnis, ein von unserer Gesellschaft für
gut befundenes Kinderverhalten, einstellen. Dabei sind heute,
nach dem so genannten Scheitern der antiautoritären Pädagogik, wieder Erziehungsziele gefragt, die sich nur scheinbar
von den Zielvorgaben der »schwarzen« oder autoritären Pädagogik unterscheiden. Statt »folgsame Kinder« will man funk-
tionstüchtige Kinder, die das Leben der Erwachsenen so wenig
wie möglich stören. Statt zu strafen, soll man heute positiv
motivieren und Grenzen setzten, statt zu befehlen, führen und
lenken. Dabei ist die grundsätzliche Fehlannahme gleich ge-

blieben: Erst die richtige Erziehung (-sstrategie) mache aus zur Anarchie neigenden Kindern wirkliche Menschen. Am besten illustriert das die weit verbreitete Annahme, man dürfe Kindern nicht den kleinen Finger reichen, sonst nehmen sie die ganze Hand. Doch Kinder folgen aus ganz anderen Gründen. Kinder binden sich an ihre Bezugspersonen, sind bereit, sich nach ihnen auszurichten und von ihnen zu lernen. Probleme entstehen dann, wenn ihre Grundbedürfnisse nicht ausreichend befriedigt werden oder Personen, zu denen sie keine Beziehung haben, glauben, sie erziehen zu können (siehe auch Seite 156).

Otto schien wie viele Eltern dieses biologische Grundgesetz nicht zu kennen. Er glaubt, wenn man Max keine Grenzen setzte, würde das Kind immer unkontrollierbarer werden. Ohnedies befände sich Max mit seinen vier Jahren gerade in einer schwierigen Entwicklungsphase, die pädagogisch energisches Handeln erfordere. Bettina, so sagte er, sei überfordert, wie viele allein erziehende Mütter, und wünsche sich insgeheim einen Vater für Max, jemanden mit der nötigen Strenge und Konsequenz. Dies sei das Letzte, was sie brauche, antwortete sie. Schließlich hätte das Kind einen Vater und der mache seine Sache ausreichend gut. Nein, das Problem liege bestimmt woanders. Otto und Bettina diskutierten stundenlang. Ihr erster, für viele Paare aus der zweiten Runde wohl sehr typischer Streit.

RL *»Es ist immer eine schwierige Situation, wenn eine dem Kind fremde Person in die Familie kommt. Einerseits haben Mutter oder Vater hohe Erwartungen an diesen Menschen. Andererseits reagiert das Kind leicht mit Eifersucht und Ablehnung.«*

MC *»Was für eine Rolle soll und kann ein neuer Partner denn anfänglich überhaupt spielen?«*

RL *»Bettina erwartet bloß, dass Max und Otto gut miteinander auskommen. Sie sucht keinen Ersatz für Max' Vater. Sie braucht eigentlich auch keine Unterstützung bei der Erziehung. Das macht sie selber, offenbar ausreichend gut. Damit Otto und*

Max miteinander auskommen können, braucht es ein Minimum an Beziehung. Max sollte zuerst die Erfahrung machen können, dass er mit Otto zum Beispiel wunderbar Fußball spielen oder Autorennen veranstalten kann, dass er von ihm ernst genommen und willkommen geheißen wird. Dann wird Max den neuen Partner seiner Mutter nicht als Konkurrenz, sondern als eine Bereicherung empfinden. Will Otto sich nicht auf Bettinas Sohn einlassen, sollte Bettina ihre Beziehung zu ihm möglichst aus ihrer Familie heraushalten.«

MC *»Wenn sie das kann und will. Ich denke, Otto hätte eine Chance bei Max gehabt, wenn er sich anfänglich mindestens eine halbe Stunde ausschließlich mit ihm beschäftigt und ihm seine volle Aufmerksamkeit geschenkt hätte. Aber so war er für Max wie der Räuber Hotzenplotz, der kommt, um die Mama zu entführen.«*

RL *»Erwachsene sollten Partnerschaft und Elternschaft nicht vermengen. Bei Bettina und Otto ist dies geschehen. Otto missbilligt Bettinas Erziehungsverhalten, was ihre noch sehr junge Beziehung unnötig belastet. Es geht ja um ihre Partnerschaft und nicht um Elternschaft. Erwachsene versuchen häufig, einander mit Erziehungskompetenz zu beeindrucken. So werden aus Erziehungsfragen Profilierungsthemen und, wenn es ganz unglücklich läuft, gar Machtdemonstrationen, die ihre Partnerschaft in Frage stellen können.«*

MC *»Ja. Man sollte sich zuerst auf die partnerschaftliche Beziehung beschränken, sich in den verschiedenen Lebensbereichen kennen lernen. Über das Verliebtsein hinaus herausfinden, wo die Gemeinsamkeiten, aber auch Verschiedenheiten sind, ohne die Kinder mit einzubeziehen.«*

RL *»Genau. Oft wird der Partner oder die Partnerin zu früh mit den Kindern zusammengebracht – mit dem Hintergedanken, dass die Kinder als zusätzliches Bindemittel wirken könnten. Ich habe das anfänglich auch so gemacht. Der Effekt ist häufig ein gegenteiliger: Solche Begegnungen sind Sprengstoff für die Beziehung, so wie bei Bettina und Otto. Die Schwierigkeiten, die die beiden sich eingehandelt haben, haben wahrscheinlich* *wenig mit ihren Persönlichkeiten als Ganzes zu tun. Es kann sehr wohl sein, dass sie sich in vielen wichtigen Lebensbereichen gut verstehen, nur gerade in der Erziehung nicht.«*

MC *»Bis die Beziehung tragfähig genug für die Kinderrunde ist, kann es aber Wochen und Monate dauern. Ungeduld gehört aber zum Verliebtsein. Man möchte so rasch wie möglich alle seine Lieben zusammenführen.«*

RL *»Wartet man aber ab, und die Partnerschaft geht doch wieder auseinander, hat man sich und den Kindern einige Verunsicherung erspart. Wenn einem wirklich etwas an der Beziehung liegt, sollte man geduldig sein. Und mindestens so lange warten, bis der Partner oder die Partnerin dazu bereit ist, die Kinder wirklich kennen zu lernen. Zurückhaltung ist eine erfolgreiche Strategie, Drängen ein Risikounternehmen.«*

Stufen des Zusammenwachsens neuer Gemeinschaften

Partnerschaft
- Sich gegenseitig kennen lernen
- Rendezvous, Wochenenden, Ferien
  Erst wenn die partnerschaftliche Beziehung sich gefestigt und Zukunft hat, kommt die nächste Stufe.

Kinder
- Zeit mit den Kindern verbringen
- Stundenweise, Wochenenden, Ferien
- Partnerin/Partner kann mit den Kindern auch ohne Mutter/ Vater zusammensein
  Erst wenn der Partner/die Partnerin und die Kinder sich in einer tragfähigen Beziehung gefunden haben, erfolgt die nächste Stufe.

Soziales Netz
- Verwandte und Bekannte kennen lernen
  Erst wenn sich die Kinder unter den Verwandten und Bekannten wohl fühlen, erfolgt die nächste Stufe.

Familie
- Zusammenziehen

Erst wenn sich Erwachsene und Kinder in der neuen Gemeinschaft wohl fühlen, sollte – falls der Wunsch besteht – geheiratet werden.

Max spürte, wie wichtig Otto für seine Mutter geworden war. Einmal sah er sogar, wie sich die beiden küssten. Hatte Mama etwa Otto lieber als ihn, ihren kleinen Max? Wenn Mama mit Otto telefonierte oder er zu Besuch kam, war sie für Max nicht mehr zu erreichen. Wie weg war sie. Max war plötzlich Luft. Nicht mehr wichtig. So fühlte er sich zumindest. Max wurde sehr anhänglich, er bewachte seine Mama, weinte, wenn sie ausgehen wollte, kroch um vier Uhr früh in ihr Bett. »Mama, ich hab dich am liebsten auf der ganzen Welt«, flirtete er mit ihr, gab ihr die schönsten Kinderküsse und »Eieis«, malte Bilder für sie und schenkte ihr immer einen Teil von seiner Kinderschokolade. Nach einiger Zeit verstand Bettina, was Max ihr sagen wollte, und sie bemühte sich nach allen Kräften, wieder mehr für ihn da zu sein. Sie riss sich zusammen und verbannte alle Gedanken an Otto, wenn sie mit Max spielte oder ihn zu Bett brachte. Sie telefonierte mit ihm nur, wenn Max im Kindergarten war oder schon schlief, und sie verbrachte nur dann mit ihm das Wochenende, wenn ihr Sohn seinen Vater besuchte.

RL »Max hat nichts gegen Otto als Person. Er reagiert abwehrend, weil er spürt, dass die Mutter weniger verfügbar ist. Er reagiert auf den Liebesentzug. Je autonomer Bettina ist und handelt, desto weniger muss Max befürchten, sie zu verlieren.«
MC »Was meinst du mit autonom?«
RL »Eine autonome Persönlichkeit ist in ihrem Denken und Handeln nicht abhängig, weder von der Zuneigung und Liebe ihres Partners noch der Bestätigung durch die Umwelt. Die meisten Menschen sind nur mehr oder weniger autonom. Wir alle brauchen andere Menschen. Wenn wir uns verlieben, spüren wir diese Abhängigkeit oft besonders stark. Autonom in Liebesdingen zu werden ist weder einfach noch jedermanns Sache.*

Es setzt voraus, dass man gut mit seinen Bedürfnissen umgehen kann, dass man um seine Sehnsüchte, Wünsche und Hoffnungen weiß und einen guten Teil davon auch selbst abzudecken in der Lage ist.«

MC *»So unabhängig ist Bettina offensichtlich nicht, sonst hätte Max nicht das Gefühl, dass sie ihm entgleitet.«*

RL *»Da hast du wahrscheinlich Recht. Oft haben Geschiedene oder Getrennte zwar das Gefühl, ihre Trennung bewältigt zu haben. Sie glauben, mit ihrer neuen Lebenssituation zufrieden zu sein. In Wirklichkeit klafft aber eine Wunde, die nicht verheilt ist. Sie vermissen Geborgenheit und Sicherheit in ihrem Leben und wollen nichts lieber, als wieder eine Familie gründen. Oft klappt das ja auch. Zwischen 50 und 70 Prozent der Geschiedenen heiraten wieder. Doch es bleiben deutlich mehr Frauen nach einer Scheidung allein als Männer.«*

MC *»Weil es eben auch mehr allein erziehende Mütter gibt als Väter. Jetzt haben wir ja gesehen, wie schwierig es für eine allein erziehende Mutter sein kann, sich nochmals in das Abenteuer einer Beziehung zu stürzen.«*

RL *»Dabei haben wir längst nicht alle Probleme behandelt, die in solchen Fällen auftreten können.«*

Hedwig hatte von Anfang an für klare Verhältnisse gesorgt. Zwei Kinder waren genug, ihr Freundeskreis groß und ihre Arbeit als Kinderärztin spannend. Die zehnjährige Ehe mit Klaus war längst bewältigt. Sie verspürte kein Bedauern mehr und keine Sehnsucht nach einer weiteren Familie. Hedwig genoss ihr Singledasein. Nicht einmal vor dem Alleinsein im Alter hatte sie Angst. Ihr Leben war viel zu erfüllt. Neben ihrer Arztpraxis engagierte sie sich in diversen Kinder- und Jugendinitiativen und kümmerte sich ausgiebig um ihre beiden jugendlichen Töchter, die seit der Scheidung vor acht Jahren bei ihr lebten. Weder die 16-jährige Sabina noch die 15-jährige Carolina dachten daran, bald von zu Hause auszuziehen. Ihre Mutter empfanden sie als unersetzliche Freundin. Sie war immer für sie da, nie aber hat sie ihre Mädchen dominiert, festgehalten oder mit ihrer Liebe unterdrückt. Hedwig hatte mehrere Liebesbeziehungen gehabt, die wichtigeren Männer waren sogar zu Hause aus- und eingegangen. Sabina und Carolina hatten den einen netter, den anderen weniger sympathisch gefunden. Je nachdem, wie verspielt und kindernärrisch einer eben war. Manche nahmen sich sogar extra Zeit für die beiden, spielten den Chauffeur, wenn Hedwig keine Zeit hatte, oder halfen bei den Mathematikaufgaben. Hedwigs Partnerschaften waren für ihre Kinder nie bedrohlich. Mit manchen blieb die Familie befreundet, andere verschwanden wieder aus dem Leben der drei Frauen, ohne je gravierende Lücken bei Kindern und Mutter hinterlassen zu haben.

RL *»Hedwig ist wirklich eine sehr unabhängige Frau. Ihre Lebenspartner sind deshalb nie eine Bedrohung für die Kinder gewesen, weil sich Hedwigs Lebensstil und ihre Verfügbarkeit durch ihre Männer nicht grundlegend verändert haben. Dabei geht es nicht nur um die äußere Verfügbarkeit. Hedwig blieb mit Herz und Kopf jederzeit präsent. Bei allem Auf und Ab des Lebens ging es ihr konstant gut. Und sie hat ihre Kinder sehr bewusst in den Mittelpunkt ihres Lebens gestellt.«*

MC *»Du hast die Autonomie bereits bei Bettina angesprochen. Eine Frau, die sehr unabhängig ist, ist gut für die Kinder, aber sie kann Männern Angst machen. Die Männer sind hier als Person weit mehr gefordert als bei einer Frau, die rasch emotional von ihnen abhängig wird und damit meist auch weniger anspruchsvoll ist. Außerdem ist die Fähigkeit, ein derart unabhängiges Leben wie Hedwig zu führen, von Mensch zu Mensch unterschiedlich stark ausgeprägt. Nur die wenigsten sind wirklich so autonom, wie es ein Leben nach dem oben beschriebenen Muster verlangt. Ich habe den Eindruck, viele machen sich da etwas vor. Sie muten sich zu viel innere Freiheit, Ungebundensein und auch zu viele Wahlmöglichkeiten zu. All dies sind Eigenschaften, die unserer immer individualistischer funktionierenden Gesellschaft entsprechen. Ich denke aber, dass die meisten Menschen mit diesen Vorgaben überfordert sind.«*

RL »*Inwiefern wirkt sich diese Überforderung, glaubst du, aus?*«

MC »*So ein autonomer Lebensstil kann Existenzängste, Einsamkeit und Unsicherheit mit sich bringen. Der Mensch ist nun einmal ein soziales Wesen, er braucht soziale und emotionale Stabilität, um sich wohl zu fühlen.*«

Nach einer Studie zur Familiensituation geschiedener Eltern in Deutschland haben zwölf Jahre nach der Scheidung nur 37 Prozent der allein erziehenden Mütter wieder einen festen Partner oder sind gar wieder verheiratet. Auch von den wenigen allein erziehenden Vätern waren mehr als die Hälfte alleine geblieben. Im Gegensatz dazu sind die meisten Väter und die wenigen Mütter, bei denen die Kinder nach der Scheidung nicht lebten, fast alle wieder langfristige Partnerschaften eingegangen (Napp-Peters 1995). Dies ist ein Hinweis, wie schwierig es für viele Alleinerziehende ist, noch einmal eine Familie zu gründen. Viele Frauen sind vorsichtig, haben »schlechte Erfahrungen mit Männern« gemacht, nie mehr einen Partner fürs Leben gefunden. Oft waren auch die ersten Jahre nach der Scheidung viel zu hart. Da war keine Zeit, kein Platz für Männerbekanntschaften. Das Leben bestand aus Nachtarbeit, um tagsüber die Kinder betreuen zu können, aus Sozialhilfe plus Nebenjob, Haushalt und Kleinkindern. Wenn diese Frauen dann wieder Zeit zum Durchatmen haben, weil die Kinder etwas größer und vielleicht ein bescheidener beruflicher Wiedereinstieg geschafft ist, sind sie Ende 40 und haben oft nicht mehr den Mut oder zumeist nicht mehr das Glück, einen Lebenspartner zu finden.

Robin lebte bei seinem Vater. Er war 13 Jahre alt, als die Freundin seines Vaters mit ihrem sechsjährigen Kind bei ihnen einzog. Robins Vater war berufstätig und viel unterwegs. Seine Freundin hingegen wollte, schon ihres kleinen Kindes wegen, erst einmal zu Hause bleiben. Endlich würde Robin wieder eine richtige Familie haben, dachte sein Vater. Doch so schön Robins Vater sich die ganze Sache vorgestellt hatte, so kläglich scheiterte sie auch. Robin stritt sich mit der Freundin, fühlte sich ständig benachteiligt, war auf das kleine Kind eifersüchtig. Weder seinem Vater noch ihr gelang es, die Situation in den Griff zu bekommen. Als dann die Beziehung der Erwachsenen scheiterte und Vaters Freundin wieder auszog, war es Robin nur allzu recht.

RL *»Die meisten geschiedenen Väter hoffen, wenn die Freundin bei ihnen einzieht, wird sie einen Teil der Betreuung der Kinder übernehmen. Für sie ist es ja doch sehr ungewohnt, an Wochenenden rund um die Uhr für die Kinder da zu sein, vor allem, wenn diese Kinder noch klein sind. Sie sind sehr froh, durch die neue Partnerin entlastet zu werden. Die Freundin übernimmt anfänglich Stück für Stück die Aufgaben im Haushalt, wird mit den Kindern immer vertrauter, will das meistens auch, und kümmert sich schließlich mehr um die Kinder als der Vater.«*

MC *»Bei Robin war es offensichtlich nicht so. Gründe für das Scheitern dieser Familiengründung mag es zahlreiche gegeben haben. Vielleicht war die Freundin des Vaters mit sich, ihrem eigenen Kind und der Partnerschaft so beschäftigt, dass sie weder die Zeit noch die Kraft hatte, sich auf Robin einzulassen. Vielleicht hat sie auch gespürt, dass der Vater ihr die Verantwortung für Robin möglichst rasch abtreten will, und fühlte sich missbraucht. Vielleicht hat sich der Vater bei Meinungsverschiedenheiten regelmäßig auf die Seite von Robin geschlagen, und die Freundin fühlte sich ausgegrenzt. Vielleicht spürte sie auch, dass Robins Vater überhaupt nicht an ihrem Kind interessiert war, wieso sollte sie sich dann für Robin interessieren?«*

RL *»Ist es für Kinder leichter, den neuen Partner des Elternteils zu akzeptieren, bei dem sie nicht leben?«*

MC *»Normalerweise schon. Weil meistens auch die Beziehung zu diesem Elternteil weniger eng und die Bedrohung durch eine neue Person deshalb auch nicht so groß ist. In jedem Fall muss sich der oder die Neue mit viel Gespür auf das Kind einlassen. Es geht immer wieder darum, einerseits eine Beziehung herzu-*

stellen und andererseits keine Erzieherrolle spielen zu wollen. Insbesondere nicht in der ersten Zeit.«

RL *»Auf was, glaubst du, kommt es nun an, wenn sich geschiedene und getrennte Eltern wieder verlieben?«*

MC *»Auf Behutsamkeit und ein langsames Integrieren der Partner. Durch Behutsamkeit können Eltern vermeiden, dass ihre Verfügbarkeit für die Kinder unter ihrer neuen Beziehung leidet, dass sie durch eine zu schnelle Abhängigkeit von einem neuen Partner ihrem Kind Stabilität entziehen. Und dann kommt es natürlich darauf an, dass es den Erwachsenen selbst gut geht, dass sie in der Lage sind, ein für sich und die Kinder befriedigendes neues Leben aufzubauen.«*

Erst als erwachsener junger Mann dachte Robin manchmal an die Frau von damals zurück. Er hatte das Gefühl, selbstsüchtig und kurzsichtig gehandelt zu haben. Wäre er damals nur klüger gewesen, dann wäre die Beziehung seines Vaters vielleicht nicht gescheitert. Er liebte ihn sehr und litt darunter, dass er nun alt und alleine war. Er wusste, wie schwierig für ihn die Situation als allein erziehender Vater gewesen war, die Doppelbelastung, die ihm anfänglich gänzlich fremde Rolle als einzig vorhandener Elternteil, und so hatte Robin nun Schuldgefühle. Hätte sich damals irgendetwas ergeben, dann wäre sein Vater heute untergebracht, dachte er sich oft. Das hätte ihm vielleicht ein Umfeld verschafft, das nicht so vom Alleinsein geprägt gewesen wäre wie das jetzige. Und dann überlegte sich Robin wieder, ob er tatsächlich ausziehen solle, und blieb bei seinem Vater.

RL *»Wahrscheinlich hätte Robin damals nicht anders handeln können, denn für ein Kind, noch dazu in der Pubertät, ist es eben nicht leicht, einen neuen Elternteil oder auch nur einen Freund oder eine Freundin zu akzeptieren. Was für den Vater wie eine glückliche Fügung wirkte, erlebte das Kind als Bedrohung seiner Position innerhalb der Familie. In der schwierigen Phase der Pubertät stürzte es ihn in zusätzliche Loyalitätskonflikte.«*

MC *»Was bedeutet es für die Kinder, wenn der Elternteil, bei dem sie leben, alleine bleibt?«*

RL *»Einsamkeit kann sich auf die psychische Gesundheit der Betroffenen auswirken. Das heißt, sie werden beispielsweise depressiv, sie hängen sich allzu sehr an ihre Kinder und können diese nicht in ein selbständiges Leben entlassen. Das hat Folgen für die Kinder (siehe Seite 179). Als Erwachsene fühlen sie sich dann meistens mitverantwortlich für das Schicksal und die Probleme ihrer Eltern. Im besten Fall kümmern sie sich um diesen Elternteil, besuchen ihren alten Vater oder ihre Mutter. Es kann aber auch passieren, dass sie nichts mehr mit ihnen zu tun haben wollen.«*

MC *»Ich glaube, es ist wichtig, dass wir uns bewusst machen, wie viele Alleinerziehende nach der Trennung vereinsamen. Wie viele es nicht schaffen, sich ein befriedigendes soziales Umfeld aufzubauen, eine Aufgabe in der Gemeinschaft zu suchen, ihr Bedürfnis nach familiärer Geborgenheit zu kompensieren. Es kann sich tragisch auswirken, dass in den ersten Jahren noch die Kinder da sind, sich dann aber mit ihrem Auszug ein soziales Vakuum einstellt.«*

RL *»Das gilt natürlich gleichermaßen für Eltern aus so genannten normalen Familien. Auch für sie kann die Zeit, wenn die Kinder ausziehen, sehr schwierig werden.«*

Vanessa war vier, als ihr Vater auszog. Florian hatte als Tischler stets Zeit für seine Tochter gehabt, und auch jetzt verbrachte sie immer die Nachmittage bei ihm in der Werkstatt, wenn ihre Mutter Marisa noch in der Arbeit war. Er war ein verspielter, sonniger Vater, aber etwas unstet. Wenn er keine Lust oder Zeit hatte, sagte er die Papa-Nachmittage kurzerhand ab, und Vanessa musste mit den Nachbarskindern spielen, bis ihre Mama nach Hause kam. Als Florian wieder eine Freundin hatte, durfte Vanessa regelmäßiger zu Besuch kommen. Fleur war eine sehr mütterliche Frau, sie arbeitete unregelmäßig und hatte oft Zeit für Vanessa. Bald schon heiratete Florian seine Fleur und zog mit ihr in ihre kleine Wohnung. Marisa arbeitete viel und verdiente wenig. Deshalb war ihr jede Hilfe bei der Betreuung von Vanessa recht und willkommen. Mit der Zeit wurde Fleur eine echte Zweitmutter für Vanessa. Sie war warmherzig und konnte, wie das kleine Mädchen bemerkte, manche Sachen sogar besser als die Mama. »Kochen zum Beispiel. Das kann Mama gar nicht. Oder Zöpfe flechten und lustige Kleider nähen.« Mit Fleur konnte man viel Spaß haben. »Sogar mehr als mit Papa.« Marisa war nur sehr selten auf Fleur eifersüchtig und wenn, dann sagte sie sich, dass es für Vanessa nur gut sei, zwei so unterschiedliche Mütter mit so unterschiedlichen Vorstellungen vom Leben und der Welt zu haben. Doch dann ging die Ehe von Florian und Fleur in die Brüche. Florian zog zurück in sein Atelier und war als Vater für Vanessa wieder nur bedingt verfügbar. Marisa wusste, wie sehr Vanessa an Fleur hing, und so kümmerte sie sich darum, dass der Kontakt zu ihr auch nach der Scheidung von Florian nicht abriss. Vanessa durfte Fleur besuchen, ja sogar bei ihr übernachten, und einmal die Woche kam sie zu Marisa und Vanessa nach Hause. Spielen, Hausaufgaben machen und gemeinsam Abend essen.

RL *»Geschiedene Väter glauben oft, sie hätten ein gutes Verhältnis zu ihren Kindern, weil die Kinder gerne zu Besuch kommen und das Familienleben wieder reibungslos verläuft. Dabei gibt es dieses Familienleben wegen der Freundin, zu der die Kinder eine enge Beziehung aufgebaut haben. Wenn dann die Beziehung der Erwachsenen nicht hält, verliert das Kind eine wichtig gewordene Bezugsperson. Dass auch sie dem Kind nach der Trennung erhalten bleibt, wie im Fall von Marisa, ist leider selten der Fall.«*

MC *»Ein Kind kann sich stark an eine Partnerin oder einen Partner binden. Fleur wird für Vanessa sehr wichtig, vielleicht wichtiger als der Vater. Bricht die Beziehung ab, weil die Partnerschaft aufgelöst wird, ist das für das Kind ein herber Verlust. Ich finde es sehr gut, dass Marisa die Beziehung von Vanessa zu Fleur zu erhalten versucht hat, dass sich die beiden Frauen so*

gut verstehen und Marisa akzeptiert, dass Fleur gewisse Be-
dürfnisse bei Vanessa besser befriedigen kann als sie selbst.«

Beatrix hatte seit zwei Jahren einen Freund. Anfangs kam und ging Andreas, wenn Peter und Christine schon im Bett, bei ihrem Vater oder bei Freunden waren. Früher hatte sie schon einmal einen Partner in ihre Familie zu integrieren versucht. Ein chaotisches Unterfangen, das letztlich alle unglücklich gemacht hatte. Bei Andreas, einem sehr einfühlsamen und verständnisvollen Mann, den sie auf der Weihnachtsfeier ihrer Firma kennen gelernt hatte, wollte sie nun nichts mehr überstürzen. Ihr Leben mit den Kindern hatte sich nach einem mehr oder weniger turbulenten Trennungsjahr gut eingespielt, und die neunjährige Christine und der elfjährige Peter verbrachten mindestens jedes zweite Wochenende bei ihrem Vater, der gleich um die Ecke wohnte. Wenn sie einmal verreisen musste, passte er auf die Kinder auf, manchmal zog er für die paar Tage sogar bei Beatrix ein, weil die Kinder am liebsten zu Hause bei ihren Spielsachen blieben. Das Zentrum ihres Lebens war bei Beatrix. Sie war eine bewusste Mutter, verfügbar und von natürlicher Heiterkeit. Die Beziehung zu Andreas gab ihr zusätzliche Kraft, denn er konnte sich in das komplexe Leben seiner allein erziehenden Freundin einfügen, ohne Probleme mit seinem Selbstbewusstsein zu bekommen. Allmählich lockerten sich die strengen Regeln etwas. Hin und wieder tauchte Andreas am Nachmittag oder Abend auf. Die Kinder nahmen den neuen Mann im Leben ihrer Mutter einfach zur Kenntnis. Da sie nicht das Gefühl hatten, Andreas würde die Verfügbarkeit ihrer Mutter einschränken, machten sie sich keine weiteren Gedanken über ihn. Auch nicht, als er anfing, in der Früh auch noch da zu sein und mit den Kindern und ihrer Mutter zu frühstücken. »Die Mama hat einen Freund. Der ist ziemlich okay«, war alles, was sie zu dem Thema zu sagen hatten. Ein halbes Jahr nachdem Andreas quasi halb offiziell bei Beatrix und den Kindern eingezogen war, fragte Christine einmal ihre Mutter, wen sie nun lieber hätte, den Papa oder den

Andreas. Beatrix erklärte, dass sie sich mit beiden gut vertrage, den Andreas aber lieber habe. Christine war ganz verblüfft und sagte beim nächsten Besuch zu ihrem Vater: »Stell dir vor, ich bin erst jetzt draufgekommen, dass die Mama den Andreas lieber hat als dich.«

RL *»Wir kommen immer wieder zur gleichen Einsicht zurück.* Wenn es den Kindern gut geht und ihre Bedürfnisse ausreichend abgedeckt werden, erleben sie die Beziehungen ihrer Eltern nicht als Bedrohung. *Oder im Fall von Christine und Peter: Sie interessieren sich nicht besonders für das Liebesleben ihrer Eltern. Ob Eltern und Partner zusammenleben oder nicht, ob sie heiraten oder nicht, das sind wichtige Entscheidungen für die Erwachsenen. Für die Kinder ist nicht die Form des Zusammenlebens wesentlich, für sie zählt nur die Beziehung. Wenn die Mutter für sie plötzlich nicht mehr verfügbar ist, mit ihren Gedanken ganz woanders ist, nur noch an ihren Freund denkt, dann fühlen sie sich emotional vernachlässigt und werden, was nicht erstaunt, ablehnend auf den Freund reagieren. Der Freund wird nur dann kein Konkurrent für die Kinder sein, wenn die Mutter weiterhin für sie da und innerlich wie äußerlich verfügbar ist.«*

MC *»Das sehen gewisse Fachleute aber bestimmt anders.«*

RL *»Möglich. Ich bin aber der Ansicht, dass das Liebesleben der Erwachsenen die Kinder erst in der Pubertät interessiert. Kinder wollen sich bei ihren Bezugspersonen gut aufgehoben und geborgen fühlen und von ihnen lernen.«*

MC *»Man kann es nicht oft genug sagen. Mit der neuen Partnerschaft und den Kindern kann es nur klappen, wenn die Kinder sich bei der Mutter beziehungsweise beim Vater geborgen und aufgehoben fühlen.«*

RL *»Wenn dies nicht der Fall ist, erleben die Kinder den Freund oder die Freundin als Konkurrenz, genauso wie ein kleines Kind, welches ein jüngeres Geschwister bekommt. Wenn sich die Mutter ausreichend um das ältere Kind kümmert, wird sich die Eifersucht in Grenzen halten. Kümmert sich die Mutter*

– aus der subjektiven Sicht des älteren Kindes – aber mehr um das Baby, kann die Eifersucht eskalieren.«

MC *»Die Beziehung der Kinder zur Mutter beziehungsweise zum Vater ist demnach die Grundvoraussetzung für jede Art des erträglichen Zusammenlebens.«*

RL *»Der zweite wichtige Aspekt ist die Art und Weise, wie der Freund oder die Freundin die Beziehung zu den Kindern gestaltet. Geht der Freund oder die Freundin nicht auf das Kind ein, erlebt das Kind dies als Ablehnung. Wenn die erwachsenen Partner zusammenleben, kommen sie daher gar nicht darum herum, eine Beziehung zu den Kindern aufzubauen. Nicht um sie zu erziehen (!), sondern um in einem für alle angenehmen Familienklima zu leben. Dazu müssen Partnerin und Partner bereit sein, Zeit, Kreativität und Ausdauer einzusetzen.«*

1. Partnerschaft und Elternschaft sollten nicht miteinander vermengt werden.

2. Stabile Beziehungen zwischen den Erwachsenen, aber auch zwischen Erwachsenen und Kindern beruhen immer auf gemeinsamen Erfahrungen und brauchen daher Geduld und Zeit.

3. Die folgenden drei Beziehungsbereiche sollen nicht gleichzeitig, sondern nach und nach aufgebaut werden:
   - Partnerschaft zwischen Mutter/Vater und Freund/Freundin
   - Beziehung zwischen Freund/Freundin und Kindern
   - Beziehung zwischen Freund/Freundin und Verwandtschaft

4. Freund/Freundin sollten sich in der Kindererziehung möglichst zurückhalten.

5. Wenn es den Kindern gut geht und ihre Bedürfnisse ausreichend befriedigt werden, erleben sie die Partnerbeziehungen ihrer Eltern nicht als Bedrohung.

6. Kinder fühlen sich dann durch die Partnerbeziehung verunsichert und reagieren ablehnend, wenn:
   - sie sich bei der Mutter/dem Vater nicht geborgen und aufgehoben fühlen
   - der Freund/die Freundin keine vertrauensvolle Beziehung zu ihnen eingehen will.

Was empfinden Kinder, wenn ihre Eltern neue Familien gründen, und was erwartet die Eltern?

Ein ganz gewöhnlicher Donnerstag um die Mittagszeit. Julia steht mit ihrem Schulranzen und den Turnsachen an der Straßenecke und wartet. Ein Auto hält. Doch nicht die Mutter, sondern der Onkel ist gekommen, um die Achtjährige nach Hause zu bringen. Dort hat sich im Wohnzimmer bereits die ganze Familie versammelt. Was tun die alle hier, denkt Julia, und warum ist heute nichts so wie an normalen Donnerstagen? Warum ist die Großmutter so feierlich angezogen, und wieso ist Onkel Herbert aus der Nachbarstadt angereist? Warum schaut die Mama so komisch? Und der Walter? Was macht der hier zu Mittag? »Deine Mama hat heute geheiratet. Der Walter ist jetzt dein neuer Vater«, sagt die Großmutter, kaum dass Julia ihre Schultasche abgestellt hat. Geheiratet? Mein neuer Vater? Julia versteht die Welt nicht mehr. Und Vater? Was ist mit Vater. Der Rainer ist doch mein Vater! Sie will schreien, doch sie bringt kein Wort heraus. Tränen steigen auf, bittere, verzweifelte Tränen. Tränen der Verwirrung. Julia hat das Gefühl, dass ihre Welt einstürzt. Wie ein angeschossenes Reh verkriecht sie sich unter dem Couchtisch neben dem Fernsehsessel von Mama und weint dort wie ein Schlosshund. Das ist jetzt dreißig Jahre her. Doch die junge Frau hat den Schock von damals immer noch nicht überwunden. Immer noch kann sie sich genau erinnern, wie sie unterm Tisch auf dem Teppich kauerte und diesen schlimmen Schmerz in der Brust fühlte.

MC *»Warum, glaubst du, hat Julia die Nachricht von der Heirat ihrer Mutter damals so getroffen?«*
RL *»Um zu verstehen, was da schief gelaufen ist, muss man kein Fachmann sein. Arme Julia. Das Ganze fängt schon sehr*

*ungut an. Für Julia muss es wie in einem Gruselfilm gewesen
sein. Julia wurde leider überhaupt nicht auf dieses Ereignis
vorbereitet.«*

MC *»Vor allem die Ankündigung, dass sie nun einen neuen
Vater habe, muss große Angst ausgelöst haben. Julia befürch-
tete wohl, dass sie ihren leiblichen Vater verliert. Und Walter
erlebt sie offensichtlich als Bedrohung. Ich frage mich, was für
eine Beziehung Julia zu ihrem Stiefvater vor der Heirat hatte.
Wichtig ist in diesem Zusammenhang natürlich auch, welche
Rolle Julias Vater gespielt hat. War er ein warmherziger Vater?
War er für seine Tochter da?«*

RL *»Dass die Mutter einen anderen Mann heiratet, ohne Julia
in das Geschehen mit einzubeziehen, mag bei Julia auch die
Angst ausgelöst haben, dass sie auch noch ihre Mutter an diesen Mann verlieren werde.«*

MC *»Mich beunruhigt das Verhalten der Mutter sehr. Aus der
Sicht ihrer Tochter hat sie Julia verraten und ihr großes Leid
angetan. Weshalb hat sie Julia nicht auf die Heirat vorbereitet?
Was für eine Beziehung hatte sie zu Julia? Dass Julia im Mo-
ment der größten Verunsicherung nicht bei der Mutter Zuflucht
sucht, sondern unter den Couchtisch kriecht und dort allein vor
sich hin weint, spricht Bände.«*

RL *»Ich habe den Eindruck, dass das Problem nicht so sehr
die hilflose Inszenierung dieser Heirat war. Es war wohl auch
keine Böswilligkeit der Erwachsenen, sondern vielmehr schie-
res Unvermögen, diesen Anlass anders zu handhaben. Schließlich hat sich diese Geschichte vor dreißig Jahren abgespielt.
Damals haben die meisten Eltern noch sehr wenig über die
Auswirkung von Trennung und Scheidung auf die Kinder gewusst. Heute ist es hoffentlich anders.«*

MC *»Dass Julia aber immer noch unter diesem Schock leidet,
liegt meines Erachtens vor allem daran, dass ihr keiner der
anwesenden Menschen ausreichend Geborgenheit und emotionale Unterstützung vermitteln konnte, am Heiratstag nicht,
aber auch davor und danach nicht.«*

Eine Heirat bedeutet eine Zäsur im Leben von Erwachsenen. Das Paar geht eine Bindung ein, von der die meisten Erwachsenen immer noch erwarten, dass sie ein Leben lang hält. Die Heirat bringt nicht nur zwei Menschen, sondern auch Familien zusammen. Sie verändert den Rechtsstatus der Erwachsenen, neue Rechte, aber auch neue Pflichten stellen sich ein. Und nicht zuletzt ist es ein sehr emotionaler Tag.

Welche Bedeutung hat nun aber die Wiederheirat von Vater oder Mutter für das Kind? Hochzeiten kennen die Kinder heutzutage weniger aus eigener Erfahrung als aus den Märchen und den Medien. Dort heiraten Prinzessinnen und Prinzen. Es sind herrliche Feste, feierliche Anlässe, an denen alle aufgeregt und fröhlich sind. Die Frauen tragen wunderschöne Kleider und Frisuren, Männer schwarze Anzüge, und es gibt eine festliche Zeremonie in der Kirche. Für das Kind ist Heiraten ein Ereignis, nicht jedoch etwas, was sein Leben verändert. Ganz im Gegensatz zu den Erwachsenen. Entscheidend für das Wohlbefinden des Kindes ist nicht das Ereignis, sondern die Beziehungen. Das Kind erlebt eine Zäsur dann, wenn der Partner oder die Partnerin mit der Mutter oder dem Vater zusammenzieht und damit in sein Leben eindringt. Und wenn das Kind die Verwandten und Bekannten des Partners oder der Partnerin kennen lernen darf oder muss.

Ob sich das Kind geborgen und aufgehoben fühlt, hängt nicht davon ab, ob die Eltern und Stiefeltern verheiratet sind oder nicht. Die Beziehungen sind das Wesentliche. Wir haben auf Seite 249 darauf hingewiesen, dass die Beziehungen stufenweise aufgebaut werden sollten. So darf es nicht geschehen, dass erst nach der Heirat das Zusammenleben geprobt wird. Genauso wie die Partnerschaft stabil und zukunftsversprechend sein sollte, bevor man sich fürs Heiraten entschließt, sollte auch die Beziehung zu den Kindern so tragfähig sein, dass ein harmonisches Zusammenleben nach der Heirat gewährleistet ist.

RL *»Erinnerst du dich noch, wie wir ganz zu Anfang darüber geredet haben, was passiert, wenn man den Kindern sagt, dass sich die Eltern trennen?«*

MC *»Ja natürlich. Wir haben darauf hingewiesen, dass Kinder bis weit ins Schulalter hinein gar nicht verstehen können, was es bedeutet, wenn die Eltern ihnen sagen, dass sie sich scheiden lassen.«*

RL *»Und wir haben immer wieder deutlich gemacht, dass die Eltern die Veränderungen ansprechen sollten, die sich für die Kinder ergeben. Ähnlich ist es, wenn ein Elternteil wieder heiratet. Auch da geht es weniger um die Heirat an sich, als um die ganz konkreten Veränderungen, die sich für das Kind im Zusammenleben ergeben werden.«*

Wenn getrennte oder geschiedene Eltern eine neue Familie gründen, wenn sie also mit einem neuen Partner zusammenziehen und möglicherweise Kinder bekommen, sollten sie sich fragen, was sich im Leben des Kindes ändern wird. Wird die Verfügbarkeit der Mutter durch den neuen Partner, seine Kinder, den Aufbau des neuen Familiennestes allenfalls eingeschränkt? Oder wird die Mutter vielleicht sogar wieder besser auf ihr Kind eingehen können, weil sich ihre Lebenssituation stabilisiert, sie von ihrem neuen Partner unterstützt wird und ihre Belastungen und Sorgen dadurch abnehmen werden? Welche Rolle wird und kann der neu hinzukommende Partner im Leben des Kindes spielen? Wird er in erster Linie der Ehegatte der Mutter sein oder wird eine zusätzliche tragfähige Beziehung entstehen, die dem Kind Nutzen bringt? Und ganz wichtig: Wie kann die Beziehung des Kindes zum anderen Elternteil erhalten bleiben? Dies setzt voraus, dass die Eltern sich über ihre partnerschaftlichen Pläne, soweit sie das Kind betreffen, austauschen. All diese Fragen sollten vor der Heirat möglichst geklärt werden. Die Heirat kann und soll dann lediglich ein festlicher Akt zur Besiegelung der zuvor gemachten Vereinbarung sein.

Sabines Vater wollte kurz nach der Scheidung zum zweiten Mal heiraten. Sabine freute sich. Sie war gerade fünf geworden. Heiraten war schon an und für sich etwas Aufregendes. Leo, ihr Lieblingsfreund aus dem Kindergarten, hatte erst unlängst gesagt, dass er sie heiraten werde. Sie war geschmeichelt, aber eigentlich wollte sie lieber ihre Busenfreundin Elena heiraten oder die Mama oder den Papa. Nun würde sie zu Papas Hochzeit gehen. Was sollte sie anziehen? Das Samtkleid oder das mit den Kirschen drauf? Sabine war aufgeregt. Sie würde mit der Mama hingehen, dachte sie sich, und war dann ganz erstaunt, als ihre Mutter sagte, dass sie wahrscheinlich nicht eingeladen sei. »Weißt du, ich bin nicht sicher, ob dein Vater mich dabeihaben will«, sagte die Mutter. Wieso sollte er das nicht wollen? Aber gut, wenn die Mama nicht mitgehen wollte, würde sie eben gleich an der Hand ihres Papas in die Kirche einziehen, dachte Sabine. Doch je näher das Datum der Trauung heranrückte, desto weniger wurde über die bevorstehende Hochzeit gesprochen. Astrid versuchte etwas über den Ablauf der Feierlichkeiten in Erfahrung zu bringen. Während sie und Gert nur standesamtlich verheiratet waren, hatte sich Gerts zweite Frau Petra eine kirchliche Trauung gewünscht. Anschließend wollten die neuen Schwiegereltern das Hochzeitspaar im elegantesten Restaurant ihrer Kleinstadt hochleben lassen. Nur von Sabine wollte keiner etwas wissen. Dass der neue Schwiegersohn eine Tochter aus erster Ehe mit in die Familie brachte, müsste man ja nicht gleich bei der Hochzeit hervorkehren. Sabine hätte das perfekte Bild vom jungen Glück gestört, alle Gäste daran erinnert, dass Petras Mann eine bewegte Vergangenheit hinter sich hat. Man argumentierte einhellig, dass es bestimmt auch für Sabine leichter wäre, der Hochzeit fernzubleiben.

Sabine freilich war sehr traurig und verunsichert. Hätte die Fünfjährige die Gäste aufzählen dürfen, hätte sie ganz einfach alle genannt, die sie lieb hat. Die Mama, den Papa, Petra, Oma und Opa, Tante Gerda mit ihrem Dackel, beide Kindergärtnerinnen, aber nicht den doofen David, ihre beste Freundin Elena, die Katze Mia und womöglich noch eine stattliche Anzahl von Puppen. Nach der Hochzeit wollte Sabine über mehrere Monate am Wochenende nicht mehr zu ihrem Papa gehen, und einmal fragte sie beim Zubettgehen ihre Mutter: »Darf ich dabei sein, wenn du wieder heiratest?«

MC »*Arme kleine Sabine. Ich kann mir sehr gut vorstellen, wie ihr zumute war.*«

RL »*Auch wir Erwachsenen würden uns ausgeschlossen fühlen.*«

MC »*Wie sind solche Unachtsamkeiten denn zu vermeiden?*«

RL »*Für das Kind ist das mehr als nur eine Unachtsamkeit! Erwachsenen ist oft nicht hinreichend klar, wie Kinder empfinden und auf was es ankommt, wenn die Eltern eine neue Familie gründen. Oft haben sie mehr als genug Probleme mit ihrem neuen Leben. Die neue Partnerin, die zukünftige Schwiegerfamilie, deren und die eigenen Ansprüche. Tatsächlich stört das Kind aus einer früheren Verbindung oftmals den Traum vom glücklichen Neuanfang ohne Vorbelastungen. Das Kind ist ein lebendiger Beweis für die Fragilität der Liebe unter Erwachsenen.*«

MC »*Sabine verbindet mit der Hochzeit ihres Vaters etwas ganz anderes als die Erwachsenen. Ihr sagt es wenig, dass ihr Vater wieder heiratet, sie weiß noch nichts über erwachsene Liebeskonzepte. Sie kann aber einfach nicht verstehen, dass sie an diesem aufregenden Ereignis nicht teilnehmen darf. Sie empfindet es als tiefe Ablehnung.*«

RL »*Und aus dieser Ablehnung heraus macht sie sich so ihre Gedanken. Sie hat den Vater doch mindestens ebenso lieb wie Petra, und sie ist ebenso stolz auf ihn wie Petra. Warum also darf sie nicht dabei sein? Hat sie der Papa vielleicht nicht mehr so lieb? Und warum ist die Mama nicht eingeladen? Auch das kann Sabine nicht verstehen.*«

MC »*Dass die kleine Sabine nicht dabei sein darf, ist wirklich sehr unglücklich. Die Erwachsenen haben ihr ein deutliches Zeichen gegeben: Wir wollen dich nicht. Sabine fühlt sich von der Stiefmutter, von deren Verwandtschaft und sogar von ihrem Vater abgelehnt.*«

RL »*Die Erwachsenen waren wahrscheinlich der Ansicht, sie hätten Sabine eine unangenehme Erfahrung erspart und für sich ein Problem aus der Welt geschafft. Dabei haben sie sich ein viel größeres Problem für die Zukunft eingehandelt. Das Gefühl der Ablehnung wird bei Sabine lange Zeit nachwirken.*«

MC *»Ich würde meine Tochter zum Standesamt mitnehmen und ihr eine ganz wichtige Aufgabe übertragen; etwa das Kissen mit den Ringen zu bringen oder vielleicht könnte sie etwas sagen, wenn sie möchte. Es gibt so viele Möglichkeiten.«*

Julia, jenes Mädchen, das vor Schreck über die Wiederheirat ihrer Mutter unter den Couchtisch flüchtete, hatte in Walter keinen warmherzigen Stiefvater bekommen. Er wusste gar nicht, wie er eine Beziehung zu seiner Stieftochter hätte aufbauen sollen. Damals, also vor dreißig Jahren, gab es das Leitbild des emanzipierten Vaters noch nicht, der mit seinen Kindern auf den Spielplatz geht, sich im Kinderzimmer auf den Boden setzt und am Abend Geschichten vorliest. Aber auch in der traditionell männlichen Rolle als Patriarch der Familie, als jemand, der in Erziehungsfragen beispielsweise ein Machtwort spricht, hielt Walter sich zurück. Er war ja bloß der Stiefvater. Er mochte Julia und er wäre ihr nur zu gerne ein guter Vater gewesen. Er und Astrid wollten Julia das Gefühl geben, auch in einer richtigen Familie zu leben, deshalb schlug Walter vor, seine Stieftochter zu adoptieren. Doch die mittlerweile Zehnjährige wollte nicht. Sie wusste nicht, wozu das Ganze gut sein sollte. Sie vermisste schließlich etwas ganz anderes als den gemeinsamen Namen oder eine Urkunde, die den Stiefvater zu einem echten Vater gemacht hätte. »Ich hatte nie etwas mit meinem Stiefvater zu tun«, erklärt sie heute. Er sei zwar immer fair gewesen, hätte sie weder schlecht behandelt noch ihre Beziehung zu ihrer Mutter gestört. Aber für eine eigenständige Beziehung hätte es einfach nie gereicht.

MC *»Die Erwachsenen haben leider die ganze Sache verkehrt aufgezogen. Richtig wäre gewesen, zuerst die Beziehung zum Kind zu festigen und dann zu heiraten. Walter wird nicht der Vater von Julia, weil er ihre Mutter heiratet. Er kann nur eine Bezugsperson werden, mit oder ohne Heirat, wenn er sich mit Julia auf eine Beziehung einlässt, Zeit mit ihr verbringt, durch gemeinsame Erfahrungen zu einer von Julia geschätzten Person wird.«*

RL »*Wahrscheinlich wollte Walter gar keine so enge Beziehung. Wenn ein Mann keine Erfahrung als Vater gemacht hat und plötzlich Stief- oder Zweitvater werden soll, tut er sich erfahrungsgemäß besonders schwer.*«

MC »*Schwerer als die Frauen. Ohne jetzt allzu sehr in ein Klischee zu verfallen: Die meisten Frauen versuchen, zu dem Kind, das mit ihnen zusammenlebt, eine Beziehung aufzubauen. Sie sind daher auch eher bereit, sich Zeit zu nehmen und auf das Kind einzugehen. Männer wohl weniger.*«

RL »*Es gibt aber auch Frauen, die keine Beziehung zu den Kindern ihres Partners eingehen wollen. Sie sind – wie viele Männer – in erster Linie an der Partnerschaft interessiert. Die Kinder des Partners sind einfach da oder werden sogar als Belastung empfunden.*«

Julia hatte zu Rainers neuer Frau von Anfang an kein gutes Verhältnis. Nie hatte Erika ihr auch nur die mindeste Aufmerksamkeit geschenkt, nie ein Gespräch mit der Tochter ihres neuen Mannes geführt, obwohl Julia immerhin jedes Wochenende bei ihr und Rainer verbrachte. Nicht ein Geschenk machte sie dem 13-jährigen Mädchen. Die Stiefmutter war froh, in ihr einen Babysitter für die Zwillinge zu haben. Ansonsten beschränkte sie sich darauf, Julias Vater zu kritisieren, wenn er seine Tochter verwöhnen wollte oder die beiden zum Skilaufen gingen. Das war das Höchste für Julia, dass der Papa sie an den Winterwochenenden zum Training begleitete. Nur deshalb blieb sie so lange Mitglied in der Landesskimannschaft. Julia hatte nie das Gefühl, bei Erika willkommen zu sein, und wäre da nicht ihr Vater gewesen, sie hätte bald aufgehört, seine neue Familie zu besuchen. Dabei hätte die heute Mitte 30-jährige Bankangestellte eigentlich gerne eine Beziehung zu ihrer Stiefmutter aufgebaut. Als die Zwillinge klein waren, konnte sie die Halbgeschwister gut leiden, doch nach und nach verlor sich die Beziehung, weil Julia ganz andere Interessen hatte als die beiden.

MC »*Wer weiß. Vielleicht wollte die Stiefmutter ja eine Beziehung zu Julia aufbauen, aber es ist ihr missglückt.*«

RL »*Für ein solches Misslingen gibt es wahrscheinlich wieder viele Gründe. Julia war vielleicht sehr fordernd, weil sie von ihrer eigenen Mutter enttäuscht war und daher sehr hohe Erwartungen an Erika hatte. Oder weil sie sich seit der Heirat von der Stiefmutter ausgeschlossen fühlte. Erika war mit ihren beiden Zwillingen sehr beschäftigt. Vielleicht hatte sie schlicht keine Zeit und Kraft mehr übrig für Julia.*«

MC »*Ich kann mir auch vorstellen, dass Erika eifersüchtig auf die gute Beziehung ihres Mannes zu seiner Tochter war. Anstatt sich das einzugestehen, glaubte sie, er würde nicht genug für seine neue Familie tun und stattdessen nur seine erste Tochter im Kopf haben. Es kann aber auch sein, dass der Vater seine Frau mit den Zwillingen tatsächlich sitzen ließ, was es der Stiefmutter dann umso schwerer gemacht hat, Julia ins Herz zu schließen.*«

RL »*Und so wird aus der Sicht des Kindes aus Erika eine böse Stiefmutter. Nicht weil Erika Julia offensichtlich abgelehnt hat, sondern als Folge verschiedener nachteiliger Umstände. Es kommen aber natürlich auch vorsätzliche Boshaftigkeiten vor. Ich kenne eine Familie, wo die Stiefmutter so lange gegen die Kinder ihres Mannes aus der ersten Ehe ins Feld gezogen ist, bis der Vater den Kontakt zu seinen Kindern ganz eingestellt hat.*«

MC »*Solche Stiefmütter sind so hoffe ich – die Ausnahme. Die meisten Stiefmütter und Stiefväter bemühen sich um die Kinder.*«

Grundbedürfnisse des Kindes: Wer von den Bezugspersonen deckt was ab?

Körperliche Geborgenheit
- Essen
- Kleider
- Körperpflege

- Psychische Bedürfnisse
- Emotionale und zeitliche Verfügbarkeit
- Zuwendung

Soziale Akzeptanz

- Beziehungen zu Verwandten und Bekannten
- Beziehungen zur Nachbarschaft
- Beziehungen zu anderen Kindern

Entwicklung/Leistung

- Mit dem Kind spielen
- Dem Kind bei den Schulaufgaben helfen
- Erfahrungen ermöglichen (Sport, Theater etc.)

Eine Patchworkfamilie kann eine große Chance für die Erwachsenen und die Kinder sein. Die Erwachsenen bringen Erfahrung und Wissen mit Partnerschaften und Kindern in die Beziehung ein. Eine Patchworkfamilie ist aber auch eine Herausforderung, die zusätzliche Belastungen mit sich bringt. Die Statistiken sprechen dafür, dass es nicht einfacher wird. Bei Zweitehen liegt die Scheidungsquote noch höher als bei Partnern, die sich zum ersten Mal das Jawort geben (Benedeck und Brown 1997).

Wer auf eine Patchworkfamilie hinsteuert, tut gut daran, sich ausreichend darauf vorzubereiten. Je nach Alter der Kinder und ihren Bedürfnissen, aber auch in Absprache zumindest mit einem Elternteil muss der Zweitvater oder die Zweitmutter eine Rolle im Familiengeflecht für sich finden. Ist er ein Freund oder ein Zweitvater? Unterschiedliche Vorstellungen über Erziehung, die Organisation des Familienalltags und die Aufgaben jedes Einzelnen müssen aufeinander abgestimmt werden. Meistens hat das neue Paar kaum die Möglichkeit, eine eigene Familientradition, Regeln und Gebräuche zu entwickeln. Vielmehr kommt der eine Partner in eine Familie, in der es bereits feste Regeln gibt. Und meistens gibt es wenig Gründe und noch weniger Zeit, sie zu ändern. Wenn der werdende Zweitelternteil ebenfalls eigene Kinder hat, die am Wochenende oder in den

Ferien zu ihm kommen, muss auch noch seine Art des Familienlebens integriert werden. Dass sich für das dabei entstehende Familiengebilde der Begriff Patchwork eingebürgert hat, ist nur folgerichtig.

Der wichtigste Faktor beim Zusammenwachsen zu einer neuen Familie ist die Zeit. Die Erwachsenen müssen sich wirklich Zeit nehmen, das Zusammenleben umsichtig zu gestalten, herauszufinden, wer was machen kann und will und wer für was verantwortlich ist. Nehmen sie sich diese Zeit davor nicht, werden sie danach umso mehr Zeit und Emotionen brauchen, um die Missverständnisse auszuräumen.

Doch wie sieht eine Patchworkfamilie aus der Sicht des Kindes aus? Ein Baby wird einen Erwachsenen, der neu in die Familie kommt, nicht von vornherein als Bedrohung erleben. Ein Baby verbindet noch alles, was ihm widerfährt, mit seiner Hauptbezugsperson, im Regelfall also mit der Mutter. Wenn sie zum Beispiel wegen ihrer neuen Beziehung weniger für das Baby da ist, wird das Baby weinerlich sein, nachts aufwachen oder am Rockzipfel der Mutter hängen. Sein Wohlbefinden hängt ausschließlich von seinen Hauptbezugspersonen ab.

RL *»Die Chance für den Partner, eine intensive Beziehung mit einem Kind aufzubauen, ist nie so groß wie im Säuglingsalter. Der Partner hat fast die gleichen Voraussetzungen wie der leibliche Elternteil. Es hängt allein davon ab, wie sehr er sich mit dem Kind einlässt. Wenn er das Baby wickelt, ihm zu essen und zu trinken gibt, mit ihm spielt, es tröstet, wenn es weint, und es zu Bett bringt, kann daraus eine sehr innige Beziehung entstehen.«*

MC *»Ich kenne eine Familie, da hat der Partner sich so um das Baby gekümmert, wie wenn es sein eigenes Kind wäre. Da der leibliche Vater nicht vorhanden war, wurde der Stiefvater allmählich zum eigentlichen Vater.«*

Ganz anders das Kleinkind zwischen zwei und fünf Jahren. Seine Bindung an die Mutter ist sehr stark. Wie ein eifersüchtiger Liebhaber wird es den neuen Mann zuallererst einmal als »Eindringling« empfinden. Es wird dem Fremden vielleicht gleich sagen, dass er »doof, hässlich und grässlich« sei, so wie die Monster im Märchen von den wilden Kerlen. Um an das Kind überhaupt heranzukommen, ist der werdende Zweitvater auf die Hilfe der Mutter angewiesen. Die Mutter sollte sich so verhalten, dass das Kind spürt, der ist nett. Sie darf ihre Zuneigung zum Partner aber auch nicht allzu stark zeigen, weil das Kind sonst eifersüchtig wird und den Partner der Mutter nicht mehr sympathisch findet. Die Mutter muss ihrem Partner auch helfen, seine Rolle im Leben ihres Kindes zu finden, sonst wird er sich von Anfang an auf einem verlorenen Posten befinden. Der Partner sollte versuchen, sich auf die Bedürfnisse eines Kleinkindes einzustellen, Lego und Puppen spielen, nonverbal kommunizieren können und – mit Taten statt Worten – deutlich machen, dass er den Platz des Kindes im Leben seiner Mutter nicht beansprucht. Überdies sollte er sich als Erzieher zurückhalten oder dieselben Erziehungsprinzipien wie die Mutter des Kindes verfolgen oder über erzieherische Meinungsverschiedenheiten sprechen können und zu Kompromissen fähig sein. Eine anforderungsreiche Aufgabe: Der Zweitvater muss sich gleichzeitig auf das Kind einlassen und sich zurückhalten, Beziehungsangebote machen, aber wenig erwarten. Seine Aufgabe ist anstrengend, aber, wenn es ihm gelingt, überaus lohnend. Kleinkinder können sehr unterhaltsam und anhänglich sein. Sie lieben Erwachsene, die mit ihnen gemeinsame Sache machen.

MC *»Es liegt nicht allen Männern, Kinder zu wickeln und ihnen zu essen zu geben. Wie können sie dem Kind näher kommen?«*

RL *»Kleinkinder lieben es, mit Erwachsenen zu spielen. Häufig machen Erwachsene dabei den Fehler, dass sie dem Kind etwas beizubringen versuchen. Kinder mögen das aber nicht. Das Kind begreift nicht, was der Erwachsene von ihm will. Weit lustvoller für beide, das Kind und den Erwachsenen, ist* es, wenn der Erwachsene dem Kind in seinen Aktivitäten folgt, wenn er nachahmt, was das Kind spielt. Nachahmen ist eine wirkungsvolle Form, Sympathie zu zeigen. Gelegentlich kann der Erwachsene auch etwas selber machen, sollte aber nie erwarten, dass das Kind darauf eingeht. Ist das Kind daran interessiert, umso schöner für den Erwachsenen.«

MC »Häufig haben Eltern das Gefühl, sie geben, ohne etwas vom Kind zurückzubekommen.«

RL »Ja, das stimmt. Dazu sind sie für gewöhnlich innerlich auch bereit, denn es gehört gewissermaßen zu ihrem Eltern-sein. Es ist beeindruckend, wie viele Hunderte, Tausende von Stunden Eltern für die Betreuung ihrer Kinder aufbringen.«

MC »Die leiblichen Kinder setzen bei ihren Eltern ein gehöriges Maß an Selbstlosigkeit frei. Bei Stiefkindern ist das nicht so selbstverständlich. Da muss zuerst eine Bindung heranwachsen.«

RL »Eine Zweitmutter oder ein Zweitvater wird zumeist erst dann bereit sein, sich für das Kind umfassend und langfristig einzusetzen, wenn sie beziehungsweise er das Kind lieb gewon-nen hat. Damit das geschieht, braucht es intensive gegenseitige Erfahrungen, die im Verlauf der Zeit eine Vertrauensbasis schaffen.«

Das Leben mit Schulkindern wird für werdende Zweiteltern gleichzeitig leichter und schwieriger. Schulkinder sind für eine Beziehung zu einem Erwachsenen offener als Kleinkinder. Schließlich sind sie ja auch bereit, eine Beziehung zu ihrem Lehrer oder ihrer Lehrerin einzugehen. Ein neuer Mann im Haus hat deshalb eine Reihe von Beziehungschancen. Mögli-cherweise kann er gewisse Fragen besser beantworten als die Mutter, er kann das Kind bei den Schulaufgaben unterstützen oder zum Sport mitnehmen. Er kann auf verschiedenen Ebenen eine eigenständige Beziehung zu ihm aufbauen und ist nicht mehr so sehr auf den Umweg über die Mutter angewiesen.

RL »Wenn der Partner einzieht, muss er eine Beziehung zum Kind eingehen. Er hat keine Wahl. Das Kind erwartet das. Ver-

hält sich der Partner distanziert, erlebt das Kind sein Verhalten als Ablehnung.«

MC *»Das klingt ziemlich absolut.«*

RL *»Es ist auch so gemeint. Deshalb sollte der Partner, noch bevor er bei seiner neuen Familie einzieht, auch innerlich bereit für eine solche Beziehung sein. Er sollte die Beziehung zum Kind hergestellt haben, bevor er einzieht. Das kann an Wochenenden und in gemeinsamen Ferien geschehen.«*

MC *»Wenn er die Beziehung erst nach dem Einzug einzugehen versucht, besteht die Gefahr, dass es schief geht.«*

RL *»Ja, und damit auch die Partnerschaft beeinträchtigt wird. Deshalb ist es sinnvoll, die Beziehungen zu festigen, bevor man zusammenzieht.«*

Wenn die Kinder des Partners in der Pubertät sind, wird es für den werdenden Zweitelternteil oft schwierig. Jugendliche identifizieren sich, wie schon besprochen wurde, in hohem Maße einmal mit dem, dann wieder mit dem anderen Elternteil, gleichzeitig beginnen sie Eltern und Erwachsene generell in Frage zu stellen. Sie sind in einer permanenten Oppositionshaltung zur Erwachsenenwelt. Wenn nun ein potenzieller Zweitelternteil auftaucht, ist das meist ungefähr das Letzte, was der Jugendliche braucht. Oder aber er macht den neuen Partner zu einer Schachfigur im Loyalitätskonflikt mit den Eltern. Entweder er schlägt sich auf die Seite des Stiefvaters gegen den eigenen Vater oder auf die Seite der Mutter gegen die beiden Männer, oder der Stiefvater wird zugunsten des leiblichen Vaters abgelehnt. Gelingt es dem Zweitelternteil, eine Rolle als väterlicher oder mütterlicher Freund einzunehmen, ohne in Loyalitätsprobleme verwickelt zu werden, haben alle gewonnen.

RL *»In der Pubertät suchen Kinder immer wieder auch nach anderen erwachsenen Bezugspersonen. Auch wenn sie zu den Erwachsenen ein distanziertes Verhältnis haben, halten sie doch dringend nach Vorbildern Ausschau, an denen sie sich orientieren können. Das ist die Chance der Zweitmutter oder* *des Zweitvaters. Wenn sie nicht als Autoritätsperson auftreten, sondern den Jugendlichen als gleichwertigen Partner behandeln, werden die Jugendlichen bei ihnen Dinge ansprechen, die sie mit den eigenen Eltern nicht bereden würden. Das sollten die leiblichen Eltern als Hilfe und Entlastung und nicht als Bedrohung ansehen.«*

MC *»Das setzt aber auch eine gewisse Unabhängigkeit desjenigen voraus, der zur Familie dazustößt. Nur dann nämlich werden die Jugendlichen das Angebot annehmen. Ansonsten wird der Neue eher als Teil des Familiensystems wahrgenommen und läuft Gefahr, abgelehnt zu werden.«*

RL *»Was wiederum Toleranz und Flexibilität der leiblichen Eltern voraussetzt, sonst kommt es zu Loyalitätskonflikten.«*

Max war mit seinen 16 Jahren mitten in der Pubertät und der zwei Jahre jüngere Moritz ebenfalls, als Caroline in ihr Leben trat. Sie war um einiges jünger als der Vater der beiden Buben, eine erfolgreiche und zurückhaltende junge Frau. Max und Moritz mochten ihre »neue Maman«, wie sie scherzhaft und ironisch auf Französisch manchmal zu ihr sagten. Die beiden Buben lachten dabei so, dass sofort klar wurde, welche Rolle Caroline in ihrem Leben spielen durfte und welche nicht. Als nette Freundin, als Kumpel, als eine der Ihren war sie den beiden Jugendlichen willkommen, als Mutter oder mütterliche Autoritätsperson brauchte sie sich erst gar nicht anzustrengen. Sie erzählten ihr Dinge, die sie ihrem Vater nie anvertraut hätten, sprachen mit ihr über die Scheidung der Eltern, damals, als die beiden noch ganz klein waren, über die Wut auf den Vater, der immer so viel hatte arbeiten müssen, sie fragten sie über die Marotten von Mädchen aus und waren stolz, wenn sie mit ihnen ins Kino ging. In die Erziehung hingegen durfte Caroline sich nicht einmischen. Sie hatte überhaupt keine Chance auch nur zu erwähnen, was ihr an der Art, wie Vater und Söhne miteinander umgingen, missfiel. Wieso logen diese Buben, wie sie es gerade brauchten? Wieso nahmen sie Bücher von Carolines Nachtkästchen und verschenkten sie? Warum ließen sie überall ihre Kleider fallen und nahmen selbstverständlich an, dass sie den Butler spielen würde? Wollte Caroline die beiden etwa wegen des fehlenden Geldes in der Haushaltskasse zur Rede stellen, nahmen sie sie einfach nicht ernst. Sie sagten in einem amüsierten Tonfall: »Ach, sei doch nicht so. Lass uns lieber was zusammen kochen und Videos anschauen.« Sie wollten einen heiteren Abend mit ihr verbringen und wussten, dass sie mit der nachlässigen Haltung ihres Vaters rechnen konnten, der fast alles, was Max und Moritz anstellten, kommentarlos zur Kenntnis nahm. Er war der liebenswürdigste und inkonsequenteste Mensch auf Erden, und weil ihn immer Schuldgefühle plagten, sagte er zu allem Ja und Amen. Wenn Caroline ihm ihre Meinung sagte, hielt er sie entweder für kleinbürgerlich spießig oder er warf ihr vor, sie würde seine Kinder ablehnen.

MC »Ein typisches Beispiel. Jugendliche wollen eben keine zusätzlichen Eltern.«

RL *»Man sieht aber auch, wie schwierig es für einen hinzukommenden Partner ist, nur die Rolle eines Freundes der Jugendlichen zu spielen. Zwangsläufig gerät er oder sie in einen Loyalitätskonflikt. Weil er die Sorgen und Nöte der Mutter oder, wie hier, des Vaters teilt, aber auch die Probleme der Jugendlichen mitbekommt. Das fordert eigenes Handeln heraus.«*

MC »Das heißt, es wird unausweichlich zu Konflikten kommen?«

RL *»Aller Wahrscheinlichkeit nach schon. Konflikte gehören zur Pubertät. Sie lassen sich nicht vermeiden. Man sollte sie als Eltern und Zweiteltern fest einkalkulieren, sich dadurch nicht auseinander dividieren lassen und nicht bei jedem Knatsch mit den Jugendlichen Partnerschaft und Zusammenleben in Frage stellen.«*

MC »Eine kritische Anmerkung: Der Vater hat offenbar gegenüber den beiden Knaben keine klare Position bezogen. Er hätte sich dem Konflikt mit Max und Moritz stellen müssen, sonst hat Caroline keine Chance, sich einen Platz in dieser Familie zu schaffen.«

RL »*Auch den Bücherdiebstahl darf sich Caroline nicht gefallen lassen. Tut sie dies, verlieren die beiden Jugendlichen jegliche Achtung vor ihr. Wenn die Jugendlichen wie Erwachsene behandelt werden wollen, müssen sie mit Caroline auch so umgehen. Dazu braucht sie aber die Unterstützung des Vaters. Ich kann mir nicht vorstellen, dass der Vater nicht eingeschritten ist. Es wäre eine Katastrophe für seine partnerschaftliche Beziehung und erzieherisch für seine Söhne das völlig falsche Signal.*«

Valerie und ihr neuer Partner Christopher hatten recht unterschiedliche Erziehungsvorstellungen. Er war viel strenger mit seinen beiden Töchtern. Er betonte Begriffe wie Konsequenz und Regeln und konnte keine weinerlichen, quengelnden Kinder vertragen. Einerseits schätzte Valerie seinen Pragmatismus, andererseits hatte sie eine ganz andere Grundphilosophie über das Aufwachsen von Kindern. Sie nahm die gelegentlichen Verhaltensauffälligkeiten ihrer Anna als Störung ihres inneren Gleichgewichts wahr und versuchte stets zu verstehen, warum ihre Tochter nicht in sich ruht. Dann versuchte sie die Situation, so gut es eben ging, zu verbessern. Christopher fand sie zu zimperlich und sagte, dass gewisse Frustrationen gut für die Entwicklung der Kinder seien. Das Leben später wäre auch manchmal hart. Als Valerie und er mit allen Kindern zum ersten Mal zum Skifahren gingen, kam es zu einem heftigen Streit. Christopher wollte, dass seine großen Kinder so schnell wie möglich auf die Piste kommen. Wenn sie bei ihm waren, versuchte er sich ganz auf ihre Bedürfnisse einzustellen. Valerie fand das gut und richtig. Sie bemühte sich deshalb, Christopher und die Großen nicht aufzuhalten und trieb die sechsjährige Anna zur Eile an. Anna jammerte, sie friere. Auf der Piste angekommen, wollte sie partout nicht mehr fahren. Zuerst wurde Valerie nervös. Sie sagte, Anna solle kein Theater machen, beim Skifahren sei es nun einmal kalt. Anna heulte. Langsam verstand Valerie, dass es keinen Sinn hatte, weiter an dem Kind zu zerren, sondern dass sie sich auf sein Tempo einstellen musste. Anna war überfordert. Schließlich war sie nur halb so alt wie die beiden anderen Mädchen. Sie hatte ihre Stiefgeschwister beeindrucken wollen, aber die waren ihr schon am ersten Hang davongefahren. Außerdem war es ihr erster Skitag im Jahr. Nachdem sich Valerie auf Anna eingestellt, ihr die kalten Füßchen massiert und zum tausendsten Mal die Mütze neu aufgesetzt hatte, begann ihr Mädchen allmählich wieder Freude am Skifahren zu empfinden. Christopher, der mit seinen Töchtern vorbeigerast kam, war jedoch wütend auf Valerie. Wieso sie nicht strenger zu Anna sei? Sie solle sich nicht so von Annas Launen regieren lassen, sondern sie für eine halbe Stunde in der Hütte zurücklassen und selbst Skifahren gehen. Valerie versicherte Christopher, dass sie schon wüsste, wie sie mit ihrer Tochter umzugehen habe, dass sie keine Hilfe benötige, er sich ja um seine Kinder kümmern könnte. Valerie begriff nicht, was Christopher so störte. Er, so fuhr er fort, habe seine Kinder nie wie kleine Prinzessinnen behandelt, sich nicht um jedes Wehwehchen gekümmert. Wo wäre er denn da hingekommen, noch dazu bei zwei relativ gleichaltrigen Kindern. Es sei ihr völlig gleichgültig, antwortete Valerie immer gereizter, wie er mit seinen Töchtern umgegangen sei, als sie noch klein waren. Sie würde sich Anna gegenüber so verhalten, wie sie es für richtig empfinde. Anna sei ein Einzelkind und sie, Valerie, eben kein solches Raubein wie er. Hätten die beiden großen Mädchen Christopher nicht gedrängt, mit ihnen den nächsten Sessellift zu nehmen, er und Valerie hätten sich womöglich noch stundenlang weitergestritten.

RL *»Dies scheint mir eine typische Auseinandersetzung zu sein. Einerseits kommen sich die Erwachsenen wegen ihrer unterschiedlichen Erziehungsvorstellungen in die Quere, andererseits gibt es handfeste Probleme bei der Organisation des Alltags von unterschiedlich alten Kindern. Solche Situationen zu meistern ist nicht leicht und braucht Zeit. Die beiden Partner müssen die Fähigkeit entwickeln, aufeinander einzugehen, um Gemeinsamkeiten entstehen zu lassen. Aber sie sollen auch selbständig Dinge mit ihren jeweiligen Kindern unternehmen,* *ihnen das Gefühl geben, ganz und nur für sie da zu sein. Dazu braucht es Toleranz und Flexibilität auf beiden Seiten.«*

MC *»Man ahnt ja gar nicht, wie schwierig so etwas sein kann. Welche Komplikationen durch dieses ›meine Kinder‹, ›deine Kinder‹ entstehen können. Da kommen oft auch alte Verletzungen an die Oberfläche, eine alte Wut, ursprünglich auf den Ex-Partner gemünzt. Man ist viel empfindlicher und vorsichtiger als beim ersten Mal.«*

RL *»Andererseits weiß man doch auch besser Bescheid. Man hat schon Erfahrungen mit der Erziehung von Kindern gesammelt, und das hilft, Konflikte konstruktiv auszutragen.«*

Am Ende des Skitages waren alle Aggressionen von Christopher und Valerie verraucht. Die Kinder hatten selbst die Brücken geschlagen. Christophers Mädchen wollten nach dem gemeinsamen Mittagessen mit Anna »langsam fahren«. Sie hatten ihren Vater zurechtgewiesen, ihm gesagt, dass er viel zu streng zu der kleinen Anna gewesen sei, dass sie für ihre sechs Jahre erstaunlich mutig und selbständig sei. Anna war am Nachmittag in bester Form. Sie war so stolz, mit den Großen mitfahren zu dürfen, dass sie doppelt so schnell und gut wie am Vormittag fuhr. Am Abend waren die drei Mädchen bereits unzertrennlich, die zehnjährige Clio und die zwölfjährige Cora nahmen Anna mit ins Hallenschwimmbad und bestanden darauf, dass die Kleine bei ihnen im Zimmer übernachten darf. Christopher und Valerie waren glücklich. Christopher hatte befürchtet, seine Mädchen würden die kleine quengelige Anna nervig finden und ihm Vorwürfe deswegen machen. Valerie hingegen hatte Angst, dass ihre Tochter von den Großen ausgeschlossen werden würde.

RL *»Dass sich Valerie und Christopher zuallererst um die eigenen Kinder gekümmert haben, dass sie die drei nicht zwangen, etwas miteinander zu unternehmen, hat sich positiv ausgewirkt. Denn die Kinder sind ganz von selbst aufeinander zugegangen.«*

MC »Ich verstehe beide Eltern. Sie sind ›gebrannte‹ Erwachsene, die ihrem Glück nicht automatisch vertrauen. Wie viele aus der so genannten zweiten Runde.«

RL »Oft versuchen die Erwachsenen angestrengt, die Kinder zusammenzubringen. Es ist ja ein Wunschgedanke, dass sie sich vertragen und lieb haben. Es entsteht ein Erwartungsdruck von Seiten der Eltern, der bei den Kindern leicht Widerstand hervorruft. Für die Erwachsenen muss es gut gehen, weil sonst ihre Beziehung in Frage gestellt wird. Beziehungen unter Kindern lassen sich aber nicht organisieren. Alles, was die Erwachsenen tun können, ist erstens die Rahmenbedingungen zu schaffen, innerhalb derer sich die Kinder kennen lernen können. Und zweitens, wenn die Kinder unter sich sind, sich möglichst nicht mehr einzumischen.«

MC »Bei Christopher und Valerie hat es geklappt. Es gelingt nicht immer. Es kommt unter anderem auf das Alter, die Interessen und das Geschlecht der Kinder an.«

Damit Erwachsene und Kinder zu einer gut funktionierenden Patchworkfamilie zusammenwachsen, braucht es vor allem gemeinsame Erfahrungen. Sie sind der Kitt, der die Familie zusammenhält. Gemeinsame Erlebnisse erzeugen Bindung zwischen Kindern und Zweiteltern und den Kindern untereinander. Kinder sind dabei meist erfrischend direkt und pragmatisch. Sind die Erfahrungen, die sie mit dem neuen Partner der Eltern machen, positiv, so wird je nach Alter eine elternartige Beziehung zu ihm entstehen, wie auch immer die Erwachsenen das dann definieren und benennen. Am meisten hat sich als Bezeichnung für Zweiteltern heutzutage der Vorname eingebürgert. Papa oder Mama sagen wohl nur noch die wenigsten Kinder zu ihren Stiefeltern. Das erscheint sinnvoll, denn es unterstreicht die Tatsache, dass die Beziehung zum Zweitelternteil vielschichtige Formen annehmen kann.

Inwiefern verändert sich nun das Leben aller, wenn auch noch der Elternteil, bei dem das Kind nicht lebt, eine neue feste Beziehung eingeht, heiratet oder mit seiner Partnerin zusammenzieht? Entweder hat das Kind dann einen alleine lebenden Elternteil, bei dem es wohnt, und die neue Familie seines anderen Elternteils, zu dem es auf Besuch geht. Oder beide Elternteile haben wieder feste Partnerschaften, ziehen zusammen oder heiraten und bekommen möglicherweise auch noch weitere Kinder. In beiden Fällen hat es das zwischen seinen Eltern hin- und herpendelnde Kind mit vielen neuen Bezugspersonen zu tun. Voraussetzung für ein harmonisches Miteinander beider Familien ist, dass die Erwachsenen sich vertragen, dass sie in der Lage sind, als Eltern trotz der Trennung und Scheidung gemeinsam für ihr Kind da zu sein, und dass sie von ihren jeweiligen Partnern und Ex-Partnern dabei unterstützt werden.

MC *»Wir können es nicht oft genug betonen: Erwachsene und Kinder vertragen sich nicht einfach, weil man zusammenlebt oder geheiratet hat. Es braucht dazu tragfähige Beziehungen. Beziehungen aber brauchen Zeit und davon haben die meisten Erwachsenen zu wenig.* Keine Zeit, um die Beziehungen zu pflegen, ist die größte Gefahr für die Patchworkfamilie. Zeitmangel bringt die Familie auf die Dauer auseinander.«

RL *»Es gibt aber noch andere Keile, welche die Familie auseinander treiben. Wenn der eine Elternteil den anderen absichtlich verdrängt, wenn das Kind beispielsweise seinen Vater nicht sehen, ihn und seine neue Frau zu Hause nicht erwähnen darf, wird es das Kind schwer haben. Dann leidet das Kind, weil es den jeweils anderen Teil seiner Welt ausklammern muss.«*

MC *»Es kann sehr schwierig werden, wenn die Kinder zwischen den beiden neu entstehenden Familien hin- und hergezogen werden. Manche werden gar als Pfand in dem weiter andauernden Konflikt der Eltern missbraucht. So kann es vorkommen, dass der wohlhabendere Vater seine Kinder mit Geschenken und Versprechungen von der Mutter wegzulocken versucht, bis sie zu ihm ziehen. Das wird jedoch kaum gelingen, wenn sich das Kind bei der Mutter geborgen fühlt.«*

RL *»Selbst wenn sich die Eltern im Prinzip gut verstehen und einander nicht schaden wollen, kommt es immer wieder zu*

Interessenskonflikten um die Kinder. Solche Konflikte lassen sich nicht vermeiden, aber lösen. Wenn es dazu kommt, sollten geschiedene Eltern nicht zwangsläufig davon ausgehen, dass sie etwas falsch gemacht haben oder gar eine Böswilligkeit des anderen Elternteils dahinter steckt. Sie sollten immer beim anderen nachfragen und davon ausgehen, dass sich der andere bemüht.«

Annas Vater hatte wieder geheiratet. Schon vor der Hochzeit hatte sich Ursula sehr um Anna gekümmert, anfänglich hatte sie kleine Geschenke für sie vorbereitet, um die Sympathie der Fünfjährigen zu gewinnen. Wann immer Annas Vater sie als Unterstützung an den Besuchswochenenden brauchte, war sie zugegen, kochte oder beschäftigte sich mit seiner Tochter. Bald schon unternahmen die drei regelmäßig etwas zusammen und fuhren sogar miteinander in Urlaub. »Die Ursula ist auch ein bisschen Mama«, erzählte Anna ihrer Mutter. Valerie hatte Ursula kennen gelernt, die beiden Frauen mochten einander und versprachen, dass sie miteinander reden würden, bevor Missstimmungen zu ernsthaften Konflikten anwachsen würden. Anna war selbstverständlich bei der Hochzeit ihres Vaters eingeladen. Sie durfte Blumen streuen. Manchmal, wenn Anna ihre Mutter verletzen wollte, wenn es zu einem Machtspiel zwischen ihr und Valerie kam, sagte Anna, dann ginge sie eben zu ihrem Papa. Das kränkte Valerie. Diesem Machtspiel fühlte sie sich nicht gewachsen. Manchmal hatte sie das Gefühl, die neue Familie von Annas Vater sei spannender. Während sie bis zum Umfallen arbeiten musste, um Anna und sich über die Runden zu bringen, hatte Ursula immer Zeit, wenn die Kleine zu ihr kam. Andererseits wollte sie auch keine strikten Besuchszeiten einführen. Sie und Annas Vater hatten all das bisher flexibel gehandhabt, und so sollte es auch bleiben. Anna sollte ihn sehen dürfen, wann immer sie wollte und er Zeit hatte. Wie konnte Valerie jedoch verhindern, dass Anna diese Flexibilität ausnutzte, um zu bekommen, was sie wollte? Das eine Mal würde sie sich vielleicht ein Spielzeug erpressen, das andere

Mal damit verhindern, dass Valerie ausgeht. Und was sollte sie tun, wenn Anna eines Tages von ihr weg zu ihrem Papa würde ziehen wollen, weil es ihr dort besser gefällt?

MC »Valeries Angst vor der ›starken Stiefmutter‹ ist verständlich. Anna ist ihr das liebste Wesen auf dieser Erde, und unter keinen Umständen will sie sie verlieren. Aber so, wie wir Valerie kennen gelernt haben, wird dies nie geschehen. Sie hat beziehungsmäßig einen Riesenvorsprung vor der Zweitmutter, einen Vorsprung, der auch für eine Wunderfrau uneinholbar ist.«

RL »Es ist aber schon verzwickt. Eine böse Stiefmutter wünscht sich keine Mutter für ihr Kind, aber allzu mütterlich darf die Zweitmutter auch nicht sein. Das Gleiche gilt wahrscheinlich für die Väter. Es kann eigentlich nur dann gut gehen, wenn die ›Mütter‹ miteinander sprechen, sich kennen und schätzen lernen. Genauso die ›Väter‹.«

MC »Eine aufwendige Sache! Wenn man es aber versäumt, bezahlt man allenfalls mit gegenseitigem Misstrauen und immer neuen Missverständnissen dafür.«

RL »Vieles ist aber auch bei so genannten ›normalen‹ Familien so. Auch dort gibt es Machtkämpfe. Kinder lösen sich von ihren Eltern ab und zeigen ihnen manchmal, wie selbständig sie schon sind. Andererseits können Machtkämpfe auch auf einen Mangel an Geborgenheit hindeuten. Wenn es dem Kind gut geht, wird es seine Eltern auch nicht ernsthaft gegeneinander ausspielen.«

MC »Heißt das, dass es einem Kind, das sagt, dann will ich zu meinem Papa oder zu meiner Mama, nicht gut geht, dass ihm etwas fehlt?«

RL »Es ist vielleicht verunsichert. Das bedeutet aber in den meisten Fällen nicht, dass das Kind die Beziehung grundsätzlich in Frage stellt. Häufig ist es eine kindliche Form von Erpressung. Wenn Valerie am Abend ausgeht, fehlt sie ihrer Anna. Also versucht Anna das zu verhindern und wendet schlau, wie sie ist, eben die schlagkräftigste Methode an.«

MC »Valerie sollte sich eine andere Alltagssituation vor Augen *halten. Anna bekommt auch nicht jedes Mal eine Schokolade, wenn Valerie mit ihr in den Supermarkt geht. Ein Hin- und Herziehen zwischen Vater und Mutter, je nachdem, wo man gerade mehr zu bekommen scheint, ist der Entwicklung des Kindes bestimmt nicht förderlich. Daran sieht man, wie wichtig es ist, dass die getrennten Eltern miteinander kommunizieren. Sie sollten weiterhin gemeinsam überlegen, was für ihr Kind gut ist, sie sollten sich auch die Erziehungsprobleme, Schulfortschritte, seelischen Verstimmungen ihrer Kinder gegenseitig mitteilen und, wo es nötig ist, Abmachungen treffen. Das Gleiche gilt auch für die neu hinzukommenden Partner. Sie sollten in den Kommunikationsfluss eingebunden werden. Nur so fühlen sie sich auch gleichwertig und sind bereit, für die Kinder Verantwortung zu tragen.«*

1. Bevor Erwachsene und Kinder zusammenziehen, sollten die Beziehungen untereinander gefestigt und tragfähig sein.

2. Geschieht dies nicht, besteht die Gefahr, dass Meinungsverschiedenheiten in Beziehungs- und Erziehungsfragen die Partnerschaft wieder auseinander treiben.

3. Die Kinder sollen nicht dazu benutzt werden, den Partner »anzubinden«. Ein solches Unterfangen wirkt sich oft negativ auf die Partnerschaft aus.

4. Als Partner mit den Kindern zusammenzuleben, ohne eine vertrauensvolle Beziehung zu ihnen einzugehen, ist auf Dauer unmöglich. Nur den Partner zu lieben und das Kind nicht, erlebt das Kind als Ablehnung.

5. Kinder sollten auf das Zusammenleben und die Heirat vorbereitet werden. Sonst fühlen sie sich ausgeschlossen und werden misstrauisch, was sich wiederum nachteilig auf das Zusammenleben auswirkt.

Was bedeuten Stief- und Halbgeschwister für die Kinder?

»Anfangs haben wir uns nur gestritten!« Heute schüttelt Katharina den Kopf. Sie ist die Ältere der beiden Huber-Kinder, und damals, als ihr Vater noch einmal geheiratet hat, war sie gerade zehn. Sie und ihre zwei Jahre jüngere Schwester Melanie waren durch die Trennung der Eltern unzertrennlich geworden. Instinktiv waren sie näher zusammengerückt. Sie stritten nur noch ganz selten. Jeden Tag aufs Neue tauchten sie in ihr kindliches Zauberreich ein. Sie bauten versteckte Waldlager, dachten sich Geheimsprachen aus und ließen niemanden in ihre Fantasiewelt eindringen. Doch dann kamen die ersten Sommerferien mit Franziska, der Tochter von Vaters neuer Frau. Franziska war acht, etwas pummelig und schüchtern. Melanie und Katharina hatten überhaupt keine Lust, sich ihre Ferien von der Neuen verderben zu lassen. Sie ignorierten oder hänselten sie, zu was sie eben gerade aufgelegt waren. Vater Huber hatte Mitleid mit Franziska, die überdies ein Einzelkind war, und redete deshalb mit seinen Töchtern – mit jeder einzeln und ungewöhnlich streng. »Du bist die Älteste und verantwortlich dafür, dass sich Franziska wohl fühlt«, sagte er zu Katharina. Und um Melanies Interesse an Franziska zu wecken, meinte er zur Kleineren: »Franziska ist so alt wie du. Wenn du lieb zu ihr bist, könnt ihr gute Freundinnen werden.« Vater Huber hatte es wirklich gut gemeint. Er wollte einfach nur, dass sich alle Kinder gut verstehen. Doch nun stritten sich auch noch seine beiden Mädchen, so heftig und erbittert, wie er es noch nie erlebt hatte. Jeden Tag gab es Tränen. Obwohl sie eigentlich aus diesem Alter heraus waren, kratzten sie sich und zogen einander an den Haaren. Nie wird Melanie vergessen, wie ihr Katharina einmal Brennnessel unter den Pullover steckte und Franziska, die Neue, weiß noch heute, wie sie von den anderen beiden ausgeschlossen wurde.

MC *»Eine schwierige Situation, nicht wahr? Schon im Normalfall, etwa im Kindergarten, gibt es immer wieder Beziehungsprobleme zwischen den Kindern. Ein Mädchen, das zu zwei eingeschworenen Freundinnen stößt, hat es schwer. Wenn es sich aber auch noch um Kinder handelt, die in das Familiensystem integriert werden sollen, wüsste ich als Zweitmutter auch nicht, was ich tun soll.«*

RL *»Zu den ganz normalen Problemen, die Kinder miteinander haben können, kommt auch noch das jeweilige Verhältnis der Kinder zu den Erwachsenen, der Umstand also, dass sie Stiefgeschwister sind. Für Melanie und Katharina ist Franziska nicht irgendein Mädchen, sondern eben auch das Kind von Vaters neuer Frau. Das kann die beiden schon eifersüchtig machen, misstrauisch fragen sie sich, ob ihr Vater diese Franziska lieber hat als sie. Es ist nur zu verständlich, dass sie die Zweitschwester zuerst einmal ablehnen. Sie brauchen sie ja auch nicht, genügen einander.«*

MC *»Melanie und Katharina scheinen sich ungewöhnlich nah zu sein.«*

RL *»Ich habe das auch bei meinen Kindern erlebt. In schwierigen Zeiten rücken die Geschwister zusammen. Sie holen sich einen Teil der Geborgenheit, die normalerweise von den Erwachsenen kommt, von den Geschwistern. Solche Geschwister können sich auch als Erwachsene noch sehr nahe stehen.«*

MC *»Warum streiten dann aber auch noch Katharina und Melanie miteinander?«*

RL *»Der Vater hat vielleicht durch seine gut gemeinte Intervention auch noch seine eigenen Kinder aufeinander eifersüchtig gemacht. Da er mit jeder von ihnen einzeln gesprochen hat, wussten die beiden nicht, warum die jeweils andere plötzlich versuchte, zu Franziska nett zu sein. Das löste wahrscheinlich die Eifersucht unter diesen beiden Schwestern aus.«*

Kinder müssen sich ihren Platz in der Gemeinschaft der Kinder immer wieder aufs Neue erobern. Sie müssen die ihnen gemäße Stellung innerhalb der Gruppe erst finden und sich dann behaupten. Bei Geschwistern ist das anders, da sie von Anfang an zusammenleben und die gleichen Eltern haben. Durch den Altersunterschied entsteht eine natürliche Rangordnung. Dennoch kann es bekanntermaßen auch unter Geschwistern zu Streitigkeiten kommen. Ein gewisses Maß an Streit und Geschwistereifersucht gehört zum ganz normalen kindlichen Verhalten und besteht unter allen Geschwistern, wenn auch unterschiedlich heftig. Wie ausgeprägt die Eifersucht sein kann, hängt von verschiedenen Faktoren ab, unter anderem vom Alter der Kinder. Im Alter von zweieinhalb bis fünf Jahren ist die Eifersucht besonders groß. Aber auch ein zehnjähriges Kind kann noch eifersüchtig auf ein Neugeborenes reagieren. Ebenso spielt die Persönlichkeit des Kindes eine Rolle. So wie das Bindungsverhalten von Kind zu Kind unterschiedlich ausgeprägt ist, so ist auch die Verunsicherung, ausgelöst durch die Ankunft eines Geschwisterchens, unterschiedlich groß. Eine wichtige Rolle spielt dabei das Verhalten der Erwachsenen, denn das Kind ist ja vor allem wegen der Zuwendung, die das Baby von den Eltern erhält, eifersüchtig.

Für Halbgeschwister und Stiefgeschwister gilt nun Ähnliches. Auch hier spielt der Altersunterschied und die Persönlichkeit der Kinder eine wichtige Rolle, und auch bei Patchworkfamilien kommt es sehr darauf an, wie die Erwachsenen mit der Aggression und Eifersucht der Kinder umgehen. Bei Halbgeschwistern, Kindern also, die einer der beiden Eltern mit einem neuen Partner bekommen hat, ist die Situation, wenn sie mit den Kindern aus der ersten Partnerschaft zusammenleben, mit der Geschwisterkonstellation am vergleichbarsten. Stiefgeschwister hingegen werden nicht in die Patchworkfamilie hineingeboren, sie werden mitgebracht. Sie sind also so etwas Ähnliches wie die Kinder im Kindergarten oder in der Schule, mit denen man auskommen muss.

Für Katharina, Melanie und Franziska gingen die Sommerfe-

Geschwister-, Halb- und Stiefgeschwister-Konstellationen

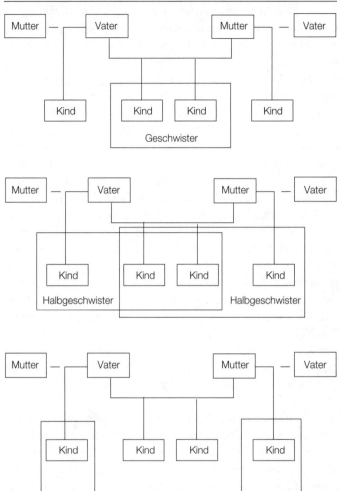

rien langsam zu Ende. Sie hatten sich noch viel gestritten. Vater Huber hatte aufgehört, sich einzumischen, und begonnen, alles mit seinen beiden Mädchen gemeinsam oder mit allen dreien zu besprechen. Die beiden Erwachsenen, Vater Huber und seine neue Frau, die Mutter von Franziska, nahmen sich besonders viel Zeit für die Kinder, gaben ihnen das Gefühl, von beiden angenommen und geborgen zu sein und boten sich als Streitschlichter an, wo es nötig erschien. Das motivierte die Kinder, ihr Beziehungschaos selbständig zu klären. Melanie und Katharina wollten ein neues Baumhaus bauen. Ihr Vater half ihnen, während Franziska und ihre Mutter einige Tage zu den Großeltern gefahren waren. Die Schwestern schleppten Äste und banden sie mit Stricken aneinander, sie pflückten riesige Blätter, um die Wände damit zu tapezieren und verstauten Proviant im großen Hohlraum, den der Blitz vor vielen Jahren in den Baumstamm geschlagen hatte. Unversehens waren sie wieder in ihr Zauberreich zurückgekehrt, und das alte Vertrauen zueinander entstand von Neuem. Sie versicherten einander, dass sie die besten Freundinnen seien und dass nichts auf der ganzen Welt sie trennen könne. Und weil das so war, beschlossen sie, lieb zu Franziska zu sein. Eigentlich, so gestanden sie einander, mochten sie ihre Stiefschwester gern. Sie hatten sie nicht *so* lieb, wie sie einander lieb hatten, aber sie war ganz okay und könnte nun in den Status einer guten Freundin erhoben werden.

MC »*Die Erwachsenen haben offenbar verstanden, wie sie den Umgang ihrer Kinder miteinander fördern können. Sie haben sich nicht mehr eingemischt, sondern nur ihre Hilfe angeboten. Das ist etwas ganz anderes, wenn man zwar da ist und sich auch willens zeigt, beim Streitschlichten zu helfen, als wenn man direkt eingreift.*«

RL »*Ja, das ist das eine. Außerdem haben sie sich auch intensiv um ihre eigene Beziehung zu den Kindern gekümmert. Es war wahrscheinlich auch hilfreich, dass der jeweilige Elternteil mit seinem Kind etwas ganz alleine unternahm und ihm so seine persönliche Zuneigung zeigte.*«

- Beziehung zu den eigenen Kindern nicht vernachlässigen, und ihnen keinen Grund zur Eifersucht geben.
- Gute Beziehung zu den Kindern des Partners unterhalten; hat Vorbildcharakter für die eigenen Kinder.
- Den Kindern ausreichend Gelegenheit geben, sich kennen und schätzen zu lernen, gemeinsame Erfahrungen zu machen.
- Als Erwachsene sich möglichst nicht in das Beziehungsverhalten der Kinder einmischen.

Von anderen Kindern akzeptiert zu werden ist für alle Kinder, unabhängig davon, ob sie Geschwister, Halb- oder Stiefgeschwister oder einfach Freunde sind, von zentraler Bedeutung für ihr Wohlbefinden und Selbstwertgefühl. Die soziale Akzeptanz gehört neben der Geborgenheit und der Leistung zu den drei Lebensbedürfnissen jedes Kindes – und ebenso – jedes erwachsenen Menschen. Wie wichtig dem einzelnen Kind oder Erwachsenen die soziale Akzeptanz ist, ist – wie die anderen Lebensbereiche auch – ganz unterschiedlich stark ausgeprägt. Es gibt Kinder, die für ihr Wohlbefinden ständig andere Kinder zum Spielen brauchen, und solche, die sich weitgehend selbst genügen. Jedes Kind fühlt sich nur dann innerhalb der Gruppe wohl, wenn es die ihm gemäße Rolle spielen kann. Ein selbstbewusstes, kompetentes Kind, das sich selbst innerhalb der Gruppe bei den »Anführern« einordnet, wird nur dann glücklich sein, wenn es auch einer der Anführer sein darf. Kommt es etwa neu in eine Gruppe oder gehört es zu den jüngeren Kindern, wird es unter der Diskrepanz zwischen seinem Selbstbild und der Wirklichkeit leiden oder sich so lange anstrengen, bis es den Platz erobert hat, den es für sich beansprucht. Jedes Kind hat seine eigene Strategie, sich seine Stellung innerhalb der Gruppe zu erobern. Manche sind sehr selbstsicher, und der Platz, den sie für sich erstreben, wird ihnen von den anderen ganz selbstverständlich zuerkannt. Sie sind mit vielen Kindern befreundet und müssen ihre soziale Stellung, wenn es zu Konflikten kommt, nicht mit Ausgrenzungs- und Unterdrückungsmechanismen verteidigen. Andere erkämpfen sich ihren Platz hart und erbittert.

Auf diese gruppendynamischen Entwicklungen können die Erwachsenen kaum Einfluss nehmen und sollten es auch nicht tun. Versuchen sie es trotzdem, stören sie die Etablierung natürlicher Hierarchien, und es dauert umso länger, bis sich ein soziales Gleichgewicht einstellt, falls es sich überhaupt noch einstellen kann. Wenn sich die Erwachsenen einmischen, werden sie auch leicht von den Kindern instrumentalisiert. So schreit ein Kind los, wenn es sich bei den anderen Kindern nicht durchsetzen kann. Es rechnet fest damit, dass die Erwachsenen ihm zu Hilfe eilen werden.

Die Erwachsenen spielen indirekt für das Beziehungsverhalten des Kindes eine wichtige Rolle. Ein Kind, das zu Hause genug Geborgenheit und Zuwendung bekommt, wird meist nicht auf Biegen und Brechen um die Gunst seiner Freunde kämpfen. Hingegen wird für ein Kind, das unter einer mangelnden Beziehung zu seinen Hauptbezugspersonen leidet, eine Welt zusammenbrechen, wenn seine beste Freundin lieber mit einem anderen Mädchen spielt. Jungen, die vom besten Freund »verlassen« werden, neigen zu aggressivem Verhalten, sie toben umso heftiger, um ja im Mittelpunkt der Aufmerksamkeit zu bleiben. Kindergärtnerinnen können von all diesen Mechanismen ein Lied singen. »Dann bist du eben nicht mehr meine beste Freundin«, sagen die kleinen Mädchen zueinander, um eine neue Rangordnung herzustellen. Am nächsten Tag kann es schon wieder ganz anders sein. Diese Bündnisse sind soziale Lernerfahrungen, aber auch ein Mittel, um soziale Positionen abzusichern. Unter den Kindern, ob im Kindergarten, in der Schule oder unter Cousinen und Freunden, gibt es hermetische Zweiergruppen und leidende Außenseiter, die nur unter Abarbeitung bestimmter Frondienste an der glücklichen und allein selig machenden Freundinnenwelt teilnehmen dürfen. Schwächere werden im Kindergarten oft mit den Worten abgekanzelt, dass sie ja nur »Kritzkratzi« und keine wirklichen Bilder malen könnten.

Nicht nur der Altersunterschied zwischen den Kindern hat einen Einfluss darauf, wie sie sich vertragen. Das Alter der Kinder spielt an sich eine Rolle dabei, wie andere Kinder wahrgenommen werden. Wenn wir uns noch einmal die drei Lebensbereiche Geborgenheit, soziale Akzeptanz und Leistung in Erinnerung rufen, so ist in den ersten Jahren der Bereich der Geborgenheit für das Wohlbefinden der Kinder bestimmend. Andere Kinder werden zwar wahrgenommen, und sie bereichern das Leben des Babys. Das Baby zeigt Interesse am Spiel der Kinder und freut sich, wenn sie sich mit ihm abgeben. Das Wohlbefinden der ein- bis dreijährigen Kinder wird aber in einem hohen Maße von der Qualität der Beziehung zu seinen erwachsenen Hauptbezugspersonen bestimmt. Die Geschwister können je nach Alter auch eine gewichtige Rolle spielen. Zwillinge schließlich, die den ganzen Tag zusammen sind, können einander schon im ersten Lebensjahr viel Zuwendung geben. Im Kindergartenalter und vor allem im Schulalter nimmt die Bedeutung der sozialen Akzeptanz stark zu. Freundschaften zwischen Gleichaltrigen, gemeinsames Spielen und gemeinsame Lernerfahrungen bekommen einen wichtigen Stellenwert. Das Wohlbefinden der Schulkinder hängt ganz wesentlich davon ab, ob sie von den Kameraden akzeptiert werden und welche Stellung sie in ihrem Freundeskreis einnehmen. Die Pubertät schließlich ist die Entwicklungsperiode, in der die soziale Akzeptanz eine zentrale Bedeutung erhält. Nun sind die Gleichaltrigen alles, sie vermitteln dem Jugendlichen sogar einen erheblichen Teil der Geborgenheit, die er zuvor von seinen Eltern erhalten hat.

RL *»Die Bedeutung, die der sozialen Akzeptanz in jedem Alter zukommt, sollten wir immer im Auge behalten, weil wir so besser verstehen, was für Beziehungen die Kinder brauchen.«*

Die Bedeutung der drei Lebensbereiche in Abhängigkeit vom Alter

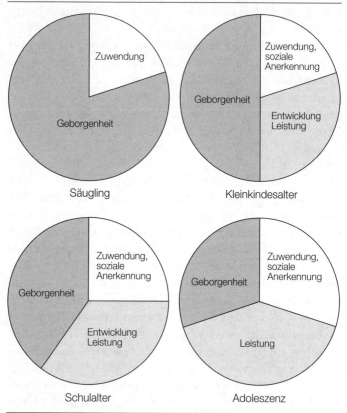

(aus Largo 1999)

MC »Was verstehst du darunter?«

RL »Je kleiner die Kinder sind, desto wichtiger sind die Eltern für ihr emotionales Wohlbefinden. Je größer sie werden, desto mehr brauchen sie die anderen Kinder, um sich sozial bestätigt zu fühlen.«

MC »Man könnte doch annehmen, dass Kinder, die in Patch-

workfamilien zusammenkommen, sich freuen, mit anderen Kindern spielen zu dürfen.«

RL *»Sie freuen sich auch, aber nur dann, wenn sie ausreichend Geborgenheit und Zuwendung von ihren Hauptbezugspersonen erhalten. Wenn das nicht der Fall ist, reagieren sie mit Eifersucht. Die Eifersucht zielt vordergründig auf das andere Kind, gemeint sind aber die Hauptbezugspersonen.«*

MC *»Wie kann man das überprüfen?«*

RL *»Wenn die Hautbezugspersonen sich mehr um das Kind kümmern, nimmt seine Eifersucht ab, und das Kind kann besser auf die anderen Kinder eingehen.«*

Es war, als hätten sich böse Hexen zwischen sie und ihren Vater geschoben. Nachts träumte sie sogar von ihnen. Wie sie sie anschrien und mit ihren langen, schwarzen Fingernägeln zu kratzen versuchten. Amelie war sechs und ihr Vater war gerade mit seiner Freundin und deren fünfjähriger Tochter zusammengezogen. Immer wenn sie ihn am Wochenende besuchen kam, war dieses andere Mädchen da. Steffi hatte ein Zimmer neben dem Schlafzimmer ihres Vaters und seiner Freundin bekommen. Amelie hingegen musste im Wohnzimmer auf der ausziehbaren Couch schlafen. Oder bei Steffi, dieser Hexe. Das wollte sie meistens nicht. Steffi war schrecklich. Sie erzählte, was sie mit Amelies Vater alles unternommen hatte, und fragte Amelie ganz unschuldig, ob ihre Mama auch wieder einen Freund habe. Nein, hat sie nicht! Und das solle auch so bleiben!, dachte Amelie. Sie wollte ihren Papa wieder an der Seite ihrer Mutter sehen. Dann hätte sie ihn wieder für sich gehabt und müsste ihn nicht mehr mit Steffi teilen. An manchen Wochenenden wollte Amelie gar nicht kommen. Sie sei viel zu traurig, ließ sie durch ihre Mutter ausrichten. An anderen Wochenenden vertrug sie sich plötzlich gut mit der fast gleichaltrigen Stiefschwester. Zum Beispiel, wenn sie alle zusammen einen Waldspaziergang machten und Amelie völlig vergaß, dass sie Steffi eigentlich hasste. Das führte dann meistens dazu, dass sie hinterher grundlos gemein zu ihr war. Dann ging Steffi heulend zu ihrer Mutter und zu Robert. Wenn das geschah, wenn auch ihr Papa Steffi tröstete, dann war für Amelie alles aus. Sie schrie, dass sie endlich zu ihrer Mutter nach Hause wolle, dass sie keine Sekunde länger hier bleiben würde. Einmal rannte sie sogar aus dem Haus und auf die Straße hinaus. Sie wollte einfach nur noch weg von hier. Robert und seine Freundin versuchten, die beiden Mädchen immer wieder miteinander zu versöhnen. Sie glaubten, dass sie sich schon aneinander gewöhnen würden, und versuchten beide gleich zu behandeln, so als wären sie richtige Schwestern. Doch die Situation änderte sich nicht. Amelies Eifersucht auf Steffi blieb bestehen, einmal heftiger und destruktiver, dann wieder schwelte sie bloß im Verborgenen.

MC »Die Erwartungen des Vaters und seiner Freundin sind verständlich. Sie glauben, die beiden Kinder würden sich schon zusammenraufen. Aber in diesem Fall scheint das Problem woanders zu liegen. Es geht wohl weniger um die beiden Kinder und die Konkurrenzkämpfe zwischen ihnen.«

RL »Es scheint so. Amelie ist eifersüchtig auf Steffi, weil sie Angst hat, nicht mehr an ihren Papa heranzukommen. Die beiden Kinder aneinander zu gewöhnen ist daher nicht unbedingt die richtige Strategie.«

MC »Der Vater scheint sich nicht bewusst zu sein, wie viel er zu Amelies Eifersucht beiträgt. Wenn er ihr die Möglichkeit geben würde, für sie erreichbar zu sein, wenn er die Beziehung zwischen ihr und sich verbessern würde, würde Amelies Eifersucht auf Steffi verschwinden und die beiden würden vielleicht sogar gute Freundinnen werden.«

RL »Der Vater sollte mehr Zeit mit Amelie verbringen, mit seiner Tochter auch einmal alleine etwas unternehmen. Es sieht ganz so aus, als sei er jetzt nicht in ausreichendem Maße für sie da. Wäre er ihr primärer Ansprechpartner in der Familie, würde er ihr das Gefühl geben, in seiner neuen Familie einen wichtigen Platz zu haben, dann könnte sie auf Steffi freundlicher reagieren.«

MC *»Da gibt es aber noch eine weitere Person, die möglicher-*
weise auch einen Beitrag zu dieser schwierigen Situation lei-
stet. Die Zweitmutter. Wir wissen überhaupt nicht, wie ihre
Beziehung zu Amelie ist. Gibt sie Amelie das Gefühl, in der
Familie willkommen zu sein? Wie weit geht sie auf ihre Bedürf-
nisse ein?«

RL *»Das stimmt. Und dann gibt es da noch eine dritte Person.*
Amelies Mutter. Wenn sie immer noch der Beziehung mit dem
Vater nachtrauert, ist es für Amelie sehr schwierig, sich in der
neuen Familie wohl zu fühlen.«

Ferdinand hatte eine Halbschwester, die dreijährige Jasmin.
Der Achtjährige war so stolz auf sie. Mit gewichtiger Miene
erzählte er wieder und wieder von ihr. Auch seiner Lehrerin
hatte er feierlich verkündet: »Ich habe eine Schwester, weißt
du. Eine süsse kleine Schwester!« Oft dachte er sich Geschichten mit ihr aus, was er mit ihr spielen könnte, was sie sagen
würde und wo sie schlafen könnte, wenn sie denn auf Besuch
käme. Allein sie kam fast nie. Ferdinands Mutter wollte nichts
mehr von ihrem kurzzeitigen Lebenspartner, dem Vater von
Ferdinand, wissen, weil er sie nach zwei kurzen Jahren des Zusammenlebens verlassen hatte, um eine Arbeitskollegin zu heiraten. Einige Zeit später kam Jasmin auf die Welt, doch ihre
Mutter, die neue, ließ nichts unversucht, um Ferdinand und Jasmin möglichst nicht zusammenzubringen. Nicht einmal zur
Taufe war Ferdinand eingeladen gewesen. Dabei hatte er ihr
damals den schönsten Riesenschmetterling gebastelt, den die
Welt je gesehen hat. Jasmin würde sich jeder Zeit draufsetzen
können und zu ihm fliegen, hatte er seiner Mutter erklärt.
Noch lange hing das bunte Wesen aus Krepppapier traurig an
Ferdinands Kleiderschrank mit all seiner Kinderwehmut und
Sehnsucht nach einem Geschwisterchen. Warum konnte nicht
alles so sein wie bei seinem besten Freund Karl. Er hatte zwei
kleine Halbgeschwister. Sein Vater hatte wieder geheiratet und
eine Tochter bekommen, und seine Mutter und er hatten
Andreas gefunden. Karl mochte Andreas von Anfang an.

Andreas war einfach toll. Er konnte ausreichend gut Fußball spielen, war besser in Computer-Backgammon und jemand, mit dem man reden kann. Und dann war da noch Max, das Baby von Mama und Andreas. Zwei Jahre alt war es nun schon. Karl und das Baby mochten einander sehr, und manchmal kam Karls Vater auch noch mit der kleinen Carola zu Besuch. Auch das war klasse, richtig Großfamilie, fand Karl und war glücklich.

RL »*Traurig, nicht? Einmal mehr sind nicht die Kinder das Problem, sondern die Erwachsenen. Wenn es die Erwachsenen nicht schaffen, ihr partnerschaftliches Scheitern zu verarbeiten und eine neue Basis des Zusammenlebens zu finden, verunmöglichen sie ihren Kindern gesunde Beziehungen.*«

MC »*Mit anderen Worten: Wenn die Beziehungen unter den Kindern gut sein sollen, dann müssen sich die Eltern und Zweiteltern vertragen und vertrauensvolle Beziehungen zu den Kindern haben.*«

RL »*Eltern und Zweiteltern sollten sich mindestens so weit vertragen, dass sie die Kinder in ihrer Beziehungsfähigkeit nicht beeinträchtigen.*«

Die Zwillinge Jossi und Johanna kamen sehr bald nach der Hochzeit ihrer Eltern zur Welt. Dort warteten bereits ihre beiden Halbgeschwister, der zwölfjährige Georg und die 15-jährige Olivia, auf sie. Sie stammten aus Mutters erster Ehe, die nach zehn Jahren in die Brüche gegangen war. Georg und Olivia waren für die Zwillinge schon immer vorhanden gewesen, sie waren *ihre* älteren Geschwister und dass die Verwandtschaft nur über die Mutter bestand und die beiden Großen in regelmäßigen Abständen ihren eigenen Vater besuchten, irritierte sie nicht im Geringsten. Obwohl Olivia in eine eigene Wohnung zog, als die Zwillinge gerade vier Jahre alt geworden waren, war und blieb sie die geliebte älteste Schwester, eine Art Zweitmutter. Olivia verbrachte viel Zeit mit ihnen, sie hütete *ihre* Babys, wie sie zu sagen pflegte, wenn die Eltern am Abend unterwegs waren, und verdiente sich dadurch zusätzlich ein wenig Geld. Später wurde sie vor allem für Johanna ein wichtiges Vorbild, sie nahm die kleine Schwester sogar mit in die Ferien und wählte sie zur Patentante ihrer eigenen Tochter. Georg war anfangs noch etwas eifersüchtig auf die Zwillinge. Immer quengelten sie, wenn er Hausaufgaben machen wollte, und seine Mutter hatte nun noch weniger Zeit für ihn. Doch er gewöhnte sich schnell an die beiden. Schließlich hatte er so gut wie nichts mit ihnen zu tun. Erst viel, viel später, als Jossi bereits im Studium war und Georg in einer Bank arbeitete, entdeckten die Halbbrüder ihre gemeinsamen Interessen. Sie trafen sich häufig, gingen miteinander zum Fußball und halfen sich gegenseitig. Georg unterstützte Jossi finanziell, und Jossi wartete dafür Georgs Computer.

Das Wichtigste in Kürze!

Wenn Halb- und Stiefgeschwister miteinander auskommen sollen, müssen die folgenden Vorbedingungen erfüllt sein:

- Eltern und Zweiteltern kommen so weit miteinander aus, dass die Kinder in ihrer Beziehungsfähigkeit nicht eingeschränkt werden.
- Die Kinder fühlen sich bei ihren Hauptbezugspersonen geborgen und angenommen.
- Die Kinder haben ausreichend Gelegenheit, sich gegenseitig kennen und schätzen zu lernen.
- Die Eltern und Zweiteltern sollten sich regelmäßig über die Kinder besprechen, damit sie alle gleichermaßen informiert sind und Missverständnisse, die immer wieder auftreten können, rasch ausgeräumt werden.

Wenn Scheidungskinder erwachsen werden

Valerie setzte sich eines Abends an den Schreibtisch. Die Trennung von ihrem Mann lag nun schon einige Jahre zurück. Es war ebenfalls ein Abend gewesen. Anna schlief bereits. Das Gespräch war freundschaftlich. Nicht mehr und nicht weniger als das Eingeständnis, *so* nicht mehr weiter zu können, und der feste und beiderseitige Entschluss, bei allem, was kommen sollte, immer zuerst an Anna zu denken. Es folgten turbulente Zeiten. Einige Hochs und viele Tiefs. Das Abschiednehmen und langsame Auseinanderdriften. Wie zwei Züge, die in entgegengesetzter Richtung davonfuhren. Erst zügig und voller Tatendrang. Wie gut es tat, nicht mehr zu streiten. Sich nicht einmal mehr misszuverstehen. Wieder nur das eigene Leben vor sich, ein weites Land mit vielen Möglichkeiten. Dann die Rückschläge. Hatte es wirklich sein müssen? Die asynchronen, zögerlichen Versuche, es doch noch einmal miteinander zu versuchen, und die Einsicht, dass es kein Zurück gibt. Die vielen Tränen über die Verletzungen in der Vergangenheit, das schwierige Leben in der Gegenwart und die Zukunftsangst. Wird es je wieder werden? Aber was eigentlich? Einfach das Leben, der Beruf, die Liebe, vielleicht noch ein zweiter Versuch, sie in eine dauerhafte Form zu gießen. Und Anna? Das war Valeries größte Sorge. Wie würde sie groß werden unter diesen Umständen? Wie sehr würde sie leiden, wie sehr zu einem dieser problematischen Kinder heranreifen, die die Schulen füllen? Wie würde sie ihrer Tochter bei all der Arbeit, die nun nötig war, den großen Umstellungen und den seelischen Turbulenzen gerecht werden können? Wie kam Anna eigentlich dazu, auf einer Achterbahn des Lebens gelandet zu sein? War sie mit all ihren Talenten, ihren lebensvertrauenden

Eigenschaften, ihrem reichen Potenzial an Entfaltungsmöglich-
keiten ihrer Mutter Valerie anvertraut worden, damit nach einer
Kindheit voller Verletzungen nur noch eine Karikatur dieser
Möglichkeiten übrig blieb? Valerie stand auf. Ob ihr Mädchen
gut zugedeckt ist? Sie zog die Decke ein wenig höher, betrach-
tete Anna, und wie jeden Abend nahm sie etwas von dem Frieden mit, der das schlafende achtjährige Mädchen umgab. So
war nun alles gekommen, dachte sie und war unschlüssig, was
nun dieses »alles« für Annas Zukunft bedeuten würde.

MC *»Jedes Kind bringt ein großes Potenzial an Entwicklungs-
möglichkeiten mit auf die Welt, und wir als Eltern haben eine
Verantwortung dafür, dass davon nicht, wie Valerie es sagt,
›bloß eine Karikatur dieser Möglichkeiten‹ übrig bleibt.«*
RL *»Wie die Kinder ihr Entwicklungspotenzial verwirklichen,
das sie bei der Geburt mitbekommen haben, ist immer noch ein
großes Geheimnis. Dafür sind die Eltern, die Kindheitserfahrungen und mögliche psychische Traumata nicht allein verantwortlich.«*
MC *»Trotzdem ist es eine Frage, die alle geschiedenen Eltern
beschäftigt: Was wird aus ihren Kindern? Werden sie mehr
Probleme haben als Kinder aus nicht geschiedenen Ehen?«*
RL *»Der Eindruck, der immer wieder in den Medien erweckt
wird, stimmt: Scheidungskinder haben häufiger Probleme als
Kinder aus intakten Familien. Wenn man aber genauer hinsieht,
sind die Aussichten bei weitem nicht so trüb, wie sie immer wieder dargestellt werden. Eigentlich sind sie sogar gut.«*

Die amerikanischen Autoren Amato und Keith (1991) haben
sich die Mühe gemacht, die Auswirkungen von Scheidung und
Trennung umfassend zu untersuchen. Sie haben die Resultate
aus 92 Studien mit insgesamt 13 000 Kindern zusammengetra-
gen. Im Vergleich mit Kindern aus intakten Familien zeigten
die Scheidungskinder häufiger Schulschwierigkeiten, Verhaltensauffälligkeiten, niedriges Selbstwertgefühl sowie Konflikte
mit Eltern und Kameraden. Dabei stellte sich aber heraus, dass

die Scheidungskinder und die Kinder aus intakten Familien weit mehr Gemeinsamkeiten als Verschiedenheiten aufwiesen. Ein Beispiel: Die Psychologin Mavis Hetherington fand heraus (1993), dass in intakten Familien 90 Prozent der Jugendlichen unauffällig waren und 10 Prozent Verhaltensauffälligkeiten aufwiesen. Bei den Scheidungskindern waren 74 Prozent der Knaben und 66 Prozent der Mädchen unauffällig, 26 Prozent der Knaben und 34 Prozent der Mädchen hatten Probleme. Die Mehrheit der Scheidungskinder wiesen also keine Verhaltensstörungen auf. Es stimmt aber auch, dass ein größerer Prozentsatz als bei Kindern aus intakten Familien auffällig ist. Die Schlussfolgerung von Amato und Keith war: *Die Mehrheit der Scheidungskinder entwickelt sich unauffällig. Die Gruppe von Kindern, die auffällig werden, ist aber unter Scheidungskindern größer als bei Kindern aus intakten Familien.*

RL »*Scheidungskinder haben also eine gute Chance, sich normal zu entwickeln.*«

MC »*Wie aber geht es den Scheidungskindern, wenn sie erwachsen sind? Werden sie sich selbst öfter scheiden lassen? Werden sie einen Psychotherapeuten brauchen, um mit ihrer Vergangenheit fertig zu werden? Wie werden sie über ihre Kindheit, ihre Eltern und deren Probleme denken?*«

RL »*Viele Erwachsene werden von Problemen geplagt, von denen sie annehmen, dass sie aus der Kindheit stammen. Scheidungskinder ebenso wie Kinder aus intakten Familien. Es ist verständlich, dass ein junger Erwachsener, der seine Eltern, geschieden oder nicht, während vieler Jahre nur streitend erlebt hat, nur zögerlich eine Partnerschaft eingehen wird.*«

Mit Männern hatte Flavia lange Zeit ihre liebe Not. Nicht, dass es ihr an Verehrern gefehlt hätte oder dass sie etwa keine hübsche Frau gewesen wäre. Im Gegenteil. Sie hatte die großen dunklen Augen und das rabenschwarze Haar ihrer italienischen Mutter geerbt. Vom Vater hatte sie das Gefühl für Zahlen, Fakten und die eiserne Disziplin. Sie war Anwältin geworden. Der

Beruf war ihr wichtig, um nicht zu sagen, alles. Was Beziehungen betraf, war Flavia einigermaßen ratlos. Sie wollte nicht so enden wie ihre Mutter. Depressiv, nicht wahrgenommen, geschieden. Sie konnte sich gar nicht vorstellen, dass Mann und Frau sich über Jahre schätzen und achten können. Ein bisschen Augenauskratzen, ein wenig Hackordnung, eine leichte Missachtung des anderen würden sich nach einigen Jahren in jeder Beziehung bemerkbar machen. So zumindest hatte sie die Ehe ihrer Eltern erlebt und immer gefunden, dass sie sich früher hätten scheiden lassen sollen. Sie jedenfalls machte da schon lieber Karriere, als eine eigene Familie zu gründen.

MC »*Wie wird man beziehungsfähig respektive, wie in Flavias Fall, beziehungsunfähig? Wie bedeutungsvoll ist dabei die Erfahrung, dass sich die eigenen Eltern immer gestritten haben oder dass sie sich gar haben scheiden lassen?*«

RL »*Du spielst auf den Vorbildcharakter der Eltern an. Tatsächlich modellieren die Eltern durch ihr Beispiel das Beziehungsverhalten ihrer Kinder. Die Art und Weise, wie sie miteinander und mit den Kindern umgehen, wird verinnerlicht. Wenn die Kinder erwachsen sind, verhalten sie sich oft genauso wie ihre Eltern.*«

MC »*Aber es gibt doch auch Erwachsene, die sich dezidiert von ihren Eltern absetzen. Sie missbilligen die Art, wie die Eltern miteinander umgegangen sind, und nehmen sich vor, sich anders zu verhalten.*«

RL »*Das kann gelingen, ist aber nicht einfach.*«

MC »*Die Eltern von Flavia haben sich bemüht, den Bedürfnissen ihrer Tochter trotz der Scheidung einigermaßen gerecht zu werden. Bestimmt war sie kein traumatisiertes Scheidungskind, doch sie musste mit dem Vorbild einer zerstrittenen und schließlich geschiedenen Partnerschaft fertig werden.*«

RL »*Junge Erwachsene, die als Kinder erlebt haben, wie sich ihre Eltern jahrelang stritten, laufen Gefahr, sich ähnlich zu verhalten. Oder sie gehen, um das Schicksal der Eltern zu vermeiden, wie Flavia keine Partnerschaften ein.*«

Einmal, einige Zeit nach der Scheidung ihrer Eltern, lernte Flavia ein älteres Ehepaar kennen. Wie anders die miteinander umgingen, als sie es aus ihrer Kindheit kannte. »Hast du mit deiner Frau eigentlich immer gut reden können?«, fragte sie eines Tages den Ehemann. Reden? Wieso nicht? Kommunikationsprobleme gab es für ihn nicht. Flavia versuchte ihm zu erklären, was sie darunter verstehe. »Ach so«, sagte er ziemlich befremdet. »Nein, nein.« Missachtung schien für ihn ein Fremdwort zu sein. Eher befielen ihn Zweifel, ob er ihrem Talent, ihrem scharfen Verstand, ihrer Ernsthaftigkeit denn je hatte gerecht werden können. Wie er sie anblickte beim Mittagessen, wenn sie sich über die aktuelle Politik oder ein Buch äußerte oder wenn sie eine ihrer scharfsinnigen Beobachtungen zum Besten gab. Immer war da ein aufrichtiges Interesse für den anderen, eine nicht nachlassende Anteilnahme. So zumindest empfand es Flavia. Nicht dieser genervte oder der leidende, den anderen gerade noch ertragende Blick. Nicht, dass es keinerlei Auseinandersetzungen zwischen diesen beiden sich nahe stehenden Menschen gegeben hätte. Im Gegenteil. Sie konnten geradezu leidenschaftlich und mit Hingabe streiten. Aber nie gehässig, abwertend. Streit war nicht ein Ausdruck der Ablehnung des anderen, sondern der Auseinandersetzung mit der Welt des geliebten Menschen und damit manchmal auch Anlass zum Widerspruch. Alles in allem schien die Partnerschaft dieser Leute so anders zu sein, als sie Flavia bei den eigenen Eltern kennen gelernt hatte, dass sie sich vornahm, ohne dass sie nun deren Ehe zum Maß aller Dinge erhob, sich die beiden zum Vorbild zu nehmen. Von nun an ging ihr das Bild dieser selbstbewussten Frau nicht mehr aus dem Kopf, sie versuchte Gesprächssituationen zu rekapitulieren, sich daran zu erinnern, wie die beiden miteinander umgegangen waren, Nähe und Distanzen zwischen ihnen abzumessen und dann ein Barometer für gegenseitige Achtsamkeit zu erstellen, der ihr bei den eigenen Beziehungen helfen sollte.

MC »*Flavia scheint einen interessanten Ausweg aus dem Vorbilddilemma gefunden zu haben.*«

RL »*Bereits für Kleinkinder sind nicht nur die Eltern Vorbilder. Sie nehmen sich auch andere Menschen als Beispiel und lernen von ihnen.*«

MC »*Flavia hat wohl vor allem unter dem Streit und der fehlenden Achtung ihrer Eltern schon vor der Scheidung gelitten.*«

RL »*Ob sich die Eltern als Eheleute zanken, ablehnen und hassen oder als Geschiedene einen Rosenkrieg führen, macht in Bezug auf ihre Vorbildfunktion für die Kinder keinen Unterschied. Ob zusammen oder getrennt, das elterliche Verhalten allein ist als Vorbild entscheidend. So können Eltern, die als Geschiedene achtsam miteinander umgehen, durchaus ein positives Beispiel für ihre Kinder sein.*«

MC »*Für die Langzeitfolgen spielt es also keine Rolle, ob die Kinder aus einer zerstrittenen oder einer geschiedenen Ehe stammen?*«

RL »*Wenn die Eltern die Scheidung konstruktiv bewältigen, kann es für die Kinder besser sein als davor. Leider nehmen die Auseinandersetzungen nach der Scheidung oft nicht ab, sondern sogar noch zu. Dann kann es den Kindern schlechter gehen, als wenn sich die Eltern nicht getrennt hätten.*«

Eine der bekanntesten amerikanischen Studien über Scheidungskinder hat die Langzeitfolgen untersucht, die eine Trennung der Eltern für die Kinder mit sich bringt (Wallerstein und Lewis 2002). 93 Kinder, deren Eltern sich in den siebziger Jahren hatten scheiden lassen, wurden über mehr als 25 Jahre begleitet. Die Kinder kamen alle aus Mittelstandsfamilien und waren zu Beginn der Studie 13 bis 18 Jahre alt. Ihre Entwicklung wurde mit der von Kindern verglichen, deren Eltern in belasteten partnerschaftlichen Beziehungen lebten. Diese Studie kam zu dem Ergebnis, dass für Kinder aus Scheidungsfamilien die langfristige Prognose im Erwachsenenalter weniger günstig war als für die aus zerrütteten, aber vollständigen Familien. Die ehemaligen Scheidungskinder hatten mehr Angst, verlassen zu werden. Sie glaubten weniger an stabile Beziehungen. Weil sie ein großes, ungesättigtes Bedürfnis nach Geborgenheit hatten, flüchteten sich manche überstürzt in Partnerschaften, die in der Folge wiederum auseinander brachen. Die Scheidungsrate war bei den erwachsenen Kindern aus geschiedenen Ehen höher als bei den erwachsenen Kindern aus der Kontrollgruppe. Außerdem hatten sie weniger Kinder. Es gab aber nicht nur Negatives, sondern auch Positives zu berichten. Die ehemaligen Scheidungskinder wurden früh selbständig, hatten ein großes Verantwortungsgefühl für sich selbst, die Geschwister und für andere Menschen. Sie waren stolz auf ihre Autonomie und ihren beruflichen Erfolg.

Langzeitfolgen bei Scheidungskindern

- Alle Kinder haben unter dem Zusammenbruch der Familie gelitten.
- Der Einfluss der Scheidung nahm im Verlauf der Jahre nicht ab, sondern zu. Das unmittelbare Trauma der Trennung hat weniger Einfluss auf das spätere Leben der Kinder und deren Beziehungen als vielmehr die Zeit danach in der Scheidungs- oder Stieffamilie.
- Die verzweifelte Suche nach Liebe führte oft zu impulsiven und destruktiven Entscheidungen in partnerschaftlichen Beziehungen. Die Folgen waren frühe Heirat, aber auch häufigere Scheidungen.
- Die Fähigkeit zu partnerschaftlichen Beziehungen war eingeschränkt durch die Angst, in Liebesdingen genau so zu scheitern wie die Eltern. Diese Angst hinderte sie daran, verantwortungsvolle und liebende Beziehungen einzugehen. Viele ehemalige Scheidungskinder führen ein einsames Leben.
- Ehemalige Scheidungskinder hatten Schwierigkeiten, dem Partner zu vertrauen. Sie litten unter einer ständigen Angst, den Partner zu verlieren oder verletzt zu werden.
- Nur 30% der Scheidungskinder wurden während der Ausbil-

dung finanziell von ihren Vätern unterstützt, in der Kontrollgruppe waren es 90%.

- Geschiedene Väter und Stiefeltern werden im Alter finanziell und emotional von ihren Kindern nur selten unterstützt.
Die Väter werden als selbstsüchtig angesehen.

(Wallerstein und Lewis, 2002)

RL »Das tönt alles ziemlich negativ. Es ist aber wie bei den Stu-
dien zuvor: Langfristig sind die Gemeinsamkeiten zwischen den
Scheidungskindern und den Kindern aus intakten Familien viel
größer als die Verschiedenheiten. Der Anteil Erwachsener, der
Schwierigkeiten hat, ist bei den Scheidungskindern etwas höher.
Aber die Mehrheit ehemaliger Scheidungskinder unterscheidet
sich nicht von den Erwachsenen aus intakten Familien. Die
Frage, die wir uns stellen sollten, ist daher nicht, ›Scheiden
oder nicht scheiden?‹, sondern: ›Welches sind die negativen
Auswirkungen, die eine Scheidung bewirken kann?‹.«

MC »Da ist als Erstes der Beziehungsverlust. Zu häufig bricht
die Beziehung zum abwesenden Elternteil, meist zum Vater, ab.
Wenn die Beziehung vom Vater zu den Kindern in der intakten
Familie tragfähig ist, geschieht dies nicht. Der vielleicht wichtigste Unterschied zwischen Eltern, die zusammenbleiben, und
solchen, die sich scheiden lassen, ist zweitens, dass die Lebensbedingungen für die Kinder durch die Scheidung oft schlechter
werden. Sie verlieren ihre vertraute Umgebung, die Freunde,
die Schule. Die Wohnsituation verschlechtert sich. Schließlich
haben Mutter und Vater weniger Zeit für die Kinder, weil die
Mutter mehr arbeiten muss und der Vater kaum oder überhaupt
nicht mehr verfügbar ist.«

RL »Die Lebensumstände und der Beziehungsverlust nach der
Scheidung wirken sich entscheidend auf die Kinder aus.«

Ob Scheidungskinder nach der Scheidung leiden, hängt von
den Folgen ab, die sich für das Kind aus der Scheidung ergeben
(Amato 1993, 1994). Die vier wichtigsten Faktoren, die zusam-

314

menwirken, sich aber auch neutralisieren können, sind in der folgenden Tabelle in vier Bereichen zusammengefasst.

Die vier Hauptfaktoren, welche die Entwicklung eines Kindes bestimmen

* **Individuelle Persönlichkeit des Kindes**
  Je nach seiner Persönlichkeit kann das Kind mit den Folgen der Scheidung unterschiedlich gut umgehen.
* **Familie**
  Eingeschränkte Beziehung oder Verlust eines Elternteils
  Dem Kind gehen Geborgenheit und Zuwendung, gemeinsame Erfahrungen und ein Vorbild verloren.
  Wohlbefinden der Eltern
  Wie es dem Kind geht, hängt wesentlich vom Wohlbefinden der Eltern ab, insbesondere davon, wie sie die Scheidung psychisch verarbeitet haben.
  Beziehung zwischen den Eltern
  Das Kind ist in seinem Wohlbefinden beeinträchtigt, wenn der elterliche Konflikt nach der Scheidung weitergeht oder sich gar noch verschlimmert.
  Einkommen
  Ein geringes Einkommen wirkt sich auf die Lebensbedingungen des Kindes aus, muss aber nicht zwangsläufig negarive Folgen für sein Wohlbefinden und seine Entwlicklung haben.
* **Lebensbedingungen**
  Soziales Netz
  Bezugspersonen wie Verwandte, Bekannte, Lehrer können ganz wesentlich zum Wohlbefinden des Kindes beitragen.
  Stress durch veränderte Umwelt
  Die Lebensbedingungen können sich für das Kind durch die Scheidung tief greifend verändern: Umzug, Verlust von Verwandten und Bekannten, Wechsel der Schule, Verlust von Kameraden. Diese Veränderungen können, müssen sich aber nicht negativ auf das Wohlbefinden des Kindes auswirken.

- **Gesellschaftliche Rahmenbedingungen**
  Bildungs-, Gesundheits-, Sozial- und Wirtschaftssystem, sowie kulturelle und religiöse Bedingungen können einen grossen Einfluss auf die Familie und damit auch auf das Kind ausüben.

(modifiziert nach Bronfenbrenner 1976)

RL *»Ein einzelner Faktor wirkt sich zumeist nicht negativ auf die Entwicklung eines Kindes aus. Es ist vor allem die Kumulation von Risikofaktoren, die ein Kind gefährdet. Beispielsweise wenn der Vater die Familie verlässt, die Mutter wegen der Trennung depressiv wird, keine andere Bezugsperson für das Kind zur Verfügung steht und das Kind wegen des Umzugs auch noch seine vertraute Umgebung verliert.«*

MC *»Ganz wichtig scheint mir die Beobachtung zu sein, dass es Scheidungskindern, deren Eltern sich verstehen, besser geht als Kindern aus intakten Familien, deren Eltern sich streiten. Für Kinder ist es also längerfristig nicht unbedingt besser, wenn ihre sich zankenden Eltern weiter zusammenbleiben. Ganz wichtig scheint mir auch die Einsicht zu sein, dass Beziehungen und Lebensbedingungen sich verändern lassen. Wir sind ihnen nicht hilflos ausgeliefert. Sie haben einerseits mit unserer Grundhaltung dem Leben gegenüber zu tun, andererseits mit den Rahmenbedingungen der Arbeitswelt und der Gesellschaft.«*

RL *»Damit uns ein neuer Umgang mit der Scheidungsproblematik gelingt, ist also eine Veränderung unserer Grundhaltung notwendig. Wir sollten uns, damit meine ich nicht nur die geschiedenen Eltern, sondern die ganze Gesellschaft, endlich auf die veränderten Lebensbedingungen einstellen (Beck-Gernsheim 1989). Wir hegen immer noch traditionelle Vorstellungen von Familie und Ehe, leben aber ein ganz anderes Leben als frühere Generationen. Je rascher wir die jetzige Lebenssituation akzeptieren, desto besser ist es für die Kinder. Dazu gehört, dass wir Scheidungen und die verschiedenen Formen* *des Zusammenlebens als einen Bestandteil unseres Lebensstils akzeptieren.«*

MC »*Genauso bedeutsam erscheint mir der Stellenwert, den wir den Kindern in unserem Leben geben. Wie wichtig sind uns Kinder? Auf was sind wir bereit, im Interesse der Kinder zu verzichten? Welche Priorität haben Kinder in unserem Leben?«*

Wie wichtig sind mir die Kinder? Wie viel Zeit verbringe ich im Durchschnitt pro Tag beim Fernsehen etc. Bitte ausfüllen!

	Stunden/ Minuten		Stunden/ Minuten
Beruf	_____	Fitnessstudio	_____
Hausarbeit	_____	Sport	_____
Mahlzeiten	_____	Fernsehen	_____
Schlafen	_____	PC	_____
Körpertoilette	_____	Ausgehen	_____
Zeitunglesen	_____	Gartenarbeit	_____
Spazierengehen	_____	Autofahren	_____
Hobby	_____	Autopflege	_____
Verein	_____	Mit den Kindern	_____

RL   »*Wer für Kinder wirklich da sein will, braucht Zeit. Die Zeit ist daher der beste Gradmesser für die Bedeutung, die wir dem Elternsein zumessen. Sie ist auch das Wichtigste, das Eltern ihren Kindern geben können, Zeit für eine individuelle Betreuung, Zeit für gemeinsame Erfahrungen und Zeit, wenn die Kinder die Eltern brauchen.*«

MC   »*Das klingt jetzt wieder so, als ob die Eltern alles selber machen müssten. Eltern, die sich scheiden lassen oder bereits geschieden sind, haben aber diese Zeit oft gerade nicht.*«

RL   »*Ja, das stimmt. Die meisten geschiedenen Eltern haben wenig Zeit. Dabei müssten sie nun mehr Zeit für ihre Kinder aufwenden als zuvor. Deshalb brauchen sie Unterstützung von Freunden, Verwandten und nicht zuletzt den gesellschaftlichen Institutionen. Vieles an Betreuung können und müssen sie abgeben. Entscheidend für das Kind ist, dass seine Bedürfnisse dabei weiterhin ausreichend befriedigt werden.* Es braucht ein stabiles und qualitativ gutes soziales Netz.«

MC   »*Wenn also die Grundbedürfnisse des Kindes befriedigt werden, haben wir dann ein glückliches Scheidungskind?*«

RL   »*Sagen wir es so:* Wenn es den Eltern gelingt, das Zusammenleben so zu gestalten, dass die kindlichen Bedürfnisse ausreichend befriedigt werden, dann wird sich das Kind unabhängig von der Form des Zusammenlebens wohl fühlen, sich seinen Möglichkeiten entsprechend entwickeln und zu einem guten Selbstwertgefühl gelangen.«

Valerie hatte sich vorgenommen, wichtige Ereignisse für Anna in ein großes Buch zu schreiben. Später könne ihre Tochter darin nachlesen, was ihre Mutter getan und gedacht hatte, und wie sie, Anna, als Kind gewesen war. Auch die Scheidung und wie es dazu gekommen war, notierte Valerie und versuchte, nichts zu beschönigen und nichts wegzulassen. »Ich habe mir immer vorgestellt, wie es uns allen in fünf, zehn Jahren gehen soll. Das hat mir geholfen.« Und dann schrieb sie eine Liste von Dingen zusammen, die sie sich für Annas Zukunft wünschte. Sie, der sie stets Geschwister gewünscht hatte, sollte in einem stabilen sozialen Netz geborgen aufwachsen können. Valerie wünschte sich, dass Anna nie gezwungen sein würde, eine Grenze zwischen ihren beiden großen Familien zu ziehen. Dass sie zu beiden Eltern eine eigenständige Beziehung leben könnte, die nicht von der Beziehung der Eltern zueinander belastet sein würde. Dass sie Ehrlichkeit in Beziehungen erleben würde. Dass sie mit Realitätssinn, Selbstvertrauen und Verantwortungsbewusstsein einmal gut ausgestattet ins Leben hinausgehen würde. All das wünschte sie sich für Anna und sie wollte weiterhin das Ihre dazu beitragen, dass sich das Leben ihrer Tochter so entwickeln kann.

RL *»Eltern haben viele Wünsche für ihre Kinder, und dennoch, auch wenn sie selbst ihr Bestes gegeben haben, müssen sie oft zusehen, wie ihre Kinder ganz anders werden als erwartet, wie sie von Problemen und inneren Konflikten heimgesucht werden, mit denen die Eltern nie gerechnet haben.«*
MC *»Werden sich Valeries Wünsche erfüllen?«*
RL *»Ich hoffe es sehr für sie und Anna. Die Voraussetzungen dazu sind gut. Aber selbst wenn sich Anna in manchen Dingen anders entwickelt, als es sich Valerie vorstellt, wird das kaum die Folge der Scheidung ihrer Eltern sein. Wir müssen aufhören, die Scheidung immer wieder zum Sündenbock zu machen.«*
MC *»Es gibt sie also, die glücklichen Scheidungskinder, und ich denke, wir haben auch einige kennen gelernt. Scheidungskinder können eine ebenso glückliche Kindheit und Jugend verleben wie Kinder, deren Eltern sich nicht scheiden lassen. Wir Erwachsene haben es in der Hand, dass Scheidungskinder als ganz normale Kinder aufwachsen können. Nicht anders als andere Kinder, deren Leben ja auch nicht krisenfrei verläuft.«*
RL *»Ein Trost für alle Eltern: Die Natur hat die Kinder mit einer gewissen psychischen Robustheit ausgestattet. Sie rechnet nicht mit perfekten Eltern, aber mit Eltern, die sich um ihre Kinder kümmern, und mit einer Gemeinschaft, die den Eltern dabei hilft. Dies setzt ein Umdenken in der Familie und in der Gesellschaft voraus.«*

MC »*Eine Ehescheidung oder die Auflösung einer Partner-schaft scheint mir ein Kristallisationspunkt für all die Probleme und Krisen zu sein, die das Aufziehen von Kindern mit sich bringen kann. Die Krisen so gut wie möglich zu bewältigen ist die Verantwortung, die wir unseren Kindern gegenüber haben.*«

RL »*Kinder sind etwas Wunderbares, und alle Eltern sollen diese Erfahrungen machen dürfen. Fangen wir an, auf allen Ebenen umzudenken: in den Prioritäten, die wir im eigenen Leben setzen, in unserer Bereitschaft, uns um Kinder, nicht nur die eigenen, zu kümmern, und in der Gesellschaft, damit sich die Rahmenbedingungen für die Familien und Kinder ver-bessern.*«

Als Anna fast sechs war, saßen sie und ihre Mutter eines Nach-mittags auf Valeries großem Bett. Sie waren ganz vertieft in Annas Perlenschatzkiste. Endlich hatte Valerie wieder einmal genug Zeit und vor allem Muße, mit Anna zu spielen. Das heißt, wie so oft bei Kindern in diesem Alter war Valerie von Anna bloß eine Statistenrolle zugewiesen worden. Anna spielte, und Valerie durfte ihr Treiben wohlwollend verfolgen. So waren die Regeln. Valerie kannte sie und nahm sie schmun-zelnd zur Kenntnis. Während Anna ohne Punkt und Komma auf ihre Mutter einredete, legte sie Perlen auf die Tagesdecke des Bettes. Muster entstanden, Zeichnungen aus kleinen Glit-zerpailletten nahmen Gestalt an. Da war ein Hut, aus dem plötzlich ein Elefantenrüssel herausragte, der dann mit einem Frosch redete, für den anschließend auch noch ein Teich aus Steinen ausgelegt wurde, und dann entstand auch noch eine Sonne »mit ganz großen Strahlen« oberhalb des Teiches mit seinen wandlungsfähigen Bewohnern. Manchmal durfte auch Valerie ein paar Perlen in Reih und Glied legen, nur nach strik-ter Anweisung von Anna, doch meistens wollte das Mädchen, dass seine Mutter einfach da saß, Annas Gedanken folgte und in den Fluss ihrer Geschichten eintauchte. Zum Abschluss schenkte sie Valerie vier von ihren Lieblingsglitzersternchen. Den hellblauen, »damit du immer weißt, wie es mir geht«. Den gelben, »damit du weißt, ob ich gerne in die Schule gehe«, das kleine rote Paillettenherz soll dir sagen, »wenn ich in der Schule einen neuen Buchstaben gelernt habe«, und die weiße Perle schließlich dafür, »dass du weißt, was ich zu Abend essen möchte«. Anna war nun fast ein Schulkind. Ein Drittel des gemeinsamen Weges lag schon hinter ihr und ihrer Mutter. Dass die beiden nächsten Drittel, bis Anna erwachsen sein würde, auch gelingen, blieb Valeries inständige Hoffnung.

Anhang

Literatur

Amato P. R., Keith B. (1991). Parental divorce and the well-being of children: A meta-analysis. Psychological Bulletin, 110, 26–46.

Amato P. R. (1993). Children's adjustment to divorce: Theories, hypotheses, and empirical support. Journal of Marriage and the Familiy, 55, 23–38.

Amato P. R. (1994). Life-span adjustment of children to their parent's divorce. The Future of Children, 4, 143–164.

Bauer T. (1998). Kinder, Zeit und Geld. Forschungsbericht. Schweiz. Bundesamt für Sozialversicherungen.

Beck-Gernsheim E. (1989). Die Kinderfragen. Frauen zwischen Kinderwunsch und Unabhängigkeit. Beck, München.

Beelmann W., Schmidt-Denter U. (1991). Kindliches Erleben sozial-emotionaler Beziehungen und Unterstützungssysteme in Ein-Elternteil-Familien. Psychologie in Erziehung und Unterricht, 38, 180–189.

Belsky J. (1988). The »effects« of day care reconsidered. Early Childhood Research Quarterly, 3, 235–272.

Belsky J., Steinberg L. (1978). The effects of day care: A critical review. Child Development 49, 929–949.

Benedeck E., Brown C. (1997). Scheidung: Wie helfe ich unserem Kind? Thieme, Stuttgart.

Berger-Schmitt R. K. (1991). Die Lebenssituation allein stehender Frauen. Schriftenreihe des Bundesministers für Frauen und Jugend. Band 1. Kohlhammer, Stuttgart.

Birchler-Hoop U. (2002). Elternentfremdung. <und Kinder>, 69. Marie-Meierhofer-Institut, Zürich.

Block J. H., Block J., Gjerde P. F. (1986). The personality of children prior to divorce: A prospective Study. Child Development, 57, 827–840.

Bowlby J. (1995). Bindung: Historische Wurzeln, theoretische Konzepte und klinische Relevanz. In G. Spangler, P. Zimmermann (Hrsg.), Die Bindungstheorie: Grundlagen, Forschung und Anwendung. Klett-Cotta, Stuttgart.

Bronfenbrenner U. (1976). Ökologische Sozialisationsforschung – ein Bezugsrahmen. In K. Lüscher & U. Bronfenbrenner (Hrsg.), Ökologische Sozialisationsforschung (S. 199–220). Klett-Cotta, Stuttgart.

Bundesamt für Statistik (1998). Eidgenössische Volkszählung, Neuchâtel.

Burchinal M. R., Roberts J. E., Nabors L. A., Bryant D. M. (1996). Quality of center child care and infant cognitive and language development. Child Development 67, 606–620.

Cramer D. (1993). Personality and marital dissolution. Personality and Individual Differences, 14, 605–607.

Decurtins L., Meyer P. C. (Hrsg.) (2001). Entschieden – Geschieden. Was Trennung und Scheidung für Väter bedeuten. Rüegger, Zürich.

Dolto F. (1995). Von den Schwierigkeiten erwachsen zu werden. Klett-Cotta, Stuttgart.

Eichenberger U. (2002). Ohne »Krippe Grosi« geht nichts. Tagesanzeiger, 6. September, Seite 9.

Emery R. E., Joyes S. A., Fincham F. D. (1987). Aessment of child and marital problems. In K. D. O'Leary (Ed.), Assessment of marital discord. An integration of research and clinical practice (pp. 223–261). Lawrence Erlbaum, Hillsdale.

Erath P. (1983). Argumente für Gemeinschaftserziehung kleiner und großer Kinder. Theorie und Praxis der Sozialpädagogik, 3, 137–141.

Fincham F. D. & Osborne, L. N. (1993). Marital conflict and children. Retrospect and prospect. Clinical Psychology Review, 13, 75–88

Fthenakis W. E. & Minsel B. (2002). Die Rolle des Vaters in der Familie. Frühe Kindheit, 5/3, 23–25.

Fthenakis W. E., Niesel R., Griebel W. (1993). Scheidung als Reorganisationsprozess. Interventionsansätze für Eltern und Kinder. In K. Menne, H. Schilling, M. Weber (Hrsg.), Kinder im Scheidungskonflikt (S. 261–289). Juventa, Weinheim.

Gardner R. A. (1992). The Parental Alienation Syndrome: A Guide for Mental Health and Legal Professionals. Cresskill, New Jersey.

Goleman D. (1996). Emotionale Intelligenz. Hanser, München.

Grossmann K. E., Becker-Stoll F., Grossmann K., Kindler H., Schieche M., Spangler G., Wensauer M., Zimmermann P. (1997). Die Bindungstheorie. In H. Keller (Hrsg.), Handbuch der Kleinkindforschung. Huber, Bern.

Hellmann J. (2002). Qualität in Krippen. Marie-Meierhofer-Institut, Zürich.

Hetherington E. M. (1978): The aftermath of divorce. In J. H. Stevens & M. Mathews (Eds.), Mother-child, father-child relationships (pp. 149–176). National Association for the Education of Young children, Washington, DC.

Hetherington E. M. (1989). Coping with family transition: winners, losers and survivors. Child Development, 60, 1–40.

Hetherington E. M. (1991). The role of the individual differences and family relationships in children's coping with divorce and remarriage. In P. A. Cowan & E. M. Hetherington (Ed.), Family transitions (pp. 165–194). Lawrence Erlbaum, Hillsdale.

Hetherington E. M. (1993). An overview of the Virginia Longitudinal Study of divorce and remarriage with a focus on the early adolescent. Journal of Family Psychology, 7, 39–56.

Kreyenfeld M., Spieß C., Wagner G. (2001). Finanzierungs- und Organisationsmodelle institutioneller Kinderbetreuung. Analysen zum Status quo und Vorschläge zur Reform (DIW-Studie). Beltz, Weinheim.

Kucera K. M. & Bauer J. (2001). Kindertagesstätten zahlen sich aus. Stadt Zürich, Edition Sozialpolitik 5a.

Kurdek L. A. (1981). An integrative perspective on children's divorce adjustment. American Psychologist, 36, 856–866.

Kurdek L. A. (1989). Children's adjustment. In M. R. Textor (Ed.), The divorce and divorce therapy handbook (pp. 77–102). Aronson, Northvale.

Kurdek L. A. & Sinclair R. J. (1988). Adjustment of young adolescents in two parent nuclear, stepfather, and mother-custody families. Journal of Consulting and Clinical Psychology, 56, 91–96.

Lamb M. E., Wessels H. (1997). Tagesbetreuung. In H. Keller (Hrsg.), Handbuch der Kleinkindforschung. S. 69–718. Huber, Bern.

Largo R. H. (1993). Verhaltens- und Entwicklungsauffälligkeiten: Störungen oder Normvarianten? Monatsschrift für Kinderheilkunde, 141, 698–703.

Largo R. H. (1999). Kinderjahre. Piper, München.

Maccoby E. E., Mnookin R. H. (1999). Dividing the child: Social and legal dilemmas of custody. Harvard University Press, Cambridge.

Napp-Peters A. (1985). Ein-Elternteil-Familien. Juventa, Weinheim.

Napp-Peters A. (1995). Familien nach der Scheidung. Kunstmann, München.

Offe H. (1992). Empirische Scheidungsfolgen-Forschung: Ein Überblick »über neuere Ergebnisse«. In J. Han, B. Lemberg & H. Offe (Hrsg.), Scheidung und Kindeswohl (S. 25–53). Asanger, Heidelberg.

Pearce F. (2002). Ab 2050 ist wieder viel Platz. Weltwoche, 34, 26–29.

Petri H. (1991). Erziehungsgewalt. Fischer, Frankfurt.

Petri H. (1991). Verlassen und verlassen werden. Kreuz, Zürich.

Rosengren A., Orthgomer K., Wedel H., Wilhelmsen L. (1993). Stressful life events, social support, and mortality in men born in 1933. British Medical Journal, 307, 102–105.

Rutter M. (1979). Maternal deprivation 1972–1978: New findings, new concepts, new approaches. Child Development, 50, 282–305.

Sandler I. N., Tein J.-Y., West S. G. (1994). Coping, stress, and the psychological symptoms of children of divorce: A cross-sectional and longitudinal study. Child Development, 65, 1744–1763.

Scarr S. (1990). Wenn Mütter arbeiten. Wie Kind und Beruf sich verbinden lassen. Beck, München.

Scarr S., Eisenberg M. (1993). Child Care Research: Issues, perspectives, and results. Annual Review of Psychology, 44, 613–644.

Schmidt-Denter U. & Beelmann W. (1995). Familiäre Beziehungen nach Trennung und Scheidung: Veränderungsprozesse bei Müttern, Vätern und Kindern. Forschungsbericht. Band 1. Universität Köln.

Sevèr A. & Pirie M. (1991). Factors that enhance or curtail the social functioning of female single parents. Family and Conciliation Courts Review, 19, 318–337.

Statistisches Bundesamt (1999). Bevölkerung und Erwerbstätigkeit (Fachserie 1, Reihe 3: Haushalte und Familien). Metzler-Peschel, Stuttgart.

Wallerstein J. S., Lewis J. M., Blakeslee S. (2002). Scheidungsfolgen – Die Kinder tragen die Last. Eine Langzeitstudie über 25 Jahre. VOTUM, Münster.

Walper S. (1995). Familienbeziehungen und Sozialentwicklung Jugendlicher in Kern-, Eineltern- und Stieffamilien. Zeitschrift für Entwicklungspsychologie und Pädagogische Psychologie, 27, 93–121.

Walper S. (1998). Die Individuation in Beziehung zu beiden Eltern bei Kindern und Jugendlichen aus konfliktbelasteten Kernfamilien und Trennungsfamilien. Zeitschrift für Soziologie der Erziehung und Sozialisation, 18, 134–151.

Walper S. & Gerhard A.-K. (1999). Konflikte der Eltern, Trennung und neue Partnerschaft: Einflüsse auf die Individuation von Kindern und Jugendlichen in Ostdeutschland. In S. Walper & B. Schwarz (Hrsg.), Was wird aus den Kindern? Chancen und Risiken für die Entwicklung von Kindern aus Trennungs- und Stieffamilien (S. 143–170). Juventa, Weinheim.

Walper S., Schwarz B. (1999). Was wird aus den Kindern? Chancen und Risiken für die Entwicklung von Kindern aus Trennungs- und Stieffamilien. Juventa, Weinheim.

Weiss R. S. (1979). Growing up a little faster: The experience of growing up in a single parents household. Journal of Social Issues, 35, 81–111.

Danksagung

Am Zustandekommen dieses Buches waren naturgemäß viele Menschen beteiligt, und leider können nicht alle hier namentlich erwähnt werden. Dennoch wollen wir zumindest die wichtigsten nennen.

Zuerst schulden wir jenen unseren Dank, die uns ihre persönlichen Erlebnisse mit Trennung, Scheidung, mit ihren Kindern und den Kindern anderer anvertraut haben. Sie alle stärkten in uns die Überzeugung, dass es bei den Eltern viel Bemühen um die Kinder gibt und dass ein Buch über »glückliche Scheidungskinder« eine sinnvolle Hilfestellung für alle sein kann.

Im Weiteren danken wir einer ganzen Reihe von Personen, Kinderärzten, Juristen, Erziehern, Mediatoren, Psychologen und Eltern für das Lesen des Rohmanuskripts und die vielen wertvollen Fragen, Anregungen, Kritikpunkte. Mit ihrer grundsätzlichen Begeisterung für das Anliegen des Buches haben sie uns beim Schreiben bestärkt: Caroline Benz, Claudia Benz, Ursula Birchler-Hoop, Mario Caduff, Käthy Etter, Joachim Fischer, Gabriela Frischknecht, Eva Gächter, Christine Grän, Jeanne und Daniel Hänggi, Jeremy und Jessica Hellmann, Johanna Herranz, Sepp Holtz, Maria Hose, Elisabeth Kälin, Flavia Kienz, Kathrin Largo, Luciano Molinari, Monika Moser, Melissa Müller, Patrick Orban, Susanne Ritter, Miriam Rosenthal, Traudel Saurenmann, Birgit Schoeller, Stephanie Stücheli, Anna-Elisabeth Trauttenberg, Rainer Truninger.

Ein ganz besonderer Dank gilt auch den Mitarbeitern der Abteilung Wachstum und Entwicklung am Kinderspital in Zürich, insbesondere Franziska Neuhaus und Irene Moos, die das Manuskript immer wieder durchgesehen und die organisatorischen Aufgaben zuverlässig erledigt haben. Aber auch unserem Lektor, Ulrich Wank, schulden wir Dank. Er hat uns von Anfang an voll Enthusiasmus begleitet. Seinem Team, allen voran der Seele der Abteilung, Eva Leupold, sowie Viktor Niemann, der als Verleger sein Vertrauen in uns gesetzt hat, wollen wir an dieser Stelle ebenfalls von Herzen danken.

Wie immer hätten wir ohne die liebevolle Unterstützung unserer Familien, ihr Verständnis dafür, dass uns die Zeit davongelaufen ist und wir zusätzlich Abende, Wochenenden und Ferien sukzessive für das Buch opfern mussten, nicht so unbeirrt arbeiten können. Aber auch ihr Interesse, ihre kritischen Anmerkungen und ihr Wohlwollen dem Schreibprozess gegenüber haben uns sehr geholfen.

Register

Remo H. Largo
Babyjahre
Die frühkindliche Entwicklung aus biologischer Sicht. Aktualisierte Neuausgabe. 506 Seiten. Serie Piper

Die Bedürfnisse eines Säuglings und Kleinkinds zu erkennen und richtig zu deuten ist für Eltern nicht immer leicht, besonders wenn es ihr erstes Kind ist. Sprechen kann das Baby nicht, aber es hat eine Vielzahl von Möglichkeiten, sich auszudrücken. Der erfahrene Kinderarzt Professor Remo H. Largo will mit seinem Buch das Verständnis bei Eltern und Erziehern für die biologischen Gegebenheiten und die Vielfalt des kindlichen Verhaltens wecken. Dabei orientiert er sich nicht an abstrakten Normen oder überlieferten Erziehungsprinzipien, sondern schärft den Blick für das individuelle Kind und vermittelt Einsichten in seine entwicklungs- und altersspezifischen Eigenheiten. Der Bestseller »Babyjahre« wurde für diese Taschenbuchausgabe grundlegend überarbeitet und aktualisiert.

Remo H. Largo
Kinderjahre
Die Individualität des Kindes als erzieherische Herausforderung. 378 Seiten. Serie Piper

Wie man Kinder fit fürs Leben macht, ihnen hilft, im Einklang mit ihrer Umwelt zu leben – das zeigt Remo H. Largo in diesem Buch. Er ist seit über zwanzig Jahren Leiter der Abteilung Wachstum und Entwicklung am Kinderspital in Zürich und kennt daher die ganze Bandbreite kindlicher Entwicklung. So kann er Eltern und Erziehern wirkliche Hilfe anbieten, nicht nur Theorien. Anschaulich führt er durch die entscheidenden Jahre zwischen dem Kleinkindalter und der Schwelle des Erwachsenseins. Wie entsteht die Individualität des Kindes? Welche Rolle spielen Anlagen und Umwelt? Wann und wie können Eltern die Entwicklung ihres Kindes unterstützen? Auf diese Fragen gibt der Autor fundierte Antworten mit praktischen Beispielen.